JN120310

アフリカからアートを売り込む

アフリカから
Promoting Arts from Africa:
アートを
Prospects for Intersection between Business and Research
売り込む
企業×研究

柳沢史明・緒方しらべ 編
Fumiaki Yanagisawa & Shirabe Ogata (eds.)

水声社

目次

第2部　研究の視点から

第3部　企業と研究の視点から

柳沢史明

「アフリカからアートを売り込む」

——序文にかえて

本書を手に取られた方は、「アフリカからアートを売り込む」というタイトルから何を想起しただろうか。文字通り、アフリカ大陸から商品として「アート」を紹介・宣伝・販売する行為、さらには事足りている状況にもかかわらず「アート」を押し売りする人を思い浮かべるだろうか。また「アフリカ」と「アート」という語の繋がりから何を頭に思い描いただろうか。何かしらおどろおどろしく感じられる彫刻や仮面だろうか、あるいはティンガティンガ・アートのようにヴィヴィッドな色合いの動物によって彩られる絵画であろうか、はたまた世界各国のビエンナーレなどに招待・出品される彫刻家エル・アナツイの作品だろうか。ひょっとしたら、アフリカに「アート」が存在するのか、と訝しがる人もいるかもしれない。

もっとも、アフリカという単語から、エジプトやチュニジアといったサハラ以北の地域に存在する諸々の「アート」を想定する可能性も当然あるし、その精緻な幾何学的装飾や流麗な書法に基づくアラビアの諸芸を本書に期待する人がいるのも十分に考えられうる。しかし、この本に登場してくるのはおもにサハラ以南のアフリカ諸国となっている。西アフリカを中心としたサハラ以南の諸地域が広く扱われる二つの章（第一章、第三章）、そしてタンザニア（第二章）、ケニア（第五章）の東アフリカに関する章が二つ、ベナン（第四章）、ナイジェリア（第六章）の西アフリカを対象とした章が二つと、アフリカに存在する五十四の国々を考えれば、本書が扱う地域はかなり限定的である。なにより「アフリカ」はサハラ以南の地域に限定されるわけではないし、サハラを介した交易や交流によってサハラ以北・以南の両地域の文化・文明が互いに影響を及ぼしてきた史実を考えれば、いたずらに両地域を分断し論じることはアフリカに対する偏ったイメージを維持してしまうことになりかねない。そして、サハラ以北と以南はもとより、東アフリカ、西アフリカ、中央アフリカ等満遍なく扱うことが理想ではあったが、編者の力量不足もあり、それは叶わなかった。

しかし、正直なところ、かりに五十四のアフリカの国々の専門家がいたとして、それでアフリカの「アート」を語るに事足りるだろうか？　二十世紀初頭の西洋において、サハラ以南のアフリカに由来する造形物は「黒人芸術」と形容され、個々の造形物の造形的特徴よりもそれを製作した人びとの肌の色が強調された時代が存在した。[1] それから徐々にアフリカ諸地域の様式的差異へと関心が向けられ、人びとは地域ごと、さらには民族ごとに特有の様式のもとにアフリカの造形物を語りはじめることになる。二十世紀後半ともなると、地域や民族に従った様式分類すらもときに不十分とされ、製作された工房やアトリエ、名を馳せた作り手らの名前を掬い上げる研究が現れてくる。

こうした歴史を踏まえれば、五十四の国々の専門家を集めて事足りるといった話では済まないだろうし、この大陸で製作される様々な造形物や作品に対し一様に「アフリカ」の名を冠したりそのように形容したりすることで、何かしらのイメージや先入観を与えてしまう可能性にも留意する必要が生じてくる。ここまで「アフリカ美術」や「アフリカンアート」という言葉を用いることを意図的に避けてきたのはこうした事情と関わる。セネガルの彫刻家ウスマン・ソウは「アフリカ」という形容のもとに自らの作品が展示されることを好まず、自分は「アフリカン・アーティスト」ではなく「アーティスト」であると主張する。[2]「アフリカン」という形容詞を付けることで生じる物珍しさや色眼鏡、偏見を斥けたいという意志の現れであろう。じっさい、自らの作品の独自性や個性といったものを、出自とする大陸・地域・民族に優先的に求めることが奇異であることは、同様の振る舞いをヨーロッパの、とりわけ先進国の「アーティスト」に対しては行わないことを思い返してみれば理解されるだろう。ことに話は現代の作品に限らず、より古い時代の造形物について当てはまる部分も多い。アフリカを出自とする彫刻や作品は、多くの場合「アフリカ美術」、「アフリカンアート」、あるいは「トライバル・アート（部族美術）」と語られ、形容詞の付かない「美術」、「芸術」、「アート」と呼ばれることがなかった。[3] 形容詞が付けられずに「美術」や「アート」といった言葉が用いられる場合、そこで語られる「アート」は近代西洋の美学に合致し、西洋中心の美術史を彩ってきた造形物の謂であり、アフリカの造形物はそうした文脈からは除外されるか、挿話的に紹介されるにとどまってきた。西洋の「美術」や「アート」を普遍的な基準とし、それと合致するものとして西洋の眼によって選出された一群の造形物が「アフリカ美術」や「アフリカンアート」とされることも多い。そのため、「アフリカ美術」や「アフリカンアート」という語はときとして、古代ギリシアからルネサンス、さらにマネやピカソらへといたる「美術史」を唯一の歴史と信じ、ヨーロッパのごく一部の地域の造形物の歴史にもかかわらず、それを普遍的だと想定する歴史観の表れと受けとめられかねない。

とはいえ、「アフリカ美術」や「アフリカンアート」という表現が常に問題含みというわけではない。研究の場においても、「西洋美術」や「アジア美術」などとの対比のなかでこれらの語が使用されることは多いし、アフリカ大陸の造形物を扱った歴史ある研究雑誌も今なお『アフリカン・アーツ（*African Arts*）』の名を採用している。問うべきは、「西洋美術」を主体とする歴史や認識を至極当然の事柄とし、それこそが「アート」であり、アフリカを出自とした「アート」はあくまでも西洋の「アート」を彩る存在として位置づけてしまうという、より制度的な要因であろう。この制度的要因はアフリカの「アート」について考える機会の少なさ、展示されたり論じられたりする場の少なさ、研究や学習のための機関や機会の少なさなど、「アート」をめぐる様々な制度と関わる。ことにヨーロッパやアメリカ合衆国と比してアフリカ大陸との地理的・文化的な遠さが著しい日本においてこうした様々な機会の少なさは一朝一夕で解消できるものではない。書店の棚には「教養」を謳う西洋美術史の入門書が多数並び、美術館ではヨーロッパの名画・名品を含む大型展覧会が毎年開催され、それに合わせて新聞やテレビ等で特集記事や番組が組まれる。学校の社会や世界史の授業ではヨーロッパの名画・名品の図版を日々目にし「偉大な」西洋の芸術家の名を暗記することが求められ、大学へと通えば「教養」科目としての美術史において古代ギリシアからはじまる西洋美術の歴史に多くの時間が費やされることとなる。西洋を中心とした美術制度において、自国の美術や近隣地域の美術を学ぶ機会はあっても、遠いアフリカの「美術」なり「アート」なりを学び考える機会はきわめて少ないだろう。もちろん、こうした状況をただ悲嘆したり、いたずらに西洋美術を軽視したり、あるいはアフリカ由来の文化を特別視したりすることも生産的な作業ではないだろう。むしろ、「アフリカからアートを売り込む」作業を通じ、西洋を中心とした美術をめぐる知と歴史をごく当然のものとみなしてそれで事足りると考える立場を疑問視し、西洋中心的な文化や歴史認識を相対化し、多様な文化と歴史に立脚した知の制度をともに模索することが求められるのではないか。

当然のことながら、アフリカとの距離を縮めようとする様々な学問領域において、さらには経済や政治を含めた各種の業界や産業において、多くの人びとがこれまでも、そして今も、アフリカの価値や魅力、その知や文化を売り込む作業をしており、その奮闘の歴史の上にあってはじめて、本書のような試みが可能となっている。「アフリカからアートを売り込む」作業もまた、アフリカ諸国との関係を積極的に築き、人と物の交流を活発に促してきた経済や政治、そして企業の先見的な試みの積み重ねによって一歩一歩進められてきたのであり、そうした歴史がアカデミックな流れを動かし、保守的とも見える美術界内部の認識や実践を変えていった側面があることには留意しておく必要があろう。

じっさい日本においてアフリカの造形物は、一九六〇年の「現代の眼・原始美術から」展をはじめ、一九六〇年代から七〇年代にかけ国内各地で「美術」「芸術」として徐々に展示されるようになったが、その会場として用いられたのは美術館ではなく、主に百貨店や美術画廊であった。一九六一年に開催された「アフリカ芸術」展ではイスラエルのコレクターであるS・デュビナーが蒐集した百六十点を超えるサブサハラの造形物が日本で紹介されたが、展覧会の巡回先は、東京池袋の西武百貨店をはじめ、大阪の大丸百貨店、福岡の岩田屋、広島の福屋、そして名古屋の松坂屋といった全国の百貨店であった。六〇年代から七〇年代にかけてアフリカの「美術」が、美術館より百貨店で展示されてきた状況に関し、本書にも寄稿いただいた川口幸也氏は次のように分析している。「この時期、地方の県や市の美術館はまだ数が少なく、本格的な地方公立美術館時代の幕開けにはもうしばらく時間が必要だった。とはいえ、一九七〇年代の後半だけを見れば、すでに何館か地方の公立美術館が誕生していたわけだから、理由はそれだけではなかったのであろう。おそらく地方美術館創世記のこの時期、まだまだ社会も美術館も保守的で、美術といえば『欧米』であり、したがって美術館には欧米の文化の香りを運んでくることが地域社会から期待されており、アフリカ美術を美術館で扱うなどは論外であったのに違いない」[4]。アフリカの造形物が美術館ではなく百貨店で展示されていた歴史には、美術展示という催しを通じて来客者を集めていた百貨店の歴史的・社会的役割や、展示施設や展示の管理に関する諸規則が比較的「緩かった」時代背景も関係していようが、川口氏が指摘するように、「社会も美術館も保守的」であったことも大きな要因であろう。そして保守的な美術制度を維持する美術館や大学・研究機関などに対し、民間企業であり商業施設である百貨店が比較的自由な立場からアフリカの「美術」を人びとへと積極的に売り込んできたという歴史は注目に値する。

とはいえ、百貨店そのものがこの種の美術展の主催者であったというのは早合点といえよう。では、百貨店を舞台として開催されていたアフリカ由来の「アート」の展覧会を主催していたのは誰だったのか。昨今の（とりわけ西洋美術に関する）展覧会は、美術館による自主展にせよ、パッケージングされ海外各地を巡回する大型展覧会にせよ、そのポスターやカタログを一瞥すれば容易に判断できるが、展示が行われる美術館や、新聞やテレビなどのマスコミ各社が主催者として名を連ねていることが多い。なるほど、六〇―七〇年代、さらには八〇年代にかけて開催されたアフリカの造形物の展覧会においても、新聞各社がほぼ毎回主催者として登場しているが、これら新聞社とともに主催者としてたびたび名を連ねていたのが、「日本とアフリカ諸国間の政治・経済・文化の紐帯を強化する[5]」ため、一九六〇年に設立された外務省外郭の社団法人であるアフリカ協会であった。

一九六八年に川崎さいか屋で開催された「アフリカ黒人芸術」展や、高知での巡回先（高知県立文化会館）を除く四会場すべてが百貨店で開催された一九七二年「象牙海岸にみる民族の美――ブラック・アフリカ芸術」展は、新聞各社とアフリカ協会とが主催した展覧会の例である。一会場ごとの展示期間は短いものだと一週間にも満たず、百貨店の催事場が会場ということで、現代の感覚からするとかなりお粗末なものかと想像してしまうが、当時のカタログを参照すると、同展がアフリカの文化を売り込むための政治的なバックアップを受けた外交活動の側面を備えていたことが窺い知れる。

たとえば、両展覧会はコートジボワールのアビジャン国立博物館の収蔵物が貸与されたことで可能となった企画であるが、双方のカタログには当時の同国大統領F・ウフェ＝ボアニからのメッセージが寄せられるなど、この展覧会が物珍しさのみを売りとした見世物的な展覧会として企画されたのではなく、文化外交という性格をも備えていたことがわかる。六八年の展覧会ではアフリカ協会と朝日新聞社の主催に加え、外務省・文部省・コートジボワール共和国が後援として名を連ねるのに対し、七二年の展覧会は主催者としてアフリカ協会と新聞各社の名が記されているだけだが、後者のカタログを開けば、ウフェ＝ボアニからのメッセージに続き挨拶を寄せる組織委員会名誉顧問であり当時外務大臣だった福田赳夫の名を見つけることができる。さらに、主に外務省員、アフリカ協会会長・事務局長、各国大使らによって構成された展覧会組織委員のリストなどからは[6]、この展覧会が日本とコートジボワールの外交の一環として開催されたものであったことが窺える。「このこと〔同展が可能になったこと〕は単に独立後いまだ日の浅い同国の文化遺産を通して理解と親善を深めるのみならず、アフリカ諸国民とわが国との友好に貢献するものと確信いたします[7]」というカタログ冒頭に記されたアフリカ協会の挨拶は、外務省の強力なバックアップを含め、当時アフリカの「アート」を展示し人びとへと積極的に売り込もうとする背景に、日本とアフリカ諸国との外交関係の樹立、さらには政治・経済・文化の活発な交流を促そうとする外務省やアフリカ協会の動きがあったことを物語っている。しかし、九〇年代以降のアフリカに関する展覧会（たとえば一九九五年「インサイド・ストーリー」展、二〇〇六年「アフリカ・リミックス」展）においては、外務省やアフリカ協会は「後援」として展覧会をバックアップしているものの、主催は新聞各社と展覧会会場である美術館が担っており、「アフリカからアートを売り込む」主体と場所が、アフリカ協会や外務省、そして百貨店から、美術館へと変わっていくこととなる。

もちろん、六〇年代から八〇年代にかけて、公的な美術館やアカデミックな美術制度の外部にありながらもアフリカ由来の造形物の展示や紹介を行ってきたのは外務省やアフリカ協会、百貨店だけではなく、個人経営の画廊、さらにはアフリカの彫刻やテキスタイル（布地）の販売を手掛けてきた企業などもそのなかに数えることができるだろう。むしろ、公的な美術館や大学、学会等の保守的な傾向の強い研究機関をよそ目に、[8] アフリカからアートを売り込む活動は、アフリカとの交流を活発化させようとするアフリカ協会をはじめとする様々な団体、民間の企業や人びとによって担われてきた側面が強い。[9] その意味で、これらの団体や民間企業にて活動する人びとの歴史や経験、その知見は今なお貴重かつ重要であり、アフリカ由来の「アート」を研究する機関や研究者自体の少なさも考慮すれば、研究者による資料分析やフィールドワーク、美術館での展示やカタログでの解説とは異なる仕方で、彼らの知見はアフリカと「アート」とが織りなす複雑ながら豊かな関係を提示してくれるのではないだろうか。こうして、研究者とは異なる立場でアフリカからアートを売り込もうとする人びと、とりわけ企業の活動に目を向けその言葉に耳を傾け、研究の視点と企業の視点とを架橋することを目的として、本書（及びそのもととなったシンポジウム）は企画された。

上述してきたとおり、「売り込む」という言葉は、積極的にアフリカの文化や「アート」を紹介してきた人びとの経験や知見に着目するという目的から選ばれたものだが、本書の各章において「売り込む」という言葉が含意するのは、「販売」をも含むより広義の「売り込む」ことをめぐる諸主題である。たとえば、「アート」が文字通り販売される状況や販売を目的とした「アート」の製作過程、販売を目的とした「アート」が登場してくる歴史的経緯、美術界へと「アート」を売り込む作業やそこから見えてくる美術制度のあり方など、「売り込む」ことをめぐる種々の立場・状況・歴史・現状に対する考察を通じて、アフリカと「アート」との関係へと迫ることを本書は試みている。

さて、ここまで「アフリカ由来の造形物」や、わざわざ括弧をつけて「アート」「美術」という表現をしてきたのを訝しがる読者もいるかもしれない。「アフリカ美術」などの用語を説明する際にやや触れたものの、ここでこれらの表現を用いる理由を改めて説明しておく必要があろう。一般に、ある対象が「アート」であるか否かという語りは、造形物が製作された時点において決定されているわけではなく、その対象が置かれた状況や環境、それを取り巻く条件や歴史、その対象を扱う人びとの思想などが複雑に関係している。そして、近代以降の多くの場面にて、西洋的な価値基準が支配的に働き、非西洋の造形文化はその基準に沿って評価され、分類されてきた。たとえば明治以降の日本もまた、西洋の価値基準に倣う形で自らの造形文化を再規定しようと試みてきた。つまり、西洋の「アート」や「美術」の概念に倣い自国の文化内部にそれらと合致する仏像のような造形物を見出し、それを「美術」として扱うことで岡倉天心らは東洋美術史や日本美術史の編纂へと至ったし、他方でリアリズムを追求した幕末の見世物的な「生人形」はその生々しさゆえに明治政府によって取り締まられ、「美術」として認識されることなく人びとの記憶から忘れさられていった。[10]

　多くのアフリカの造形物は、長きにわたり西洋人によって、西洋の価値基準において評価と分類がなされ、十九世紀後半まで民族誌に関わる「モノ」「器物」であったり、キリスト教的価値観に対置されたアフリカの諸宗教を代弁する「偶像」として扱われていたりした。それが二十世紀初頭以降、アフリカの彫刻や仮面が有する造形的価値に注目が集まり、「アート」という言葉とともに語られはじめていく。しかし、二十世紀初頭時点において、仮面等を製作していた人びとやその社会の大部分は、必ずしも西洋の「アート」や「美術」という概念のもとに製作を行っていたわけではなかった。現代においても、美術館等でアフリカの「アート」として展示される彫刻や仮面が、現地において宗教的な役割を担った先祖に関する像であったり、通過儀礼で製作・着用される仮面であったりするため、現地の使用用途や社会的・宗教的役割を無視し、それを西洋的価値基準に基づき「アート」として論じることは、西洋中心的な思考への盲目的な追随となったり、あるいはアフリカ諸社会の文化や価値観の否定へと繋がりかねない。これまでアフリカの造形物を慎重に「アート」や「美術」と語ってきたのは、こうした事情によるものである。

　しかし、こうした事情を考慮しそれを意識した表記を用いることで全てがうまく解決するわけでもない。というのもアフリカにおいて、とりわけ現代のアフリカにおいて「アート」という用語を用いた創作や実践が広く行われ、またその語を用いて種々の作品が販売されているという事実もまた存在するからである。冒頭に挙げた彫刻家のエル・アナツイや彫刻家のウスマン・ソウらは、「アーティスト」を自認しているし、自身の作品が世界のビエンナーレやトリエンナーレへと出品されることを望んでいる。彼らが作り上げたものを「造形物」としか形容しないのは、アートをめぐる国際的な状況への彼らの参入とそこから受ける芸術家としての評価を認めず、アフリカの状況を孤絶したものと見なす行為となろう。

では、どのような表記が妥当なのか。「アーティスト」の自認の有無であろうか、それとも美術学校卒業の有無であろうか、はたまた植民地化以前に製作されたか否か、あるいは「伝統的」であるか「現代的」であるかという点だろうか。木製の仮面や彫刻は「造形物」でタブローやインスタレーションは「アート」なのか。これらの問いがいずれも有効な解決策をもたらさないのは、世界の様々な造形物や作品を含めて考えてみれば自ずとわかるであろう。「アーティスト」を自認していなかった古代や中世の西洋の画家や彫刻家の作品を今の我々は「アート」とみなしているし、他方で今わたしが「アーティスト」を自称し紙に下手な絵を描きそれを掲げて「これはアート」だと語ってみてもそれに同意する人はほぼいないだろう。美術学校にしても、「モダンアート」の典型であるゴッホやゴーギャンは美術学校に通っていなかったし、学校に通っていないからこそその「素朴さ」を発見された税関吏ルソーのような画家を我々は知っている。植民地化がアフリカ諸社会に大きな衝撃を与え、社会構造や宗教組織を変化させ、ときにそれらと強く結びついていた彫像や仮面の製作や様式に少なからぬ影響を与えたとしても、植民地化された時点で造形物の製作そのものが止まったわけではない。また、植民地化の過程で西洋のモチーフや素材を用いた新たな創作の試みがなされていたことを考えると、植民地化以前／以降、「伝統的」／「現代的」という区分も疑問が残るだろう。現代においては、古くから伝わる仮面や彫像を取り込んだインスタレーションや映像作品も存在するし、現代的な色彩・造形感覚で仮面や彫像を自らの作品として昇華する「アーティスト」もいる。こうして様々な事例を考えれば、「アーティスト」を自認したり、ある造形物や創作物を「アート」として認識したりする価値観や思想的状況、この概念を了解する人びとによって構成される美術界の存在、これらを取り巻く歴史や雰囲気などが、ある対象を「アート」と見なす要因として強く作用していることが理解されるだろう。

もっとも、何が「アート」であり、何が「アート」ではないか、という問いは美学的・哲学的な問いであるし、非西洋の「アート」に関する問いは人類学において盛んに議論が交わされている。アフリカの彫刻や絵画にかぎっても、西洋美学を普遍的基準や価値観として語ることの横暴さはすでに述べてきたとおりだが、彫刻や仮面の製作地域の美の基準や宗教的意味を尊重し現地の基準に沿って美的に評価するという振る舞いすらも、西洋的な美学の枠組みを非西洋の造形物へと当てはめる態度の反復になりかねない。アフリカの造形文化に限っても、「アート」なり「美術」なりの用語とともにそれを捉えることをどのように考えるか、立場によって様々である。実のところ、本書の編者らのあいだで、また寄稿いただいている執筆者らのあいだで何を「アート」とするか等の意見を一致させているわけではないし、アフリカの彫刻や絵画等をどのように表記するか（「アフリカンアート」「アフリカ美術」など）の統一もあえて図っていない。それは、上述してきたような様々な問いが、個々の論者が扱う対象やそれを作る人びと、それらを取り巻く文脈や時代ごとに異なることに加え、個々の論者自身の認識や文化観、勤めている環境や基盤を置いている学問によって多分に影響を受けるものであり、それを無理に統一することは避けたかったからである。

とはいえ、アフリカ由来の造形物や作品を「アート」として売り込むという営為は、その対象が「アート」であるか否かという判断以前に、意識的であれ無意識的であれ「アート」という文脈のなかに自らの活動が巻き込まれ、そこで生活の糧を得たり、自己の可能性を試したりしうるという、現代のアフリカと「アート」をめぐる状況を少なからず反映している。彼らが巻き込まれているのは、西洋中心の美術（史）観であったり、地球規模のアートマーケットであったり、観光客が抱くアフリカに対するイメージに応える観光業であったり様々であるが、そこで生きる人びとは、「アート」という認識や制度、他者からの期待やそれに応える経済的活動の内部で自らの生活を築いている。もちろん、地球規模の「アート」をめぐる制度へと巻き込まれ、そこで政治的・経済的な要因から西洋にイニシアティブがとられがちな状況を良しとするわけでは決してない。むしろその状況を改めて問い直すことが求められるが、その際、「アフリカからアートを売り込む」人びとの活動や歴史、売り込まれる対象とその現場などへと関心を向けることは、こうした状況を問い直すための様々な視座をもたらすはずである。

アフリカ由来の「アート」はどのように売られ、売り込まれているのかという問いへと迫ることは、販売・紹介される対象が作られる歴史的・技術的背景、作られる地域内部やその外部へと流通し広まる過程、「アート」として紹介され展示・販売される際に生じる困難やその克服の軌跡を探ることであり、それは、アフリカと「アート」とのグローバルな関係とそこに参画する様々な人びとの活動の諸様態を提示しうるものとなろう。本書の各章は、「アフリカ」を冠するには地域が限定的過ぎるとの誹りを免れえないものの、「アフリカからアートを売り込む」ことをめぐる上述してきた関心と問いに対する小さからぬ応答となっているものと編者の一人として考えている。

さて、本書の構成と内容について簡単に説明しておこう。本書は三部構成となっており、「アフリカからアートを売り込む」という主題をめぐり、第一部には民間企業の立場からの、第二部は研究の立場からの考察が並んでいる。民間企業と研究との視点の交差・架橋が本書の重要な狙いということもあり、それを部分的に補う試みとして、第一部掲載の二本のエッセイの後ろには、それぞれの文章を受けて編者二名による短い応答文を掲載し、また第三部にて、各章では論じきれなかった主題やそれぞれの立場の相違点や共通点等を探るべく開催された執筆者及び編者らによる座談会の模様を書き起こしたものを収録している。

第一部掲載の小川氏のエッセイは、株式会社東京かんかん代表取締役として会社を運営する傍ら、自らアフリカを含め世界各国へと足を運び、現地で様々な民具や彫刻品を集めたり、交渉や仕入れを行ってきたりした四十年以上にわたる貴重な経歴を開陳している。販売や紹介の現場に長く携わってきた経験から導き出されるアフリカの「アート」の過去・現在・未来に関する見解だけでなく、販売・紹介に先立つ「アート」の収集や運搬に伴う逸話などは、研究の視点からこぼれ落ちる興味深い知見を伝えてくれるだろう。

つづく株式会社バラカ代表取締役の安齋氏の報告は、同社が基盤を据えるタンザニアで描かれているティンガティンガ・アートを軸に、同社がこの絵画を販売するにいたった経緯、国内でのその紹介や展示について詳細に説明している。現地での雇用創出と外貨の獲得を促すという同社の「アフリカ製品プロジェクト」の一角として、コーヒーや雑貨などと並び販売・紹介されるティンガティンガ・アートの位置づけは、「アフリカからアートを売り込む」ことに携わる人びとが、様々な理念や目的のなかで活動していることを物語っている。

研究の立場から論じられる第二部は、川口氏の論考からはじまる。川口氏は美術館学芸員、民族学博物館研究者、そして大学教員というそれぞれの経歴のなかで、「同時代のアフリカ美術」を日本の美術界へと売り込んできた第一人者と言えよう。美術館や博物館での展示にあたって遭遇してきた困難やその解決策の模索をめぐるこの章は、アフリカと「アート」をめぐる制度的な諸問題を的確に提示する論考であると同時に、最前線でその問題と格闘してきた同氏の自伝的側面をも兼ね備えている。

アフリカから売り込まれる「アート」は多岐にわたるが、柳沢による論考は、ベナン共和国にて主に観光客向けに販売される、失蝋法によって製作される真鍮製彫像を扱っている。外部からの訪問者向けの「ツーリストアート」とみなされる彫像が製作されはじめた植民地化の契機や、この彫像が反映する造形的伝統、さらに、現地の先祖崇拝用の祭壇装飾への応用などに焦点を当てることで、ひとつの「ツーリストアート」の歴史を再構成し、植民地支配下における造形文化のダイナミズムを描き出すことを試みている。

板久氏による論考は、ケニアのグシイ地方における工芸品のソープストーンを扱い、この産業に従事する人びとの経済的状況やそれに伴う人間関係の綾を分析している。議論の核となっているのは、彫刻済みのソープストーンに装飾を施すデコレーターの具体的な日々の生活である。そこで語られるデコレーターの収支状況や、産業に従事する人びと（彫刻家・販売者ら）との仕事をめぐるやり取りや心情の描写は、「アフリカからアートを売り込む」ことへと参与する一人の作り手の姿を鮮明に描き出してくれよう。

日本を含む諸外国よりも、製作地域内部に向けて販売される「アート」に着目し、ナイジェリアの地方都市イレ・イフェでの事例を分析しているのが緒方氏の論考である。同論考は、美術館や博物館での展示史やアフリカ文化研究史を踏まえて「アート」のあり方を再考したうえで、「アート」を自らの店の看板に掲げる作り手らが手掛け販売する作品（肖像画、メッセージカード、デザインなど）に着目し、現地の人びとの日常生活や冠婚葬祭などのライフイベントと密接に関わるイレ・イフェの「アート」のあり方を浮かび上がらせている。

第三部は、上述してきた論考を受け、企業と研究双方の試みや観点をより掘り下げるために開催された二回に渡る座談会の模様を収録している。一つ目の座談会は、小川氏、川口氏と編者二名が、二つ目のものは安齋氏、板久氏及び編者二名が参加している。それぞれの座談会のなかでは、各論では論じきれなかった要素やエピソード、「アフリカからアートを売り込む」作業が行われる現場の状況、その裏側や苦労、「売り込む」現場での人びととの出会いなどが展開され、記述とは異なる対話という形式を通じて第一部及び第二部を補完することとなろう。

本書は「アフリカからアートを売り込む」ことに関心を抱く人びとが集った一種の商店街のようなものである。巨大ショッピングモールのように、全てを訪れることができないほどに無数の店舗が並び、休日には多くの来場者が訪れ、さらにはメディアで大々的に取り上げられるようなことはないかもしれない。しかし、この商店街に軒を連ねる各店舗は、そのレイアウト方法、店主の経歴や売り込み方、アフリカや「アート」に対する店主の考えなど、それぞれの仕方で自らの商品をアピールし、訪問者の到来を待っている。訪問してくれた人が、商品そのものやそれが作られる文脈に関心を抱いてくれたり、その店主の考えや活動に興味を持ってくれたり、さらには、新たな視点で自ら店を開き軒を連ねてくれたり、新たな商店街を形成したりしてくれることで、より多様な選択のなかで我々と「アート」との関係を捉え返すことが可能になるものと考えている。

【註】

（1）　後述するとおり、アフリカの仮面や彫刻などを無条件に「アート」と語ることには注意が必要となるし、本書の執筆者のあいだでも、アフリカにおける「アート」をどのように捉えるか必ずしも一致しているわけではない。ここで「製作」の語を用いているのもこうした事情が関係している。というのも、芸術作品等をつくり上げる場合、一般的に「制作」の語を用いる傾向があるものの、つくり上げる段階にて「芸術作品」として鑑賞されたり分類されたりすることを必ずしも想定していない場合、こうした語の用法は必ずしも適当であるとは限らない。というのも、彫刻や仮面を含む造形物全般に対して「制作」の語を用いることは、その造形物が作られる時点において「芸術作品」に分類されうるという、語り手の価値判断・美的判断が介入するからである。机や椅子などの家具類を想定した場合、はたしてどの程度作り手が美的な関心を伴っていれば「制作」の語が妥当となるのか。あるいは、どの程度創造物に技巧がこらされていれば「制作」の語が適当となるのだろうか。「芸術」をめぐる文化状況を理解し、自ら「芸術作品」を作るという意図を伴っている場合であれば「制作」という表現がおそらく適しているが、美的価値が他者によって「発見」され、それが「アート」であると認識される場合などは造形物の創造をめぐる言葉遣いにもやや慎重に振る舞うことも必要かもしれない。「製作」の語は、一般に道具や機械を作ることやそれらを使って物を作ることを意味するため、ここでは便宜的にこの語を用いている。もっとも、『日本国語大辞典　第二版』（小学館、二〇〇一年）の「製作・制作」の項によれば、美術作品等の創造に「制作」の語を用いるのは「近来」の傾向であり両者は「従来明確な区別はない」としており、語の用例として夏目漱石や寺田寅彦らが絵画や芸術家の活動を形容する際に「製作」の語を用いていることを紹介している。なお、繰り返しとなるが、こうした立場は本書全体を一貫するものではなく、柳沢個人の見解であることは明記しておく。

（2）　川口幸也『アフリカの同時代美術——複数の「かたり」の共存は可能か』、明石書店、二〇一一年、二三一頁。

（3）　吉田憲司「『アフリカ美術』の形成」、金田晋編『芸術学の一〇〇年　日本と世界の間』、勁草書房、二〇〇〇年、一四一—一五五頁。

（4）　川口幸也「戦後日本におけるアフリカ美術の受容——その歴史的概観」『アフリカ・リミックス——多様化するアフリカの現代美術』

（展覧会カタログ）、森美術館、二〇〇六年、二一〇頁。

（5）　一般社団法人アフリカ協会のホームページ「アフリカ協会のあゆみ」より。http://www.africasociety.or.jp/index.php/about/about_02（最終閲覧日二〇二〇年十月二十五日）

（6）『象牙海岸にみる民族の美　ブラック・アフリカ芸術展』（展覧会カタログ）、アフリカ協会、一九七二年、頁数無し。なお福田赳夫、外務省員、各国大使、アフリカ協会会長・事務局長の十一名をのぞく組織委員会構成員として、その肩書とともにカタログに掲載されているのは、アビジャン博物館長（B・オーラス）、「美術評論家」三名（柳亮、岡正雄、岡本太郎）、「オート・ボルタ科学研究所研究員」（川田順造）である。

（7）　アフリカ協会「あいさつ」『象牙海岸にみる民族の美——ブラック・アフリカ芸術展』（展覧会カタログ）、一九七二年、頁数無し。

（8）　八〇年代における美術関係の学会におけるアフリカの造形に対する反応は鈍く、当時、アフリカの仮面に関する研究発表を行った際のある若手研究者の逸話からもそれが読み取れる（吉田憲司「解説」『木村重信著作集　第四巻　民族芸術学』、思文閣出版、二〇〇〇年、四九七頁）。

（9）　大学や研究機関に属さず、八〇年代に各種エッセイやそれらをまとめた『ポップアフリカ』（洋泉社、一九八五年）、『アフリカ直射思考』（勁草書房、一九八九年）、などを通じて精力的にアフリカの文化を紹介した白石顕二もまたこうした人びとのうちに数えることができよう。

（10）　木下直之『美術という見世物』、筑摩書房、一九九九年、五一―九一頁。

第1部

Promoting Arts from Africa: Prospects for Intersection between Business and Research

企業の視点から

1 私とアフリカンアート
——人生を変えたアフリカ仮面

小川弘

私は四十二年間に渡って仮面文化の分布する中央アフリカ以西、西アフリカのほとんどの国に出掛けて様々な蒐集を続けてきた。現在は東京、世田谷区の下北沢にプリミティヴアートギャラリーを開き、企画展などを行いながらアフリカ美術の紹介をしている。

今回いただいた「アフリカからアートを売り込む」というテーマに沿う内容になるかどうかは分からないが、私の辿ってきた過程を書くなかでアフリカ美術が具体的に浮かび上がり、日本での現状を伝えることができれば幸いである。

現在、総称してアフリカ美術と呼んでいるものは、その目的から四つのカテゴリーに分類できるのではないかと考えている。一つは仮面や神像など土着信仰に創作の起源を持つもの、二つ目はナイジェリアのノクのテラコッタ、ベニンとイフェのブロンズのように肖像や壁掛けなど記念碑として創られたもの、三つ目は生活道具の椅子やベッド、テキスタイル、衣服などの民具類、四つ目は現代のアフリカのアーティストによって制作されているコンテンポラリーアートである。

仮面との出会いなど

私がアフリカ美術作品を扱うようになった最初のきっかけは、一九七八年にパリのギャラリーで購入したコンゴ民主共和国（旧ザイール）のソンゲ仮面との出会いある（図1）。アフリカの造形がヨーロッパにもたらされてから徐々に評価されるようになって約五十年以上が経っていた頃だ。それ以前の私は将来グラフィックデザイナーになろうと考えていて、ヨーロッパの多くの美術館を訪ね歩いて古典絵画から現代美術まで様々な作品を見ながら貪欲に知識を吸収しようとしていた。アフリカ黒人芸術については、近代絵画に与えた影響などを学んではいたが実際にそれを見る機会はほとんどなかった。当時、パリの人類博物館はトロカデロにあり、そこも訪ねていたはずだったが照明が暗かったせいもあり、あまり印象に残っていなかった。ところが、散歩の途中でふらりと入ったギャラリーでナイジェリアのコロの儀礼容器を衝動的

図1　仮面，ソンゲ，コンゴ民主共和国（旧ザイール），芹沢銈介美術館

に買ってしまったのである。決して安くはない値段だったのに何となく惹かれたという曖昧な理由で。

そして、半年後、一九七八年パリで再び訪ねたギャラリーにその後の道を決定する出会いが待っていたのである。少々薄暗い室内にソンゲ仮面はスポットに照らされて浮き立つように見えていた。空間を圧するような存在感に完全に打ちのめされてしまった。もちろん、ギャラリーの展示効果もあったかもしれないが、このアフリカ仮面の造形には魂のこもった確かな力強さがみなぎっていた。美術館の作品は購入できないが、ギャラリーの作品はお金を出せば買えるものだ。だが、私には所持金がないだけでなく日本に帰っても送金する貯金もない。一時間ほどギャラリーにいたのだろうか。その時は礼を言って店を出たのだが、仮面の衝撃が忘れられない。ホテルへ戻って考え付いたのが一年の分割払いである。だが、半年前に小さな作品を一点買っただけの自分に大金のローンなどが許されるだろうか。諦めの気持ち半分で度胸を決めて申し込んでみた。そのギャラリーはパリのプリミティヴアート分野では一番の老舗である。はたして、オーナー夫婦はちょっと相談していたがすぐにOKと言ってくれたのである。

こうして、この非常に高額でどこにも売るあてのない仮面が私の手に渡った。冷静に考えればおよそ不可能な買い物だったが、仮面の吸引力はどうしても諦めきれない、振り切れないほど強力なものだった。それは美大の環境のなかで何年も絵やデザインに囲まれていた自分が今まで見たことのないような造形であったし、後先を考えずにどうしても手に入れたいと思わせるものだった。日本に持ち帰ったら皆が驚くだろうと信じて疑わなかった。当時、私は青山に小さなギャラリーを持っていたので、正面ウインドウにこのソンゲ仮面を堂々と飾った。しかし、パリから意気込んで運んできた仮面に反応を示す人は全くいなかった。今思うと、アフリカ美術のマーケットが十分に熟していてアートとしての評価が定着しているヨーロッパと、それがまだまだ未開拓な日本では状況があまりに違っていたということである。

仮面はおよそ八カ月の間、いろいろな批評を受けながらその強い面差しでギャラリー空間を威圧していたが、ある時、染色家の芹沢銈介先生に見ていただく機会を得た。先生はご覧になるなり即座に「君、これは凄いよ」と値段も聞かずに購入してくださったのである。その時期、先生は静岡の登呂遺跡に建設中であった芹沢銈介美術館の開館が間近だったこともあり、蒐集は仕上げの最終段階で数年の間に随分たくさんの作品をご購入いただいた。先生との出会いがなければ私がアフリカ美術を仕事として続けることは決してできなかっただろう。「蒐集はもうひとつの創造である」という先生の考え方がどれだけ私の励みになったかを言い尽くすことはできない。現在、先生の蒐集品は静岡の芹沢銈介美術館と東北福祉大学の芹沢銈介美術工芸館の二館で展示されている。

価値とは何か

私が仮面を収集するなかで学んだことはその価値判断の方法であった。宗教的な儀礼に使用された仮面の価値は単にその造形力だけで決められるものではなく、木の古さや表面に残るパティーナと呼ばれる古色の付き具合から見た時代考察がポイントで、骨董的価値が非常に重要だった。たとえ新しく作られた仮面でも本当の儀礼に使われたものであれば土産品ではなくれっきとした本物であるのだが、美術作品としての評価は低い。そのため、二十世紀初頭以来、売り手たちは古く見えるように故意に鳥の血や油を塗りこんだり土中に埋めたりして古色を付けることに専念するようになった。このように巧妙な方法で作られたコピーがたくさん出回っているため真贋を判断するのはプロの人間にも難しい。また、たとえ古いものであっても、その造形力が優れているかどうかは別の問題である。こういった事情で、現在では大手オークショナーのクリスティーズやサザビーズでも作品の来歴がはっきりしないものは扱わなくなっている。

私はアフリカ現地で蒐集をしながら、各地で仮面舞踏のビデオ撮影を行ったのだが、ドゴンをはじめ、バウレ、ダン、セヌフォ、バマナ、バミレケ、バムン、ヨルバ、イボ、オゴニなど十以上の民族の仮面舞踏を収録するなかで何よりも感じたのは仮面の持つ生き生きとした生命力だった（図2、3、4、5）。躍動するリズムに乗ってまるで生きもののように踊る仮面を実際に目の当たりにした時には震えるような感動を覚えた。仮面は命あるものとして蘇るように見えた。そこに臨場する人々が現世を超越するかのような精霊に魂を引き込まれていく様子も実に印象的だった。鑑賞する対象として造形として見る仮面は客観的な位置から理性的に眺めるだけであるが、このように実際に使われている仮面と対峙した経

図2　ドゴン，〈カナガ〉，仮面舞踏，バンジャガラ，イレリ村，マリ，1999年，筆者撮影

図3　マンコン，仮面舞踏，バリ村，カメルーン，1998年，筆者撮影

図 4　イボ，仮面舞踏，エヌグ，ナイジェリア，1998 年，筆者撮影

図 5　バウレ，仮面舞踏，アビジャン，コートジボワール，1998 年，筆者撮影

験は私がアフリカを内的に感じることに繋がったと思う。

蒐集の初期

私が蒐集を始めてから数年後、一九八〇年頃まではアフリカのイスやベッドなど民具やテキスタイルに関しては一部のヨーロッパ人を除いてはまだアートとしての認識が少なく、

図6　アビジャン，トレシビルの骨董商，1980年ころ，筆者撮影

図7　川で洗濯をする時に使う洗濯板，コロゴ地方（Korhogo），コートジボワール，1980年ころ，筆者撮影

パリやブリュッセルでも高額な仮面や神像と比べれば手の届く価格だった。その後、実際にアフリカに出かけるようになると古いオリジナルの民具を本当にリーズナブルな価格で買えるようになり、まさに宝の山のような感じだった（図6、7）。その頃の日本ではアフリカの本格的な仮面や神像、民具などはほとんど紹介されていなかったので、一九八〇年代はマスコミがこぞって取り上げたこともあり、プリミティヴアートの認知度が一気に高まった感じである（図8、9、10、11）。

さて、ここで少し具体的なシッピングについても触れておきたい。良いものを見つけて買うことは楽しいが、送る段になるとかなり厳しい状況に直面する。まず費用のことである。自分で梱包して送るのとエージェントに頼むのとでは大きく違う。パリで日本のエージェントに頼む場合や、アフリカでフランスのシッピングエージェントに頼む場合、それぞれあるが、どちらにせよ非常に高いので最終的には自分で梱包して送る方が最良の選択肢となった。パリではどこのスーパーでも売っている鉄

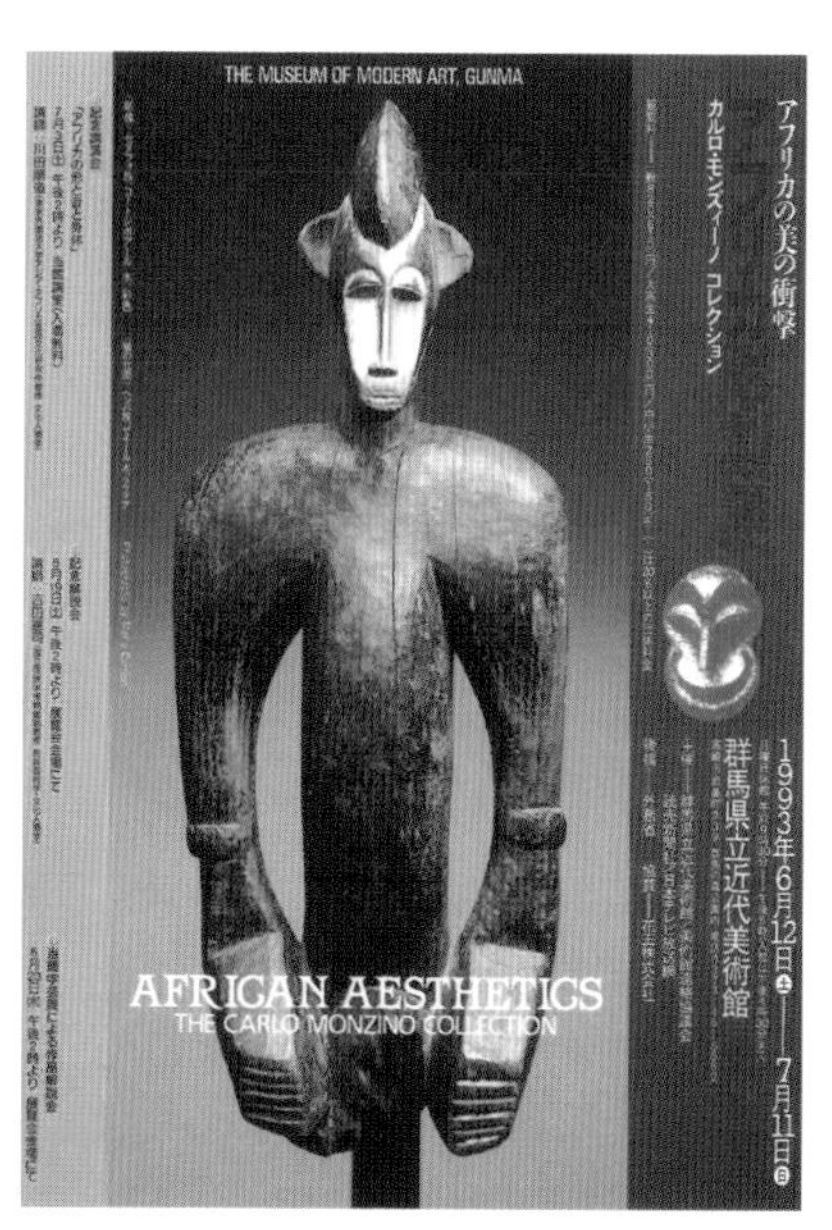

図 9 「アフリカ彫刻展（“AFRICAN AESTHETICS, CARLO MONZINO COLLECTION”）」(1993 年 6 月 12 日～7 月 11 日, 群馬県立近代美術館)のポスター

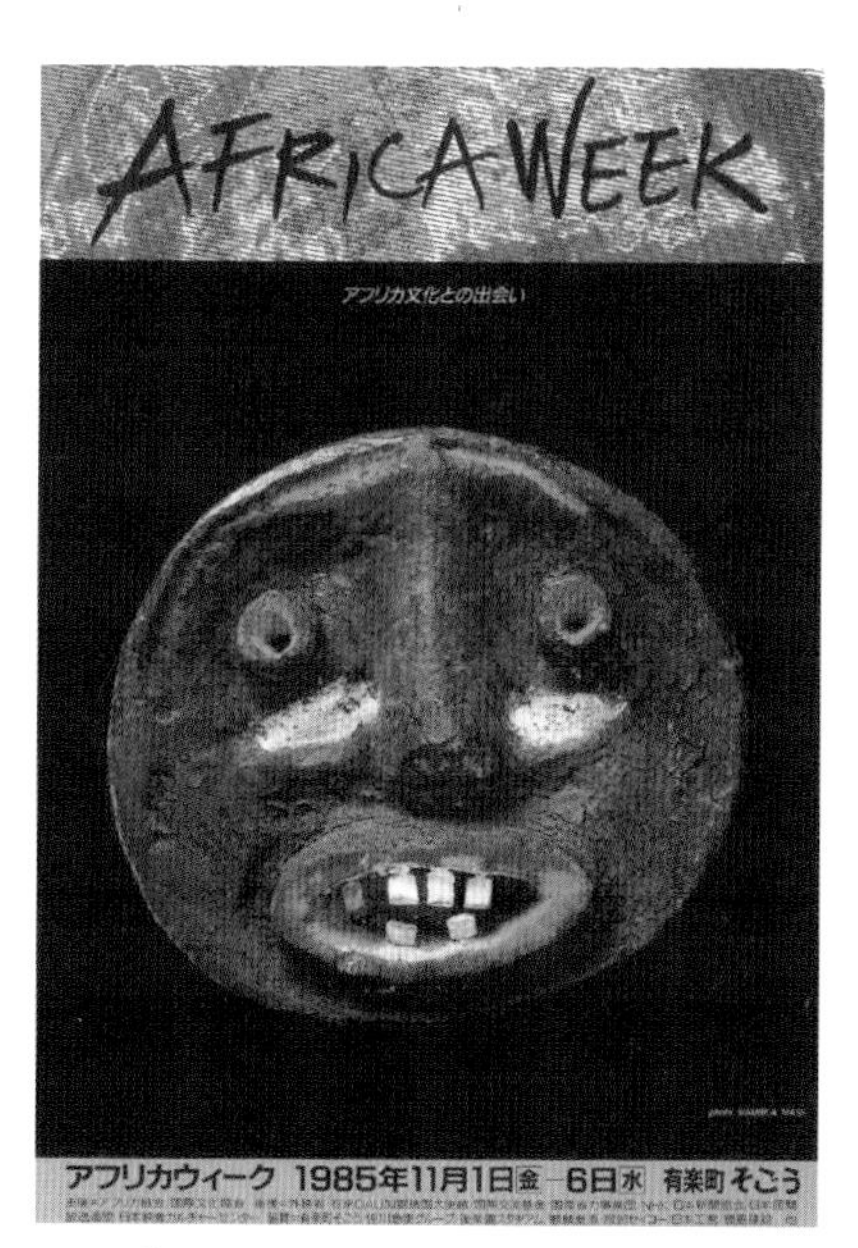

図 8 「アフリカウィーク」(1985 年 11 月 1 日～6 日, 有楽町そごう) のポスター。Photo: Manbila mask（マンビラ仮面, カメルーン）

図 11 ヌヌマ（Nunuma）の壷, ブルキナファソ

図 10 セヌフォ族（コートジボワール）のベッド, カメルーンやガーナなどのイス

図12　アビジャンでの梱包風景，2018年9月，筆者撮影

製のカンティーヌという缶を数個買って小さな仮面などを詰めたり、スーパーで垂木とベニヤ板を指示通りの寸法に切ってもらってホテルへ持ち帰り、部屋で一辺八五センチメートル以内の木箱をいくつも作り（この寸法以上では部屋から出なくなる）梱包に励んだ。日中にホテルの部屋で金槌を使っての仕事は騒音も出るし迷惑だったろうが一度も苦情を言われたことがなかった。今、振り返ると、ホテルのオーナーの温情には感謝に堪えない。こうして苦労して作った荷物はチャーターした小型トラックに積み込んで飛行場まで運び、通関も自分でやって送り出した。アフリカでも最初の頃は同じように自分で箱を作り梱包していたが、そのうちに地域ごとに腕の良い大工を見つけ、材料を渡して組み立て方を教えた。現地の大工たちも回を重ねるごとに要領を飲み込んで、そのうちに寸法の指示をするだけで任せることができるようになり非常にやりやすくなったものである（図12）。

日本におけるアフリカ美術館の設立推移

その後、私は日本にアフリカ美術を何としても根付かせ、将来は本格的なアフリカ専門美術館を創ろうと願いながら様々な展覧会活動を続けていたのだが、夢を実現

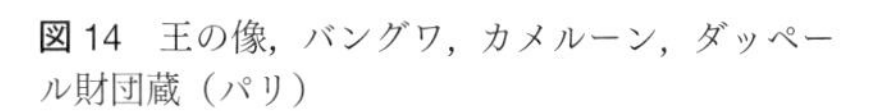

図 14　王の像，バングワ，カメルーン，ダッペール財団蔵（パリ）

図 13　女王の像，バングワ，カメルーン，ダッペール財団蔵（パリ）

図 15　ソンゲ・キフェベ仮面，コンゴ民主共和国

させることはなかなかできなかった。しかし今から三十一年前の一九八九年に大きなチャンスが巡ってきたのである。このころは企業がコーポレートアートとしての美術館建設に熱心で、ある会社からプリミティヴアート美術館を創りたいとの申し出が来た。私にとっては願ってもない機会である。その会社のスタッフの方も美術に明るく、すぐに予算組みをして蒐集が始まることになった。最初の半年は順調に進み、パリやニューヨークにあった重要な作品も入手して少しずつコレクションが形成されてきた。この頃のアフリカ美術の主要な作品の取引単位はすでに一〇〇〇万から数億円であった。私がコレクションの核になるものとしてどうしても必要と考えていたカメルーンのバングワ族の片腕の折れた女王の立像はニューヨークのサザビーズオークションで競ることになったのだが、三億五〇〇〇万円まで競ったものの結局落札は叶わなかった。この立像は写真家マン・レイの作品で世界的に有名だったこともあり、その頃のアフリカ木彫作品としてはレコードプライスになった（図13）。現在それはパリのダッペール財団の所有になっている。同時にペアで出品された王の立像は私が三〇万ドルで落札できたが、これは当時のレートで換算するとサザビーズの手数料を加算して五三〇〇万円であった（図14）。

こうしてアフリカ美術の良品が揃っていったのだが、残念ながらその数年後、その会社の事情で蒐集は中断を余儀なくされアフリカ美術館設立は白紙に戻ってしまった。そして二〇一〇年にはそれまでの蒐集品をパリのクリスティーズオークションで売却することになり、その時、この王の立像は一億円で落札された。ソンゲのキフェベ仮面も一億円の値が付いた（図15）。その他にも多くのアフリカ美術の代表的な作品が蒐集の道半ばにして売却されてしまった。もし、今後、これと同等レベルの作品を集めようとするなら間違いなく更なる資金が必要となるだろう。

現状

二〇一九年九月初めにパリで毎年開かれるプリミティヴアートの展示会「パルクール・デ・モンド（Parcours des mondes）」に行ってきたが、質の高い作品も出品されていて、およそ数百万から数千万円の価格が付けられていた。今、アフリカが様々な分野で注目を集めていることを考えると、日本でもケ・ブランリ美術館やメトロポリタン美術館に及ばないとしてもアフリカを美術的側面から紹介する公的な機関の設立が必要だと強く思う。アフリカの独特な哲学や思考様式を視覚的に表現している造形は文化を知るための分かりやすく優れた導入部になるはずだからだ。経済や資源に繋がる部分にのみ焦点を当てるのではなく、人々が歴史的に形成してきた文化の背景や感覚を理解するものとして造形を見てほしい。プリミティヴアートは芸術のための芸術作品として制作されてはいないので、作者が誰であるかは問題にならない。これは見る者にとっては鑑賞の自由度が高く、造形に純粋に向き合えるということである。

仮面、彫像、テラコッタ、ブロンズについて

アフリカ仮面の歴史は非常に古く、紀元前三〇〇〇年から前二〇〇〇年くらいのタッシリ、イナワンラト遺跡によってその存在が知られているが、木で作られているものは気候的な環境の厳しさもあり、現存する仮面は二百年から三百年位前のものが一番古いといえる。

木製彫像として現存する最古のものは十一世紀―十六世紀の小さな偶像で、これはドゴン族がバンジャガラ渓谷に移り住む前の居住者テレームの人々の時代のものである（図16）。また、パリのケ・ブランリ美術館にはドゴン族の両性具有の大きな彫像があり、これは十四世紀頃のものと言われている（図17）。テラコッタの最古の土偶としてはナイジェリアのノクが有名である（図18、19、20、21）。紀元前十世紀から後三世紀に栄えたノク文化では、既に鉄の鋳造も行われており、文化の起源としてはかなり高度な先行文明の影響を受けているといわれる。ノクの影響は十二世紀に始まるイフェやベニンのブロンズ製の頭像や記念碑としてのレリーフなどにも見られ、最近の研究によって中南部のバントゥー文化の彫刻への影響も言及されている（図22、23、24、25）。

ナイジェリアのノクのテラコッタ、イフェ、ベニンのブロ

図 17　両性具有の彫像，ドゴン，マリ，14 世紀ころ，ケ・ブランリー美術館（パリ）

図 16　バンジャガラ渓谷に住んでいたテレームの偶像，マリ，11 ～ 16 世紀ころ

図18　テラコッタ頭像，ノク，ナイジェリア，前3～後3世紀ころ，アフリカンアートミュージアム

図19　テラコッタ頭像，ノク，ナイジェリア，前3～後3世紀ころ，ギャラリーかんかん

図20　テラコッタ頭像，ノク，ナイジェリア，前3～後3世紀ころ，ギャラリーかんかん

図21　テラコッタ座像，ノク，ナイジェリア，前3～後3世紀ころ，ギャラリーかんかん

図 23　男の頭像，イフェ王国，ナイジェリア，12 〜 15 世紀ころ，ギャラリーかんかん

図 22　オニ・オバルフォン（オバルフォン王）の仮面，イフェ王国，ナイジェリア，12 〜 15 世紀ころ，アフリカンアートミュージアム

図 25　戦闘歴史記念レリーフ，ベニン王国，ナイジェリア，16 〜 17 世紀ころ，アフリカンアートミュージアム

図 24　王母（Queen Mother），ベニン王国，ナイジェリア，16 世紀ころ，ギャラリーかんかん

図27　エパ，頭上仮面，ヨルバ，ナイジェリア，ギャラリーかんかん

図26　頭上仮面，イボ，ナイジェリア，ギャラリーかんかん

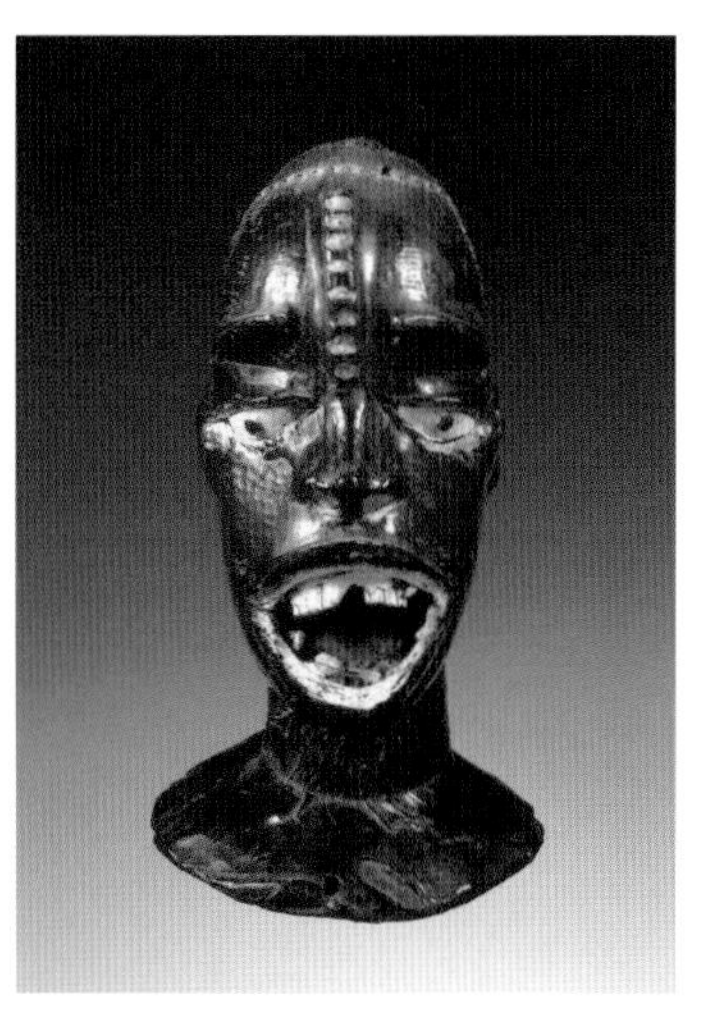

図28　エコイ，頭上仮面，ナイジェリア，ギャラリーかんかん

ンズはアフリカ美術の最も完成度の高い具象作品として世界の主要な美術館で展示され、美術研究書も多い。後ほど紹介するが、日本では山梨県のアフリカンアートミュージアムにノクのテラコッタやイフェ、ベニンのブロンズ像の優品が展示されている。尚、本書に画像を掲載したものは、一部を除いて現在日本にある。

アフリカンアートとして

欧州列強による植民地化政策は十九世紀後半から隆盛を極めつつあり、アフリカの仮面や偶像などもヨーロッパに入るようになっていたが、最初は「未開人」たちの作った奇怪なお土産品としての認識を超えるものではなかった。二十世紀前半にアフリカ沿岸部、内陸部へと次々に広大な植民地を獲得したフランスでは多くのアフリカの仮面や偶像が交易の勢いとともに運びこまれるようになった。パリに集う芸術家たちの間では黒人彫刻を持つことが一時ブームになっていたほどである。この芸術家たちの熱狂はアフリカ造形を美術作品としての評価へと高め、美術商たちもアートとして取り扱うようになった。ヨーロッパでは美術作品は個人的な楽しみと同時に投資用として購入するのが一般的で、アフリカ造形の高まる人気はアートとしての評価を押し上げることとなり、市場価値を持つ美術分野としての確立に繋がった。

また、アフリカ美術がキュビズム運動の原動力になったこともアフリカ造形に対する関心と理解に大いに役立ったといえるだろう。アフリカの造形はその成り立ちにおいて美術や芸術という概念を持たずアニミスティックな独創性が際立つことから、長い間文化人類学や美学などの学問的な研究対象としてアプローチされて来たのだが、二十世紀初頭の芸術家たちが純粋に形態的な観点からその造形を捉えた意義はとても大きい（図26、27、28）。それはアフリカの造形が自然主義リアリズムと遠近法からの解放の突破口になったという意義であり、一九三〇年代にパリに留学していた岡本太郎がアフリカ彫刻との出会いについて、「空間を支配するような造形力に人間本来の芸術の原点を見出した」と書いていることにも表れている。

日本におけるアフリカンアート

日本で初めて公的な博物館にアフリカ美術が蒐集されたのは一九七七年十一月に大阪の千里万博会場跡に設立された国立民族学博物館においてではないだろうか。まだ四十数年しか経っていない。それ以前は天理参考館にも蒐集品があったが系統的にアフリカ美術を紹介できるようなものではなかっ

図 29　アフリカンアートミュージアム外観

図 30　アフリカンアートミュージアム館内風景

た。西欧とアフリカとの関係は遥か十五世紀半ばからの大航海時代に始まり、十九世紀初頭以降の交易の活発化、植民地時代を経てその歴史は長い。それを鑑みると日本が風土的な差異を超えてアフリカの文化に親しむのはいまだ尚早だろうか？　私は現代の豊かな情報化社会においてその距離や時間を短縮するのは容易だと思うのだが。

民博のアフリカ美術コレクションについては文化人類学の研究機関・博物館としての性質上、アフリカに限った蒐集をするわけではなかったので仮面や偶像、民具などの予算は潤沢とはいえず、その制約は仕方ないことでもあった。しかしながら、余談ではあるが、パリのケ・ブランリ美術館の開館に際してはナイジェリアとガボンのコレクション三十点の購入額が三〇億円だったことを考えると日本の文化予算の少なさにはやはり愕然とする。

現在、日本でアフリカ美術を専門にコレクションし、展示しているのは先ほども取り上げた、山梨県北杜市に二〇一〇年に開館したアフリカンアートミュージアムである（図29、30）。個人の資金で長年にわたってコレクションを続けて設立された美術館なので、規模的にはそれほど大きくはないが、前述したナイジェリアのノク、イフェ、ベニンなどの優れたコレクションは大変見応えがある。この美術館が定期的に開催する企画展はアフリカ美術を歴史的、民族学的、形態的な側面から深く切り込むもので、毎回示唆に富み大変面白い。個人でこれだけ高いレベルの美術館を創設し、発信を続けていることには常々敬服している。

終わりに

私は四十二年間アフリカ美術の仕事を続けてきたわけだが、この先これがどのように継承されていくのかが気がかりである。アフリカのプリミティヴアート、いわゆる原始美術と呼ばれるものはすでに古典的な特殊な領域に入っていることもあり、これから新しくアフリカ美術の市場を広げるためには別のアプローチが必要ではないかと考えている。

その一つとして考えるのがデザインを起点にしたアフリカである。たとえばアフリカの民具のフォルム、テキスタイルの種類の豊富さは私たちの日常的な空間に新しい美的な可能性をもたらすだろう。アフリカの造形が展示品として鑑賞するだけにとどまらず暮らしのなかで見て、触り、使うことができるのはそれが民族の必然性から生まれた形だからでもある。アートと機能の有機的な関係を示すものとして、アフリカンデザインには計り知れない魅力がある。フランスなどでは、プリミティヴアートは生活に溶け込みながら使い手のセンスを発揮する優れた素材であり、政治家や文化人の自宅でのインタビューを見ると、アフリカやアジア、中南米の彫刻やテキスタイルが、インテリアのポイントとして印象的に使われていることが多い。フランスのかつての首相、ジャック・シラク氏は、アフリカ美術のコレクターとしても有名で、ケ・ブランリ美術館設立を国家事業として推し進めた人でもあった。

今後、我が国においてもアフリカンデザインが日本的な空間と感覚に日常的に取り入れられ新しい境地を見出していくことが新たな可能性を開く鍵となるだろう。

アフリカ美術はその名を冠せられるまでに長い時間を要した。そして、約百年後の今、本書が「アフリカからアートを売り込む」というタイトルを掲げているように、長い時間のなかでの変容は想像もできない驚きに満ちている。今後の変容が想定外に面白く、また次の時代へと持続可能なものであるようにと心から望んでいる。

【さらに詳しく知りたい人へのガイド】

① アフリカンアートミュージアム
② 国立民族学博物館
③ 静岡市立芹沢銈介美術館

日本においてアフリカのプリミティヴアート作品を展示している美術館を紹介したい。

①は日本では唯一の本格的なアフリカンアートを紹介する美術館である。館長の伊藤満さんは資生堂のデザイナーであった頃からアフリカ美術作品に傾倒され、長年にわたり本格的なアフリカ美術作品を蒐集されてきた。以下は館長の美術館の紹介文である。

> ピカソやマチスが影響を受けたアフリカの造形は、思いもよらないデフォルメ、フォルム、質感など、理屈ではなく観る者へ直接的に訴えかけてくる力がある。数千年の間に淘汰された民族の根源的な表現は魂の造形であり、精神的な創作の原点である。それは二十世紀初頭のパリの芸術家たちだけではなく、現代の私たちにも大きなインパクトを与える。我々日本人は、自然界に

正円や直線などの整った形はないと考えるアフリカ美術に共振する感覚を持っていると思う。アフリカの文化を知るため、また、芸術のアイデアソースとして日本にもアフリカ美術を紹介したい。

②は日本における最大の国立民族学博物館である。アフリカの仮面や民具、衣装などのコレクションはアフリカのほとんどの民族を網羅している。

③には染色家、芹沢銈介の優れた美的感性で選ばれた世界の民族作品が展示されている。アフリカの仮面や民具、東南アジア、南米など世界中から幅広く蒐集されたコレクションから芹沢銈介の自由闊達な創作の原点を感じ取ることが出来る。

【小川弘氏の文章を受けて】

アフリカからアートを運ぶ

柳沢史明

二十世紀の初頭、アフリカの造形物が「アート」として売り出され、フランスをはじめとした西洋諸国で多くの人々を魅了した背景に、P・ギヨームやC・ラトンといった美術商やギャラリー経営者の存在があったことはよく知られている。美術商の活動としてギャラリーでの作品展示や販売が真っ先に想起されるかもしれない。とはいえ、だれもかれもが美術界の動向や展示物の見方に通じているわけではなく、より多くの人々に向けて作品の展示・販売を行うためにギャラリー経営者に求められることは多い。作品の良し悪しを左右する造形性、作品の主題や制作された歴史的・社会的文脈、作者をめぐる物語など、売り出す造形物にまつわる数多の特徴や知識の修得及びその提供は、展示物を見にくる人々の鑑賞経験や購買意欲を左右する。ギヨームやラトンらも、自らのギャラリーで展覧会を行うのみならず、カタログ作成や美術批評の発表など、自身のコレクションや商品を積極的に売り込むための様々な手段を講じていた。とはいえ、美術商やギャラリー経営者にとって、売り込むための「アート」を調達することもその重要な活動であることはときとして見落とされがちである。植民地制度を巧みに利用していたギヨームやラトンらが植民地向け雑誌等の広告を通じて、ある程度現地から彫刻等を調達していたことは知られているものの、彼らが直接サブサハラ・アフリカに赴き収集・調達していた記録は残ってはいない。おそらく彼らのコレクションの大半は、現地から送られてきたものを自らの判断で選別したり、ヨーロッパ内ですでに何かしらの形で流通していたもの入手していたと考えられる。また、この時代調達された造形物をどのような仕方で梱包し輸送していたか、管見の及ぶ限りその詳細な記録に出会ったことはない。一九三一年からサブサハラ・アフリカを横断することになるダカール・ジブチ調査団は、その調査過程で無数の造形物を収集し、現在のケ・ブランリ美術館のコレクションの重要な構成要素ともなっているが、調査団の記録係を務めたM・レリスはアフリカ諸地域で様々な造形物を収集（ときに略奪）した過程の一部を『幻のアフリカ』にて詳しく記している。しかし、収集したものを荷造りする段になるとその記述はかなり乏しい。「収集品の包装の仕事を沢山して、寝た」[1]というレリスの簡素な記録は、彼にとって梱包の作業が民族誌や日記に記すほどではない主題だったことを物語っていよう。

アフリカから「アート」を売り込むために、まずどのようにそれを調達するか、そして販売拠点へと運搬し輸送するか、時代と場所は上述の人物らと大きく異なるとはいえ、小川氏はこうした疑問に対して率直な回答を示している。調達と輸送に関してとりわけ興味深いのは、小川氏の経験に基づく梱包やシッピングに関する記述であろう。ミュージアムやギャラリーにはアフリカ由来の造形物が多数並んでいるが、その大きさや素材、形状は千差万別である。高さ数メートルもあろう仮面や、何キロもあろう複雑に湾曲している大型の彫刻、植物や貝殻などの装飾品を身に着けた木彫など、その造形の多様性は目を引くものがある。もっとも、形状も重さも素材も様々である造形物をアフリカ諸地域から日本へと運ぶ作業はそれほど容易ではない。美術館同士の収蔵物貸与の場合、あるいは全国や世界中を巡回する美術展の展示作品の輸送の場合、それなりに潤沢な資金をもとに運送業者や美術品運搬に長けた専門家、そして学芸員が梱包、運搬の作業を担当してくれるが、一企業による収集先からの商品輸送となれば、事情はそれほど簡単ではない。費用をできるだけ抑えたいという判断のもと「自分で梱包して送る方が最良の選択肢となった」と小川氏が回想しているように、結果として求められたのは、収集先のパリやアフリカ諸都市でのありあわせの資材等による梱包・輸送作業であった。パリではスーパーで調達した缶や木材を用いて自ら箱を作成し梱包を行い、アフリカでは現地の大工たちと協力し梱包するための箱を準備する。おそらく外箱のみならず緩衝材やそれを固定させる粘着剤やテープなど、様々な資材が現地にて多くの人の手を借りつつ即興的に調達されることだろう。また箱や包装材にうまいこと収めるために、あるいは可能な限り配送数を減らすために、部分的に分解したりパズルのように様々な形の造形物を箱へと収めたりする必要があり、その作業の過程において対象に直接触れ細部の造形や素材、その構造を入念に観察することもあっただろう。いわば、梱包・輸送・開梱といった作業を自ら行うことで得られるのは、経営上のメリットだけではなく、「器用仕事（ブリコラージュ）」の技術であり、現地の人々との共同作業の経験であり、そして造形物の細部にまで渡る視覚的・触覚的な観察といえる。安価な仕方でという条件があったかは定かではないが、収集物を安全に運ぼうとする意図はレリスらの時代にも確実にあったはずで、九十年近く前の彼らも梱包や輸送の現場で似たような作業を行い、同種の経験を味わったかもしれないが、それに関しては今後の研究をまちたい。余談にはなるが、安全に運び損ねたとしても、ときとしてそれは必ずしも悲劇的な結末に終わるわけではない。じっさい、運搬の合間に破損した木彫が現地の彫刻師らの手により新たな造形へと変えられ販売されたという記録も報告されており(2)、たとえ安全に運びそこねたとしても造形物がたどる命運は無数に広がっているのかもしれない。梱包・輸送・運搬・販売といった観点からアフリカの造形物を考えることで見えてくるものはまだまだ多分にあるだろう。

　梱包や輸送の主題以外にも、小川氏の文章にはギャラリー経営者としての自身の経験が十全に反映されており興味深い個所が多い。とりわけ、公的なミュージアムの懐事情の違いや、コレクターのみならずフランスの人々の生活にも少なからぬ影響を与えるアフリカンデザインの存在など、アフリカの造形物と現代の状況の結節点に需給の可能性を探ろうとする姿勢には、ギャラリー経営者という小川氏自身の関心の所在が垣間見える。とはいえ、ギャラリー経営者としての側面はその活動の一側面にすぎないのかもしれない。小川氏による『アフリカのかたち』(里文出版、一九九九年)や『ドゴンの光』(水声社、二〇一八年)といった書籍を手にとり、そこで記述されているアフリカ諸地域への訪問、各地域の造形文化に対する深い洞察と敬意に触れてみれば、氏が自ら世界各地を駆け回り、自身を魅了する様々な造形物と出会い、それらを収集してきた遍歴を窺い知ることができよう。そこから見えるのは、二十世紀初頭の「アームチェアー型」ギャラリー経営者とは程遠い、視覚や造形の回路を通じてアフリカの魅力を伝えようとするアフリカニストの姿であり、また、尽きることのないその魅力を追い続けるため今なお世界を駆け回りつつある旅人の姿でもあるだろう。

【註】

(1)　ミシェル・レリス、岡谷公二ほか訳『幻のアフリカ』、平凡社、二〇一〇年、八七頁。

(2)　マコンデの彫刻には人間を模した「ビナダム」と呼ばれる自然主義的彫刻と、霊的存在を象った「シェタニ(シャタニ)」と呼ばれる反自然主義的彫刻が知られている。ある研究によれば、後者の誕生は次のように説明されている。マコンデの彫刻師サマキ・リコンコアは、自身が制作したビナダムを販売業者へと持っていく際に腕が一本折れてしまい、失意に暮れる。その夜、彼の夢の中に亡き父が現れ、サマキに対して彫刻の破損した肩部を滑らかにし目をえぐり出すよう指示し、サマキはその処置を行った。そしてそれが森の精霊「ジン」、そして最初の「シェタニ」となった(Sidney Kasfir, "African Art and Authenticity", in: *Reading the Contemporary: African Art from Theory to the*

Marketplace (eds. O. Oguibe, O. Enwezor), Institute of International Visual Arts, 1999, pp. 88-113[p. 104])。

【小川弘氏の文章を受けて】

入り口を築く

緒方しらべ

木の仮面や椅子、真鍮の彫像や草木染めの布、石やガラスのアクセサリーに籠バッグ、エキゾチックであたたかな風合いのショールや洋服。吸い込まれるように店内に入ると見たことのない造形が目に飛び込んでくる。どこか遠い国で作られたのだろうか。その場所も、作った人のことも知らないのに懐かしい手触りに引き寄せられてしまう。そんなふうに人を虜にするのは、きっとものの作り手の手仕事の賜物である。しかしそれだけではない。これらを探り、見つけ、運び、並べる人の足労の積み重ねと手仕事のなせるわざでもあるだろう。人が一生のうちに訪れることのできる国や地域は限られているし、出会える人やものも無限ではない。そのなかで、遠い大陸まで行って帰ってくる人が積んでいるのは荷物だけではなく、島で暮らす人の好きなものや魅力的だと感じることの幅を広げてくれる可能性でもある。それは四十年以上ものあいだ、小川氏が続けてきたことだ。

小川氏が収集してきたアフリカのプリミティヴアートと呼ばれる一群の造形は、アフリカの人びとの暮らしのなかで生まれたものである。小川氏が指摘するように、プリミティヴアートは「アート」という名を冠してはいるものの、もともとは、西洋美術史に則った「芸術のための芸術」ではない。作者が誰であるかとか、国内外の評価というものからいったん離れ、ただ、造形に向き合わせてくれるものである。さらに、展示品として鑑賞するだけではなく、暮らしのなかで見て、触って、使うことができる。そこで私たちは造形の不思議や魅力に惹かれるかもしれないし、そうしたものを作り、使ってきたアフリカの人たちの文化や感覚的なものに関心を寄せるかもしれない。にもかかわらず、プリミティヴアートの一部が希少価値に加え欧米のアートマーケットの価値基準の影響を受け、結果として手の届かないような高額なものになっていることに矛盾がないとは言えない。しかし、プリミティヴアートが値段相応の魅力を超えた価値をもち、アフリカの、そしてアフリカと他国の関係の歴史と現在を映し出すものでもあることは確かである。

そうした背景への関心や理解へと歩を進めるにしても、純粋に造形の美を楽しむにしても、入り口がなければ始まらない。数々のアフリカの造形を収集してきた小川氏は、日本でその入り口を築いた。芹沢銈介や絹谷幸二のような日本を代表する芸術家から[1]、公的な博物館として日本で初めてアフリカの仮面を展示した国立民族学博物館、さらには日本で初めて大規模なアフリカの同時代美術の展覧会を開催した世田谷美術館[2]までもがこの入り口を通ってきた。一九九〇年代半ば、無知の高校生であった私ですらこの入り口を通ったのだから、国内各地のギャラリーや店舗を訪れた無数の一般の人たちがこの入り口を抜けてアフリカに辿り着いたことは想像に難くない。アフリカ美術という分野が欧米で形成され、展開してきたなかで、例えば、アートマーケットにおいて世界的に評価されてきたノクのテラコッタ、イフェやベニンのブロンズ製の頭像やレリーフの展示空間の中心は、大英博物館をはじめとする世界の主要な博物館・美術館であり続けてきた。それがこの入り口によって、今では日本でも間近で見ることができるようになった[3]。小川氏が、アフリカ美術という分野を生み出したアフリカとヨーロッパといういわば出来上がった構造に単身で入り込み、極東アジアの日本では得難い知見を携え入り口を築き上げたことで、日本でアフリカ美術やそれと関連した様々な活動を行う人たちが続くようになったのである。周知のように、もはやアフリカとヨーロッパという二項対立は、いまだ帝国主義が影を落とすという点では顕在であるものの、アフリカがもつ複数の関係の一つに過ぎない。

入り口を開いたということは、同時に、収集と展示・販売の担い手である小川氏が、アフリカや欧米の人たちと日本の人たちの間で、あるいは業界において異なる立場にある人たちの間や昨今の多様な状況のなかで、ときにはジレンマを抱えてきたであろうことも暗示している。仮面の木の古さや古色の付き具合といった骨董的価値を求めるアートマーケットに対し、これをねらった巧妙なコピーを創作する売り手がいる。企業や行政はアフリカ美術の展示への出資に積極的になれない。同時代美術という新たな市場が展開を続けているなか、プリミティヴアートは古典的な特殊領域にとどまっている。従業員とその家族を抱える経営者としての自身がいて、飽くなき探究を続ける収集者としての自身がいる。その狭間で眉をひそめ、汗を流してきたに違いない。ここ数年こそアフリカでも携帯電話やパソコンを通じたインターネットバンキングやオンライン決済サービスの利用が広く浸透してきたが[4]、それまでは、懐に忍ばせるには目立ちすぎるくらいの札束を持ち歩いての収集もあったはずである。とりわけ、多額の金銭を伴うプリミティヴアートの売買の現場においては、一部はツテとカネがものをいう「無法地帯」[5]ともいわれるアフリカにあって、危険を察知しながら慎重に慎重を重ねて商談を進めたり、あるいは退いたりしたこともあったかもしれない。二〇一〇年代半ばよりとくに活発化している文化財／古美術返還の動きのなかでは、プリミティヴアートを手元に置いて愛でたいという個人と、本来の所有者・所有国のもとへ返すべきであるとする国や世論とのあいだで板挟みになることもあるのかもしれない[6]。このように、小川氏が抱え、また対処してきたと想像される様々なジレンマは、収集家・経営者としてのノウハウと経験、アートマーケットや行政におけるアフリカ美術の価値付け、プリミティヴアートの制作と売買に関わるアフリカ内部の諸事情、さらには帝国主義をめぐるヨーロッパの列強とアフリカの関係の現在など、アフリカ美術の収集や展示・販売においても、人文諸科学の研究においても、示唆に富んでいる。

四十年間アフリカに足を運んでいる小川氏だが、一九八〇年より本格的にアフリカ美術を取り扱うようになる前は、収集と販売の対象はアジアや中近東のものが中心であった。現在でも、小川氏の経営するギャラリーかんかんではアジアの布や雑貨が多くそろえられている。一九七〇年代前半、当時東京芸術大学の大学院生であった小川氏は、インドで仕入れたアクセサリーやバッグなどの雑貨を、渋谷駅構内の改札近くの地面に並べて販売していた。いわゆるエスニックブームに日本が沸いた八〇年代中頃よりも十年近く前のことである。

その露店を見た女性は[7]、日本では見たことのない色合いと手触りの織りや刺繍に驚いたという。こんなものを作る人たちがいるのかと新鮮な気持ちになり、これらを仕入れてそこで販売する小川氏のセンスと相変わらずのタフさに感服したそうだ。高校時代に所属していた美術部では、小川氏の油絵は常に異彩を放っていたという。毎年開かれたマラソン大会でも、色白できゃしゃな体で常に上位を勝ち取っていた。かつては自ら金槌を握ってひとりパリの宿で梱包用の木箱をこしらえていたともある。日本とアフリカを幾度となく往復し、アフリカ美術の収集と販売を続ける小川氏の根底にあるのは、やはり、脚力と手仕事の力なのかもしれない。

【註】

（1） 芹沢長介「芹沢銈介とアフリカ」、石川哲子・小川弘編『わきあがるかたち　アフリカ美術展――仮面・染織からストリート・アートまで』、東京かんかん、二〇〇三年、六―七頁。絹谷幸二「アフリカの風」、同書、八―九頁。

（2） 本書の第三章（川口氏の論考）を参照されたい。

（3） これらの一部は、山梨県北杜市のアフリカンアートミュージアムに展示されている（本書の第一章（小川氏のエッセイ）の「さらに詳しく知りたい人へのガイド」を参照されたい）。

（4） 例えばナイジェリアでは、アフリカ版ペイパルやストライプとして注目を集める「ペイスタック（Paystack）」が二〇一八年より普及し始め、国外から国内への支払いを安全に行うことのできるオンライン決済サービスを利用できるようになっている。また、複数の大手銀行が二〇一〇年代半ばごろよりオンラインバンキングのシステムを完備するようになり、国際送金も以前より迅速かつ確実にできるようになっている。

（5） ここでいう「無法地帯」とは、アフリカに法や秩序が存在しないということではなく、それらが必ずしも守られず、ツテとカネのほうがより有効な解決策になりうるという意味である。

（6） 一八九七年のイギリス軍による遠征によって破壊されたベニン王国（現ナイジェリア）の王宮から、当時百年以上前に作られた銅製や真鍮製、象牙製の彫刻や装飾品を含む二千点以上のものがイギリスに持ち帰られた。例えばこのうち二点は遠征軍の軍人の一人の私物となっていたが、その孫にあたる男性によって二〇一四年にベニン王に返還された（二〇一五年二月二十六日、BBCのウェブサイト上の記事「The man who returned his grandfather's looted arts」を参照）。https://www.bbc.com/news/magazine-31605284（最終閲覧日二〇二〇年十月八日）

（7） 私（緒方）の母親である。母は小川氏の島根県大田市の高等学校時代の同級生であり、同じ美術部に所属していた。一九七〇年代以前の小川氏の姿については、母へのインタビューに基づいている。

2　アフリカ製品プロジェクト
――ティンガティンガ・アートを通して

安齋晃史

島岡強、バラカ社との出会い

わたしは「世界で頑張る日本人」というテレビ番組（二〇一二年四月一日（日）テレビ東京）を偶然見たことがきっかけで、タンザニア在住三十余年の日本人、弊社会長島岡強、バラカ社の存在を知りました。

番組内で、島岡が「革命児」というニックネームで地元の人に親しまれている様子が印象的で、アフリカ独立革命を行うために現地で漁業、運送業、貿易業を経営し、若者から柔道を教えてほしいと頼まれたことがきっかけで、現地で柔道も教えるという内容に、日本人がアフリカに暮らし、多岐にわたる活動をしていることに衝撃を覚えました。

番組の中で特に驚いたことは、島岡には、父親から革命家として生きるために課せられた五つの掟があったことです。「定職に就くな」「一切の免許・資格を取るな」「日本で仕事をするな」「一切の物を所有するな」「結婚はするな」の五つが革命家の掟としての内容ですが、島岡は一九八七年に現在の妻でありバラカタンザニア支社長である島岡由美子と結婚。「結婚はするな」という掟だけは守らなかったというのは人間味があり、当時番組を視聴した私自身も結婚前だったということでより親近感を感じました。

「志」アフリカ独立革命とは

島岡はその番組で志について語り、父親の影響で、幼稚園のころからすでに「貧しい人のために生きる革命家」の道を志し、それに向かって生き、フリーライターとして五年ほど世界の情勢を見てまわる中で、アフリカの貧困に焦点を置き、拠点をタンザニア・ザンジバルに定めたそうです。

当時南アフリカ共和国で行われていたアパルトヘイト（人種隔離政策）の打倒を掲げた島岡は、南アフリカの情勢を見渡しながら、アフリカの人々の考えを知るという目的と、この国の人々に働く場を作るという二つの目的を掲げました。これらの目的を果たすべく拠点としてザンジバルを選び、ローカル産業の推進と職のない人たちの職場を確保するために、一九八八年より現地で漁業を始めました。その後、時代の流れで制度としてのアパルトヘイトはなくなりましたが、島岡はタンザニアに残りさらにいろいろな方法で働く場を増やし、アフリカの人々の自立を目指していくというかたちで、アフリカ独立革命をすすめていくことになりました。

番組を見て生き方に感動した私は、すぐにバラカ社のホームページにたどり着き、たまたま社員募集の記事を見つけて、この会社で島岡のもとで働きたいと思い、バラカ社に入社したのがはじまりです。

バラカとアフリカ製品プロジェクト概要

アフリカの人々が援助に頼らず自分たちの足で立ち、誇りを持って生きていける道を拓く、というテーマを掲げた島岡強のアフリカ独立革命の志のもと、タンザニア製品の輸出プロジェクトは一九九九年に立ちあがりました。

弊社は、「原材料ではなく製品の輸出でアフリカ経済発展の一翼を担おう」という趣旨のもと、二〇〇七年十月よりアフリカ製品の輸入を始め、この取り組みを、「アフリカ製品プロジェクト」と呼びました。なお、社名のバラカはスワヒリ語で「祝福」という意味です。

アフリカ、タンザニアの経済を活性化させるためには、国の中で産業を興し、職場を作ることと並行して輸出しなければなりません。しかも、原材料の輸出ではなく自国で加工した製品を輸出することで、タンザニアに外貨を多く入れ、その外貨で国の経済を回していくことが必要と考えています。

タンザニアの主要産業は農林水産業です。主要な輸出品目はコーヒー、紅茶、綿花、カシューナッツですが、いわゆる後進国の例に漏れず、製品ではなく原材料としての輸出がほとんどで、メイドインタンザニアで外国市場に出回っている製品は皆無に等しいです(図1、2)。

そこで、出来るだけ現地への外貨還元、雇用創出ができる製品輸出を考え、最初の製品はコーヒー、しかも、原材料の生豆ではなく、現地で加工している製品を輸出することに決め、一九九九年からインスタントコーヒーの輸入手続きを開始しました(図3)。

こうして二〇〇〇年より始まった「アフリカ製品プロジェクト」は、原材料から加工まで現地で施されたタンザニア製品であること、なおかつ日本で喜ばれる品質であることにこだわり、現在までに輸入品目は紅茶、スパイス、カンガやキテンゲ(アフリカンプリント布)、そして、ティンガティンガ・アート[1](絵画)にまで幅を拡げてきました(図4)。

今回はティンガティンガ・アートの弊社での取り組みに焦

図2　アフリカ製品プロジェクトは，TANICA（タニカ）社の良質なインスタントコーヒー一品目から始まった。TANICA社では様々な職種の人々が，良質なインスタントコーヒーの生産に携わっている

図1　コーヒーを自然農法で育てるブコバの農園では，一つ一つ丁寧に手摘み収穫をしている

図4　タンザニア，ダルエスサラームにあるティンガティンガ芸術村（工房）

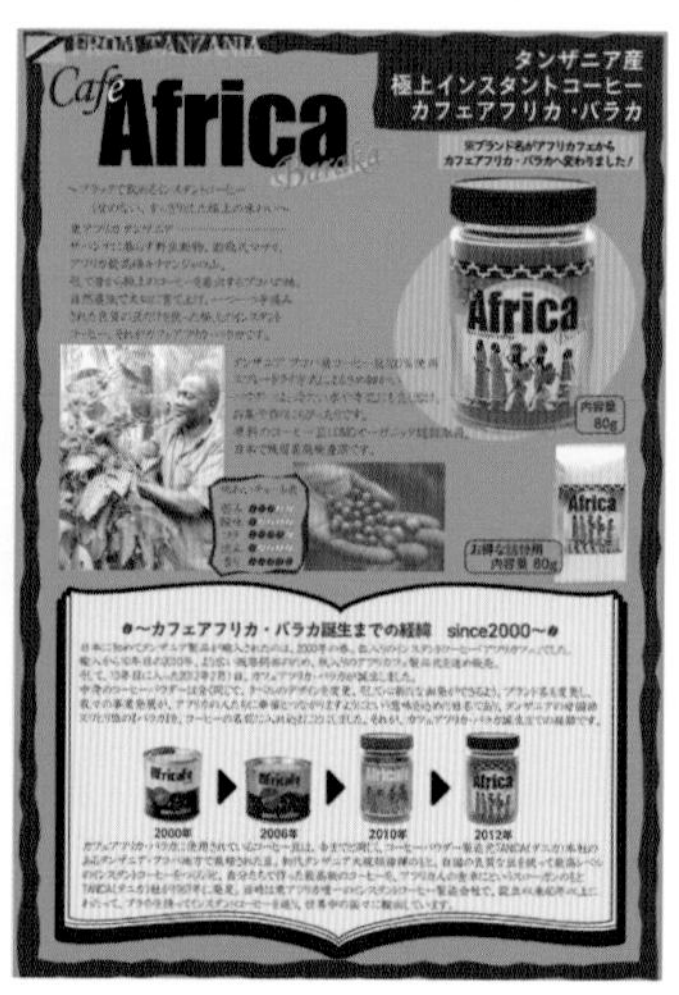

図3　カフェアフリカ・バラカ誕生までの経緯，2000年から

点をあて、具体的に説明します。

ティンガティンガ・アートの取り組み

当時ティンガティンガ・アートは、現地で外国からの観光客へのお土産物としての需要が主で、これだけでは作家の生活が安定しないという背景があり、アーティスト達から、コーヒーやアフリカンプリント布同様、日本でこのアートを拡めて欲しいと依頼されたことをきっかけに、二〇〇五年よりアートのプロモートを手掛けはじめました。

以来、ティンガティンガの紹介も拡がり、二〇一〇年から現地アーティストを招聘して日本各地で公開制作を実施し、アートと共にタンザニアの魅力を紹介しています。

こうして日本でプロモート、普及、販売する事を現地での定期的な雇用に繋げ、タンザニアへ外貨を還元したいと考えています。

図5　タンザニア，日本，両国の大使が列席し，ニッポンの文化鏡開きで原画展の幕開けを祝った。第1回横浜展オープニングパーティ（2010年9月2日），招聘作家：ムスターファ，来賓：駐日タンザニア大使，駐タンザニア日本大使

図6　絵と共に，タンザニア直輸入コーヒー，紅茶，スパイス，布，工芸品，アクセサリーも販売，現地生産者の背景にも思いを寄せていただいている。第11回名古屋展（2017年5月19日）

ティンガティンガ・アートの日本での普及方法

・継続的にバラカ主催の展示会を開催……バラカタンザニア支社長である島岡由美子は、現地でティンガティンガ・アートのメインプロモートを行っています。

島岡由美子が名古屋出身であるという縁から、名古屋市内で、二〇〇八年に弊社主催の第一回ティンガティンガ原画展を開催、日本で本格的にアートの紹介と販売が始まりました（図5、6）。

お客様・支援者方から、ぜひほ

図7　バラカのティンガティンガ原画展では，日本へ帰国している島岡に会いたいと，全国から会いに来られる方々も多い。第3回横浜展（2012年5月3日）

かの地でも原画展を開催してほしいという声があがり、二〇一〇年に島岡強の出身地である横浜市で開催し、その後は全国へと拡がっていきました。

島岡夫妻に縁のある地を中心として、地の利、人の輪を生かし、協力してくださる方々の力添えもあり、広報、設営、運営は全て自分たちで行っています。

こうして、四月、五月のゴールデンウィークは横浜で、続いて名古屋で継続開催することで、おかげさまで毎年恒例となり、二〇二〇年はコロナの影響で時期を変更して九月に横浜で第十一回、名古屋で第十三回を数えました。今後も継続的に同様の時期での開催を予定しています。

横浜市、名古屋市以外では、福岡市（二〇一一年十月）、札幌市（同年十一月、二〇一二年九月、二〇一五年十一月）、仙台市（二〇一二年十月）、安城市（愛知県、二〇一五年五月）で展開しています。

・ティンガティンガ・アートとの出会い――根本的な人間関係の見直し……私が初めてティンガティンガ・アートを見たのは入社してすぐの横浜展です。当時、入社して最初の仕事が横浜展の設営でした。アフリカのことや、絵画のことを全く知らない私は右往左往しながらなんとか乗り越えましたが、それよりも一番驚いたことは、展示会の運営を手伝ってくださる方々が多かったことです。毎日入れ替わり立ち替わり、全国からたくさんの方々が運営の手伝いがしたいと展示会にやって来ます。もちろんバラカの社員やアルバイトではありません。「島岡さんに昔お世話になったから」という島岡強の個人的な付き合いを理由に、全国から毎日たくさんの方が運営の手伝いを志願することが衝撃でした。

その時、今まで島岡が人とどのように接してきたかを肌で感じ、また、人と付き合うために大切なことを教えてもらいました。

「人と人は鏡のようなもの、自分が思いやりをもって接すれば相手も思いやりを返してくれる。自分が傲慢に接すれば、相手も傲慢になる」ということです。相手が困っていれば助ける、相手の求めていることに全力で取り組んできた島岡強のパーソナルな人間関係が築きあげてきた生き様を感じる展示会でした。

　また、来客者のほうがティンガティンガ・アートに詳しく、作家の名前や作風をご存知の方が多いので、リピーターのお客様が多いという強い印象も受けました（**図7**）。

・**全国主要百貨店での開催**……現地からアーティスト初招聘した二〇一〇年、阪急うめだ本店バイヤーとの出会いがご縁となり、全国主要百貨店や商業施設でも、現地からアーティストを招聘して定期的にティンガティンガ原画展を開催するようになり、現在に至ります。

　タンザニアの首都ダルエスサラームの郊外にあるティンガティンガ芸術村（工房）では、現在約百名のアーティストが創作活動をしていますが、これまでに計三十回、十一名のアーティストを日本に招聘し、各地で原画展を開催しています。イベントの機会も増え、ここ数年は毎年二～三名のアーティストを招聘できるようになりました（**図8、9**）。

　アーティストを伴う二〇一九年度のイベントの数は二十会場、来日アーティスト数三名、アーティストの滞在期間は約八カ月。アーティストを帯同しないイベントも含めると二〇一九年はアフリカイベントを四十回開催しました。

　主な取り組み先は、日本橋髙島屋S.C.、西武池袋本店、松坂屋上野店、髙島屋横浜店、

図8　全国百貨店にてティンガティンガ原画展，アフリカンマーケットを開催し，製品の背景にも思いを寄せて，日本の暮らしに取り入れていただく場づくりをしている。阪急うめだ本店（2017年7月29日），招聘作家：ベイカー

図9　全国百貨店にてティンガティンガ原画展，アフリカンマーケットを開催し，招聘作家のライブペイントを間近で楽しんでいただいている。阪急うめだ本店（2013年8月8日），招聘作家：アバス

図 10　開催地の地元への貢献として，小学校や幼稚園，福祉施設を招聘作家とともに訪問，国際交流，アフリカ絵画と本の寄贈を行っている。北海道喜茂別町立喜茂別小学校（2012 年 9 月 19 日），招聘作家：アブダラ

図 11　交流会ではアーティストから学ぶティンガティンガ・ワークショップを開催し，子どもたちに絵を描く楽しみを伝えている。椙山女学園大学附属小学校（2017 年 5 月 18 日），招聘作家：ムテコ

図 12　作品タイトルは《JAMBO（こんにちは）！大阪　～大阪市営交通 110 周年おめでとう～》。アフリカから大阪の町に遊びにやってきた動物たちが，地下鉄に乗って，大阪名所を巡り，大阪名物を楽しむ，そんな様子を楽しく描いた特別作品

図 13　開催地の地元への貢献として，小学校や幼稚園，福祉施設を招聘作家とともに訪問，国際交流，アフリカ絵画と本の寄贈を行っている。大阪市営交通 110 周年を記念して，ティンガティンガ・アート 76 点を寄贈した。2014 年 4 月 4 日，招聘作家：ムブカ

図 14　よこはま動物園ズーラシアへティンガティンガ・アートを寄贈した（2017 年 5 月 31 日）。作品タイトルは「共に，生きる」（作家：ムテコ）。タンザニアの大地に生きる様々な動物たちや豊かな自然を描いた特別作品

図 15　交流会ではアーティストから学ぶティンガティンガ・ワークショップを開催。色を自由に使って，絵を描く楽しさに，大人も子どもも夢中になる。大阪市天王寺動物園（2015 年 1 月 1 日），招聘作家：ムワメディ

図 16　色を自由に使って描くティンガティンガ・アート。招聘作家から学びながら完成した絵は，それぞれの個性が光る作品に仕上がる。描き上げた作品を持って，参加者と記念撮影。招聘作家にとっても特別な時間だ。大阪市天王寺動物園（2019 年 3 月 31 日），招聘作家：ヤフィドゥ

図 17　幼稚園ではまだ習っていない絵の具に挑戦する小さな子どもを，招聘作家が自分の子に教えるように笑顔で手伝うことも。優しい時間が流れる。JICA 関西（2019 年 8 月 25 日），招聘作家：ズベリ

蔦屋書店湘南T-SITE、伊勢丹静岡店、遠鉄浜松店、髙島屋岐阜店、ジェイアール名古屋タカシマヤ、髙島屋京都店、らぽーとエキスポシティ、髙島屋大阪店、大丸心斎橋店、近鉄あべのハルカス、大丸神戸店、鳥取砂の美術館、大丸福岡天神店、トキハ大分本店、沖縄読谷まつり、ジュンク堂書店池袋本店などです。

・文化交流会……各地域の小学校や幼稚園、動物園などへ招聘アーティストと訪問し、ティンガティンガ・アートの寄贈や文化交流を行い、アートを通じてアフリカの今を伝えています。各地域の小学校や幼稚園をはじめとした文化交流会は、これまでに六十回に上ります。

二〇一九年は、東京オリンピック・パラリンピックにおけるタンザニアのホストタウンである山形県長井市や、JICA（独立行政法人国際協力機構）中部でも、文化交流会を開催しました（図10〜17）。

・書籍出版によるアフリカ文化の普及……書籍を通じてアフリカの文化や現状を広い世代に伝えることも、弊社の特徴の一つです。

島岡由美子は、島岡強と志を共にし、アフリカでの実践を続けるかたわら、島岡の志であるアフリカ独立革命、アフリカ製品プロジェクトを伝える著書を上梓しています。

また、アフリカでは口承文化である民話の面白さを、日本の人たちに味わっていただきたいという思いと、民話を切り口にしてアフリカのことを知り、考えるきっかけにしてもらいたいとの思いから、自身のライフワークとして、アフリカ各地に伝わる民話の採集・再話に取り組み、日本に伝えています。

アートや製品販売と同時に、こうした書籍を通じて、アフリカの今を伝え、タンザニアの文化を紹介する書籍は、弊社出版部、大手出版社から刊行されています。

二〇二〇年一月には、若い世代に向けた『アフリカから、あなたに伝えたいこと――革命児と共に生きる』（かもがわ出版）が刊行され、続いて七月には、ティンガティンガ・アートの絵本『どうぶつたちのじどうしゃレース』（かもがわ出版）が刊行されました。

島岡由美子の著書には他に、『わが志アフリカにあり』（朝日新聞社、二〇〇三年）、『アフリカの民話～ティンガティンガ・アートの故郷、タンザニアを中心に～』（二〇一一年）、『我が志アフリカにあり・新版』（二〇一二年）、『続・我が志アフリカにあり』（二〇一三年、いずれもバラカ）、『アフリカの民話絵本『しんぞうとひげ』ポプラせかいの絵本（四七）』（ポプラ社、二〇一五年、平成二七年度厚生労働省社会保障審議会推薦児童福祉文化財）、『アフリカの民話集　しあわせのなる木』（未来社、二〇一七年）、『アフリカから、あなたに伝えたいこと　革命児と共に生きる』（二〇二〇年）、

『どうぶつたちのじどうしゃレース――ティンガティンガ・アートであそぼう！』（二〇二〇年、いずれもかもがわ出版）があり、『一冊の本』（朝日新聞社、二〇〇七年一月号～二〇〇九年三月号）では、アフリカの民話を連載しました。

・**書籍を通して……**冒頭で触れたテレビ番組放送後『わが志アフリカにあり』はプレミアム価格がついて入手できなかったので、私は入社してすぐに会社から借りて読みました。革命家として生きる島岡強の幼少時のエピソードからタンザニアでの活動までが記されており、特に幼少時の父親とのエピソードの中で革命家としての独特の教育方法があり、このような思想がある日本人、そして島岡強という人間が形成される事実に衝撃を受けました。

　この本はその後、新版、続編が上梓され、二〇二〇年には若い世代に向けた書籍も出版されたことで、現在は幅広い世代の方に読まれるようになりました。

　この書籍を通じて私は胸が熱くなり、どうしたら本気で生きられるのかを考えるきっかけになったので、是非、たくさんの方に読んでもらいたいです。

　また、アフリカの民話を通してアフリカの文化も感じることができます。私には、三歳と一歳の子どもがいますが、絵本『しんぞうとひげ』が大好きで、冒頭にでてくるスワヒリ語は暗唱できるほど興味をもっています。このように幼少期の子どもでも興味を持ち、アフリカを知るきっかけになる貴重な書籍だと感じています。

・**ティンガティンガ・アート展示会の特長……**弊社の展示会では、アーティスト一人ひとりの名前や顔、プロフィール、作風を、丁寧に紹介しています（**図18**）。

　現地では原画のままの状態で売られていますが、弊社の展示会では日本のマーケットに合うよう、絵を主役に白色のシンプルな額装をし、

図 18　これまで日本に招聘した作家はのべ 11 名。招聘回数は 30 回におよぶ

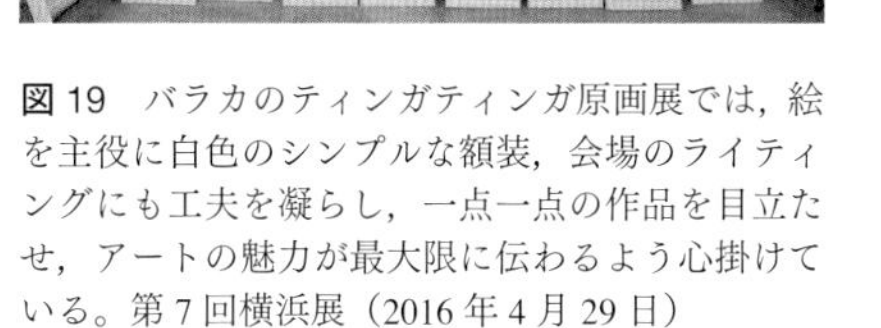

図 19　バラカのティンガティンガ原画展では，絵を主役に白色のシンプルな額装，会場のライティングにも工夫を凝らし，一点一点の作品を目立たせ，アートの魅力が最大限に伝わるよう心掛けている。第 7 回横浜展（2016 年 4 月 29 日）

会場のライティングにも工夫を凝らして、一点一点の作品を目立たせ、アートの魅力が最大限に伝わるよう心掛けています（図19）。

・来日アーティストによるライブペインティング（公開制作）の実践……展示会では、たくさんの絵画を展示して現地の芸術村の雰囲気を再現することに努めています（図20、21）。

全国各地の会場で、来日アーティストは、実際に絵を描く公開制作を行いティンガティンガ・アートの魅力を紹介しています。会場でライブペインティングを行う招聘アーティストが、自分たちの作品がアート作品として大切に紹介されていること、日本の来場者が自分たちの作品に感動し、購入してくれる姿を目の当たりにし、帰国後、仲間のアーティストたちにその感動を伝えることで、自分たちのアートは世界に通じるという意識が彼らのあいだで高まっています（図22、23）。

アーティストは二度、三度と続けて日本に招聘されることで、展示会で販売する作品数は増え、その収益から、土地を購入し、家を建てることができるようになり、環境が一変します。このことは、ティンガティンガ芸術村のアーティストたちにとって、自分も頑張れば日本に行けるという目標となり、彼等のモチベーションを高め、技術力のアップ、ついてはアート全体の質の向上に繋がっています。

アーティストで組織されているティンガティンガ共同体が年間販売する作品数は約四千点、そのうち半分にあたる約二千点を、弊社が買い付けています。絵が売れてから支払う委託方式ではなく、絵はすべて現地で買い上げているので、その場で現金がアーティストに支払われるという面でも生活安定に繋がります。現在弊社が扱う作品は、共同体メンバー全員の絵ではありませんが、絵画だけではなく、絵付けされたコースターや鉛筆、ボードといったグッズを買い付けることで、さらに幅広いアーティストの収益になっています（図24）。

また、メンバーは売れた収益の一部を共同体に納めることで、共同体、工房の維持、メンバーの冠婚葬祭の支援などに活用し、相互扶助しながら暮らしているという仕組みがあります。このように、弊社の活動は、ティンガティンガ共同体全体に還元されます。

こうした取り組みを継続的に行うことで、アーティスト達の生活安定、モチベーションのアップ、アートの質のさらなる向上へと繋がっています（図25）。

・原画での販売……カレンダーや画集はありませんか？　という問い合わせを来場者の方々などから多く寄せてもらいますが、アーティストの描いた原画作品を直接買うことで雇用創出を目的としているため、現在は取り組んでおりません。

・価格の設定について……一枚でも多くの原画作品を販売する

図 22　招聘作家のライブペイントは会場ギャラリーの野外でも。道行く家族連れから，作家の筆遣いや色鮮やかなアフリカンアートの誕生の瞬間に歓声が上がる。作家の来日を毎年楽しみにしているティンガティンガ・ファンも多い。再来日した作家との再会を喜ぶ光景も。第 2 回横浜展（2011 年 4 月 25 日），招聘作家：ムスターファ

図 20　バラカのティンガティンガ原画展では，たくさんの絵画を展示して現地の芸術村の雰囲気を再現し，日本にいながら現地の空気を楽しんでいただいている。第 3 回横浜展（2012 年 5 月 3 日）

図 23　招聘作家のライブペイントでは，バラカ社員によりアートの紹介，製作中の作品や作家の特長を丁寧にお伝えしている。大丸福岡天神店（2018 年 6 月 21 日），招聘作家：アバス

図 21　全国百貨店にてティンガティンガ原画展，アフリカンマーケットを開催。展示点数の多さ，バリエーションの豊かさで，アートに目の肥えたお客様にも満足いただいている。阪急うめだ本店（2014 年 12 月 3 日），招聘作家：ムワメディ

図 26　招聘作家が各地で目にした日本の風景が，日本とアフリカのコラボレーション作品の中に描かれることも。名古屋をテーマに描いた作品。第 1 回三河安城展（2015 年 5 月 23 日），招聘作家：アブダラ

図 24　バラカは 2006 年に，ティンガティンガ村の女性メンバーを中心とするティンガティンガ・コースターチームを結成。コースターの定期的購入により，アーティストの自立を応援している

図 27　招聘作家が各地で目にした日本の風景が，日本とアフリカのコラボレーション作品の中に描かれることも。横浜をテーマに描いた作品。横浜高島屋（2016 年 11 月 6 日），招聘作家：ムテコ

図 25　毎年開催している自社主催ティンガティンガ原画展，日本各地の百貨店等で開催するティンガティンガ原画展の収益の一部から，2008 年より毎年恒例として，現地ティンガティンガ村のアーティストへ，画材支援を続けている。彼らのリクエストに応えて発電機などを贈呈し，工房修繕にも協力している。日本から持ち帰った絵筆や刷毛筆は，とても描きやすいと評判で，出品したアーティストが中心なのはもちろん，出品しなかった人にも行き渡るよう，多く用意している

ことで、アーティストからの買い付け数を増やし、雇用創出に繋げたいので、手に取りやすい価格を意識して設定しています。

サイズと価格は、Sサイズ（三〇×三〇センチメートル）一万五千円程度、Mサイズ（四〇×四七センチメートル）三万千円程度、Lサイズ（七八×七八センチメートル）八万円程度（額装を含む）となっています。

・購入動機と年齢層……ティンガティンガ・アートを購入する年齢層は幅広く、絵を初めて購入する方が多いのが特徴です。「原色がとても綺麗で、色が鮮やかなので元気がでる」「誰がみてもわかりやすい」という理由で、結婚、出産、新築といった人生の節目のプレゼントとして選ぶ方も多いです。

・展示会のテーマ……毎年の展示会がマンネリ化しないよう、アーティスト達と一緒にテーマを考えます。それがまた新たな制作意欲にもつながり、バラカ社と一緒に作り上げていくという意識になっています。

ティンガティンガ・アートは、タンザニアを世界に発信するという目的もあるアートなので、アーティスト達は、人々の生活やたくさんの動物とともに、タンザニアの誇るキリマンジャロ山、タンザニア名産のカシューナッツの木、アフリカならではのバオバブの木などを描きこみます。

特にキリンはタンザニアの国獣であり、家族愛、平和の象徴という意味があるため、キリンをモチーフにした作品が多いのも特徴です。

過去の展示会テーマは、「虹の国の仲間たち～ネルソン・マンデラ氏に捧ぐ～」（二〇一四年）、「家族愛～平和への道標～」（二〇一六年）、「アート誕生五十年&アフリカの民話集出版記念～しあわせのなる木～」（二〇一八年）、「TWENDE PAMOJA ～共に、未来へ～」（二〇一九年）といったものです。

・日本での作家の受け入れ体制について……バラカジャパン全員で受け入れ体制をしき、一緒に生活や行動をする中で作家が安心して良い絵を描ける環境を維持できるよう配慮しています。

イベントでの仕事以外にも、名所めぐり、たとえば、横浜訪問時にはみなとみらい、岐阜では花火大会を観光しました。気分転換とともに、日本での文化体験をすることで、アーティストにも日本をよく知ってほしいという思いからです。

こういった経験は、新しい制作意欲に繋がるようで、観光した場所の風景が、日本とアフリカのコラボレーション作品の中に描かれることもよくあります。アーティストたちは、日本行きがきまると、自分はどの地域のイベントでライブペイントをするのだろう、と楽しみにしているそうです（図26、27）。

図28　アーティストによる作品製作の様子。タンザニア，ダルエスサラームにあるティンガティンガ芸術村（工房）

図29　タンザニア，ダルエスサラームにあるティンガティンガ芸術村（工房）

図30　ティンガティンガ・アートは弊社のインスタントコーヒーやカシューナッツのパッケージ，他社の化粧品のパッケージにも採用された

・営業現場から……弊社は、貧しい国への哀れみや援助のため、といった気持ちで製品を購入してもらうのではなく、日本でも世界でも通じる製品に高めて購入者の方々に喜んでもらいながら、タンザニアの人たちの生活安定に繋がる仕事にしていきたい、という気持ちで取り組んでいます。

　また、日本の来場者や購入者の方々の声をタンザニア現地にも伝えることで、現地でのモチベーションもあがっています。

・アートのクオリティコントロールについて……タンザニア在住の島岡夫妻が、現地で直接作家にアドバイスをすることで、高いクオリティを保っていますし、来日した作家は、日本での公開制作からヒントを得て、帰国後も人気が高かった構図や色を積極的に取り入れています。

　このように、常に現地のバラカタンザニアの島岡夫妻がアーティスト達と直結しているからこそ、作品のクオリティも安定しており、継続的に日本でティンガティンガ・アートを普及することができるのも弊社の特徴の一つです（図28、29）。

・広報……展示会毎にプレスリリースを作成してマスコミ各社に案内しています。

　新聞社に直接招聘アーティストと訪問し、プレゼンも行います。

　時候や地域性に合うなど、記者の方に興味をもってもらえると取材や記事掲載に繋がります。

　また、弊社ホームページ、ブログ、ＳＮＳへの情報掲載、メールマガジンの発行、過去の展示会来店履歴のあるリピーターへＤＭハガキ、チラシの郵送も行っています。

　ティンガティンガ・アートは弊社のインスタントコーヒーやカシューナッツのパッケージ、他社の化粧品のパッケージにも採用されました。（例：スチームクリーム社）（図30）

・ティンガティンガ・アーティストと行動して気づいたこと……

この仕事を通じてたくさんのアーティストと一緒に行動をすることが増えました。特に印象的なのは、どのアーティストも水を大切に使うことです。日本では蛇口をひねればすぐに出てくる水ですが、やはりアフリカでは水が貴重なためどのアーティストも蛇口から勢いよく水を出すということはなく、大切に使っている印象を受けました。一緒に行動をすることで普段当たり前だと思っている環境が国によっては当たり前ではないと感じ、改めて水の大切さを学びました。

結びに

　おかげさまで、ティンガティンガ・アートを好きになってくださる方が拡がり、今では特定のアーティストのファンも増えてきました。展示会を楽しみにしてくださり、毎年来場くださる方、記念にと来日作家の絵画を購入される方も多いです。

　アフリカの発展に繋がるなら、と、アフリカ製品プロジェクトに共鳴いただき、製品を購入くださる方も多数いらっしゃいます。

　私自身もこの仕事を通してたくさんの方と知り合い、日々勉強になっています。また、島岡強という人間を通して、仕事以外の人生観、人間関係も大きく変わり、当初まったく「志」がなかった私は、今ではこの仕事を通して、アートを見て元気になってほしい、アフリカのことを少しでも感じでほしい、島岡強というアフリカ在住の日本人がいて、この活動を通じて関わらせていただいた方には何かを感じてほしいという想いが強くなりました。今の環境の中で自分ができることはないか、何か役に立つことはないかを以前より考え、行動する機会が増えたと感じます。

　アートや製品をきっかけにアフリカを知ってほしい、興味を持ってほしいです。それを通して、今の自分や日本のことを考えるきっかけになれば嬉しいです。

　また、この活動を知ってもらうために全国各地でイベントを開催していますので、益々この流れが躍動し、アフリカのことに興味をもつ人が増え、アフリカ独立革命の「志」を通して、自分の「志」とは何か、世の中を良くしていくためには何ができるか、という気持ちにさせるような、役割を担っていると自負しております。

おかげさまで年々、イベント開催の機会が拡がり、アーティスト招聘の機会も増えました。取り扱いはじめた初期に比べると、アート自体のクオリティが上がり、私たちスタッフの紹介スキルも上達してきたと思います。

今後も継続的に開催していけるよう、ティンガティンガ・アーティストやアフリカ製品プロジェクトを応援していただけると幸いです。

TWENDE PAMOJA ～共に未来へ(2)～

【註】

（1）　ティンガティンガ・アートは、一九六〇年代末、タンザニアで発祥した絵画スタイルです。ティンガティンガという名称は、創始者の名前 Edward Saidi Tingatinga（一九三二―一九七二）に由来します。

サバンナの動物や豊かな自然、人々の暮らしを、現地ティンガティンガ芸術村（工房）で活躍するアーティストたちが、たった六色のペンキを使用して、色鮮やかにのびのびと描き出します。創始者のティンガティンガは絵を描き、一族郎党を養い、絵の描き方を家族や若者に伝え、描けるようになった者からどんどん自分で独立して生きて行けと教えました。タンザニア人自身で育ててきた、アフリカを代表する現代のアートです。

ティンガティンガ村はダルエスサラーム郊外にあります。アーティストたちが共同で運営しており、壁面は隙間もないほどびっしりと作品で埋められています。最初はバオバブの木の下に集まり、そこで絵を描き、売るところから始まりました。

（2）　TWENDE PAMOJA……スワヒリ語。読み「トゥエンデ・パモジャ」、日本語で「共に未来へ」の意味です。バラカホームページ（www.africafe.jp）参照。

（図版編集・協力：川口圭希［株式会社バラカ］）

【さらに詳しく知りたい人へのガイド】

① 島岡由美子『我が志アフリカにあり　新版・続編』、バラカ、二〇一二年（新版）／二〇一三年（続編）。

② 島岡由美子『どうぶつたちのじどうしゃレース』、かもがわ出版、二〇二〇年。

③ バラカのティンガティンガ・アート原画展、来日アーティストによるライブペインティング。

（株）バラカに関心を持ってくださった方には、①②③をおすすめします。①の書は、私が「志」について初めて考え、バラカへ入社したきっかけとなったと共に、アフリカへの関わり、人間関係を見直し、生き方の指針を導いてくれた本です。②は、ティンガティンガ・アートの挿絵と塗り絵が楽しめる絵本で、著者が現地の人から直接聞いたタンザニアの民話がベースになっています。コロナ禍の中、外で遊べない子どもたちのために、バラカHPでティンガティンガ・アートの塗り絵無料ダウンロードを公開したところ、その取り組みが出版社の目にとまり、急ピッチで刊行に至りました。コロナ禍というまさに非常時に、子どもたちのために生まれた貴重なアート絵本です。③バラカが全国各地で開催しているティンガティンガ・アート原画展では、日本にいながら現地ティンガティンガ芸術村の雰囲気を味わえる空間を提供し、タンザニアからアーティストを招聘、ライブペインティングを行っています。是非ご覧ください。

【安齋晃史氏の文章を受けて】

ティンガティンガ、その歴史と変化

柳沢史明

ティンガティンガ・アートは、エナメル塗料による光沢のある鮮やかな色彩、多種多様なサバンナの野生動物が画面を彩る主題、奥行きや立体感よりも個々の題材の存在感や形態を全面に出した表現などによってひとつの画派・様式として確立され、タンザニアや周辺地域のみやげ物として販売されている。安齋氏が記しているように、ティンガティンガ・アートの歴史は比較的新しい。創始者であるE・S・ティンガティンガの画家としての活動は一九六九年頃からのことであり、その歴史は半世紀ほどである。とはいえ、日本においてアフリカ由来の絵画のなかでティンガティンガ・アートはひときわ知られているものの一つであろう。アフリカ文化研究者の白石顕二氏はティンガティンガの名を日本で広めた一人で、一九七九年に同氏がティンガティンガの絵に出会ったことをきっかけに、アフリカのポップ・アートの一つとして八〇年代半ばから紹介を行っていた[1]。八七年には同氏によりティンガティンガ派の画家ジャファリー・アウシが日本に招聘され個展が開催されたことも少なからぬ影響であろうか、八九年にはジャファリーの絵が十点ほど国立民族学博物館の受入対象となっている。ジャファリーのものではないが、同館所蔵のティンガティンガ派の絵は、『新版 アフリカを知る事典』（平凡社、二〇一〇年）のカバー表紙に採用されており、ティンガティンガ・アートはその短い歴史ながらも日本に住む者にとって高い認知度を誇っているのではないだろうか。

さて、E・S・ティンガティンガの「発見」は諸説あり、ある研究はタンザニアの国立開発協同組合（National Development Cooperative）に勤務していたイギリスの役人が、ダル・エス・サラームで自らの絵画を販売していたこの独学の画家を見出したと論じている[2]。アカデミックな教育を受けていないアフリカの画家が西洋人によって「発見」されるというエピソードは、ベルギー領コンゴのA・ルバキ、フランス統治下のマリにおけるK・シディベなど、アフリカにおける二十世紀以降の絵画史において度々登場してくる。しかしこれらの先例とは異なり、ティンガティンガという名は、独学による一人の画家を示すだけでなく、タンザニアの一部で制作される絵画様式を示す用語へと変貌し、日本を含め諸外国へとその知名度が高まっていくこととなった。こうした背景には、じっさいのところ、一九七〇年代から八〇年代のタンザニア政府の社会主義的政策が少なからず関わっている。ティンガティンガの活動及びその作品は、彼を「発見」した役人が務めていた国立開発協同組合、そしてその下部組織であり半官半民のタンザニア・ナショナル・アーツ社（National Arts of Tanzania Ltd.）を通じて、一九七一年頃から同地にて大々的に紹介されはじめた。同社は、展覧会の開催だけでなく、ティンガティンガ本人に対する塗料などの画材の提供、作品の買い上げの契約など積極的な支援政策を行っていた[3]。ティンガティンガ没後、弟子やその家族らが「ティンガティンガ・アート協同組合（Tingatinga Art Co-operative Society、ＴＡＣＳ）」を結成する手助けを行ったのもこの半官半民の会社であり、こうした公的機関と民間との共同運営を通じた芸術産業の整備・運営・宣伝の動きは、八〇年代以降タンザニアへの観光ブームを受け、観光・文化・芸術産業を含めた国内の各種産業の自律的な経済開発を推進しようとした当時のタンザニア政府の立場が関係している[4]。九〇年代以降、タンザニアにおける複数政党制の導入や民主化の進展に伴い、八〇年代における社会主義的な政策は変化していくことになるが、ＴＡＣＳ主導によるティンガティンガの技術伝習、制作や販売は現在も引き継がれ、「ティンガティンガ村」として観光客を迎え入れている。

安齋氏が語るように、バラカ社のティンガティンガ・アートの紹介や販売は二〇〇五年から始まる。バラカ社の創設者である島岡強・由美子夫妻がアフリカに拠点を構えたのが一九八七年であることから考えると、ティンガティンガの紹介や販売はバラカ社の活動として後発の部類に含まれよう。むしろ、バラカ社においてティンガティンガ・アートの紹介や販売は、その活動のごく一部に過ぎないと表現すべきであろう。かつて安齋氏の紹介で島岡由美子氏にお会いした際、バラカ社がティンガティンガ・アート以外を扱っていることを知り驚いた筆者に対し笑っておられた。そこには、インスタントコーヒーをはじめ、バラカ社の四半世紀以上に渡る「アフリカ製品プロジェクト」の理念と歴史のなかでティンガティンガ・アートの紹介と販売がなされていること、その事実に対する筆者の無知が関係していたことが今となっては理解できる。同社の起点でもある島岡強氏の豪胆な人生とそのアフリカでの活動は、島岡由美子氏の軽やかかつ内面に迫る文体による『我が志アフリカにあり　新版』や『続・我が志アフリカにあり』で詳しく紹介されている。伴侶の伝記とも自身の自伝とも、さらにはバラカ社の社史とも読める両書のなかではティンガティンガ・アートにも触れられており、ティンガティンガ村で出会う様々な画家たちとのエピソードが紹介され、相互協力的な技術伝習がなされる共同体的な様子が描かれている。

ティンガティンガ村のアーティストらとバラカ社との関係について安齋氏は、島岡夫妻とタンザニア現地のアーティストらとの密接なやり取り、訪日経験のあるアーティスト自身による人気の色や構図の自主的な採用について言及を行っている。ティンガティンガ・アートは、先述のとおり、サバンナの動物群といった人気で古典的ともいえる主題をベースに、同胞たちからの技術伝習を経た数多くの作家によって制作されている。当然ながら、上手い描き手とそうでない者といった「質」の問題や、類似した作品の横溢など、手仕事による作品に見られる問題が出てくるだろうし、制作者たちと買い手であるバラカ社との質をめぐるやり取りや、双方による市場の動向把握は当然必要となろう。興味深いのは、東アフリカに見られるみやげ物絵画において、制作者と買い手とのやり取りが、ときとして、新しい技法や主題の誕生や模倣、その伝播へと繋がっている可能性があることだ。ある研究は、ティンガティンガ・アートの変化を制作者と買い手との交渉のなかに認めている。つまり、みやげ物として販売され成功を収めたある作品は、その後続者らによって模倣され、類似したものが多数制作、販売される。その後「唯一性」や「創造性」を欲する一部の買い手が作品のカスタマイズを要求し、それにアーティストが応えることで、新しい作品、新しいティンガティンガ・アートが生まれ、それが他の買い手の関心を惹き成功を収めると、再び同じサイクルが生じることになる。[5] 似たような循環は、ザンジバルで人気の「キス・マサイ」と呼ばれるナイフペインティングによるみやげ物絵画でも認められ、制作者らが市場の動向を敏感に察知したり買い手からの要望に応えたりしつつ、自らの技量に合った仕方で新しい主題や技法へと挑戦することで、様式化された絵画のなかで変化や模倣、創造が生じている。[6] タンザニアの現地にて壁に隙間なく掲げられた無数のティンガティンガ様式の絵画を何度となく、さらには一つ一つじっくりと観察することのできる島岡夫妻や、日本にて現地のアーティストらと多くの時間を共有し販売会場でその制作を観察することのできる安齋氏らは、ティンガティンガ・アートに現れるこうした新しい変化を随時目撃することとなろう。バラカ社によるタンザニアやザンジバルとの継続的な関わりとその活動から見えてくるのは、ティンガティンガ・アートのみならず、様々な当地の製品や作品の生産・制作そして販売の現場に現れる、タンザニアやザンジバルにおける日々の様々な変化の動向であり、その変化の真っ只中にある人びとの生き生きとした姿なのかもしれない。

【註】

（1）　一九八五年にはティンガティンガ派のS・G・ムパタの展覧会が西武百貨店で行われたが、白石氏はこの展覧会を舌鋒鋭く批判している。その批判の理由を含め、八〇年代の白石氏によるティンガティンガの紹介としては以下の二点を参照されたい（『アフリカ直射思考』、洋泉社、一九八五年、六八―八五頁。『ポップ・アフリカ』、勁草書房、一九八九年、一三〇―一四四頁）。

（2）　Yiping Chen, "Tingatinga as Tourist Art: The Dialogue between the Producers and Clients"(Dissertation for the degree Master of Arts, Leiden University), 2018, p. 12.

（3）　J. A. R. Wembah-Rashid, "Edward Saidi Tingatinga: In Memoriam", *African Arts*, Vol. 7, No. 2 (Winter, 1974), pp. 56-57.

（4）　Dominicus Zimanimoto Makukula, "The Development of Visual Arts in Tanzania from 1961 to 2015 : A Focus on the National Cultural Policy and Institutions' Influences" (Dissertation for the degree of Doctor of Philosophy, Freie Universität Berlin), 2019, pp. 346-394.

（5）　Chen, op. cit., p. 53.

（6）　井上真悠子「東アフリカ観光地における『みやげ物絵画』の創出と展開――タンザニア・ザンジバルの『真っ赤なキス・マサイ』を事例に」『アフリカ研究』vol. 76、二〇一〇年、一七―三〇頁。

【安齋晃史氏の文章を受けて】

共に働く

緒方しらべ

男性はもくもくと筆を動かす。物静かで地味そうに見えるその人は、向かい合う画布に青、黄、黒、緑、ピンクの鮮やかな絵を描いている。少し近づいてみると、微笑んでコンニチハと言ってくれた。そしてまた描き続けた。所狭しと並べてある色とりどりの絵や雑貨を眺めている間に、絵筆を握った男性は店頭のスタッフと何やら親しげに話していた。そしてまた席に着いて、描き始めた。二〇一六年の十一月、高島屋大阪店のエスカレーター横の一角でバラカ社が開催していた「アフリカン現代アート　ティンガティンガ原画展――共に、生きる。〜地球へのオマージュ〈憧憬〉〜」の会場でのワンシーンである。[1]

バラカ社の取り組みに特徴的なのは、日本において、アフリカの人たちをそばで、頻繁に感じさせてくれることではないだろうか。安齋氏が詳しく記しているように、バラカ社は二〇〇八年からティンガティンガ・アートの原画展を三十回以上開催し、十一名以上のアーティストをタンザニアから招聘している。年に数回、全国各地の百貨店やモールの一角でアフリカのアーティストが作品を制作している場を見られるユニークな機会は、私が知る限りにおいてほかに例がない。

今でこそ、現代のアフリカンアート／アフリカ美術という分野は欧米を中心に広く認知され、多数の展覧会やフェアが欧米やアフリカの都市部で開催されている。しかし二十世紀末ごろまでは、その会場は欧米の著名な美術館やギャラリーにおおよそ限られていたし、作品の多くは一般の人たちに購入可能なものではなかった。日本でも、一九九〇年代から徐々に現代のアフリカのアートに触れる機会が増えていったが[2]、それでも、一般の人たちにとってそれが身近なものであるとは言えない。そんななか、全国各地の百貨店で数万円という価格でティンガティンガ・アートを販売するバラカ社の取り組みは、現代のアフリカのアートを日本で暮らす人たちにより身近なものにしているという意味において、非常に画期的である。

バラカ社が開催するティンガティンガ・アートの展示・販売の場にタンザニアから来日したアーティストがいるということは、「宣伝」を超えた意味をもつ。非西洋のアートは長らく西洋の側によって収集され、展示されてきた。そこにはつねに支配的な西洋と被支配者である非西洋という権力構造があった[3]。この構造がアフリカのアートの展示の場で崩れ始めたのは一九九〇年代以降のことである。それまで一方的に欧米から語られる側であったアフリカは、アフリカ出身または在住のアーティストやキュレーターによって、自分たちのことを自分たちで語るようになっていった[4]。ヨーロッパの大規模な国際美術展や美術館・ギャラリーで行われる展覧会において、アフリカのアーティストやキュレーターが活躍したり、彼らが欧米のキュレーターと協働したりと、二十世紀半ばまでの両者の関係を覆していくような動きが見られるようになった。

「アフリカ独立革命」の志のもと、アフリカの人びとの自立をめざしたアフリカ製品プロジェクトに励む島岡夫妻が歩んできた道はこのアフリカ美術の展示の歴史と必ずしも軌を一にするものではない。しかし、夫妻が立ち上げたバラカ社がタンザニアのアーティストと日々行っていることを展覧会という枠を越え出た協働と捉えることはできるだろう。島岡夫妻は絵を描くアーティストたちの現場に立ち会い、日本での販売を見据え、日本人のテイストを伝える。アーティストは試行錯誤を重ね、海の向こうで喜ばれる作品を作ろうとする。

運よく来日できたアーティストは、客の反応を間近で見ながら日本人の反応を肌で感じる。展示・販売会のテーマをバラカ社と一緒に考えることもある。こうした協働は、バラカ社によるティンガティンガ・アートの紹介が会場での鑑賞よりも販売に特化している点を考慮しても、現代のアフリカ美術の創作や展示・販売の現場において類を見ない。

とはいえ、志を共に歩もうとも、バラカ社とタンザニアの人びとは共に様々な困難も経験してきただろう。バラカ社はティンガティンガ村の全てのアーティストの作品を購入することはできない。したがって、注文を受けなかったアーティストは自分の作品を前に、また、注文を受けたアーティストは購入の対象とならなかった作品を前に、ああでもないこうでもないと考えるかもしれない。彼らは島岡夫妻に構図や色、題材について助言を求めつつ[5]、トライアルアンドエラーを繰り返して新しい作品を作り上げていくのだろう。来日できるわずかなアーティストとそうではないアーティストのあいだを、島岡夫妻が取り持つこともあるかもしれない。来日アーティストは稼ぎ頭としてのプレッシャーを抱えながら、どのように日本を経験しているのだろうか。彼らが継続的に来日することができている背景には、安齋氏はじめバラカ社のスタッフによる、慣れない日本での生活の細部にわたるアーティストへの配慮があるのだろう。共に働く両者の背後に想像できるのは、そうした掛け合いの積み重ねである。

バラカ社の商品そのものも、アフリカの人たちをそばで、頻繁に感じさせてくれる。比較的安価なフレーム入りの絵画はもちろん、例えば数百円で購入できるコースターもアーティストによって制作されている。雇用創出に繋がるようにという島岡強氏の志のもと、ティンガティンガ村の女性アーティストのチームが一枚一枚動物の絵を描いている。日々の食卓で目にする絵からそれを描いた人を想像することもできるし、バラカ社のホームページでアーティスト一人ひとりの名前や経歴を知ることもできる[6]。『しんぞうとひげ』や『どうぶつたちのじどうしゃレース』といった幼児向けの絵本にも、挿絵を描いたアーティストの名前と制作風景の写真やメッセージが掲載され、ティンガティンガ・アートやタンザニアについて細やかに紹介されている。現代のアフリカのアートの展示や販売の現場において、これほどその背景が丁寧に、継続的に提示されてきたことはあっただろうか。ティンガティンガ村には、現代のタンザニアの生活や歴史、HIV感染症と共にある人たちを描くアーティストもいる。色鮮やかな動物たちの姿に魅せられてティンガティンガ・アートを知った人たちが、アーティストやタンザニアの多様な姿へと辿り着く道も開かれているのである。

二〇二〇年七月初旬、新型コロナウイルス感染症の影響でまだ街々が賑わうに賑わえないなか、大阪千里の阪急百貨店の一角で、バラカ社によるティンガティンガ・アートの原画展が開催された。そこには安齋氏ほか三名のスタッフと来日アーティストのヤフィドゥ（Yafidu）氏の姿があった。世界各地での行動制限により、ヤフィドゥ氏は二月に来日して以来タンザニアに帰国できずにいた[7]。にもかかわらず、描いている絵に関心を示す婦人にマスク越しに穏やかな表情で微笑みかけ、静かに描き続けている。想定外の長期滞在となり大変ではないかと声をかけると、「そうだね」と同意しながらも「日本食も好きだし、大丈夫だよ。唐揚げおいしいよね」と返してくれた。その返答に、タンザニアの人びとと共に働くバラカ社が育んできた安定感と温かさを感じずにはいられなかった。

【註】

（1）　絵を描いていた男性は、バラカ社の招聘でタンザニアより来日していたティンガティンガ・アーティストのムテコ（Mteko）氏である。

（2）　「インサイド・ストーリー——同時代のアフリカ美術」展（一九九五年、世田谷美術館）は、国内で初めて開催された大規模な現代アフリカ美術の展覧会であった。本書の三章（川口氏の論考）と七章（緒方論考）を参照されたい。

（3）　アフリカの造形の収集は十九世紀後半にヨーロッパにより盛んに収集されるようになったが、その歴史は一六世紀まで遡ることができる（本書の七章を参照されたい）。

（4）　川口幸也『アフリカの同時代美術——複数の「かたり」の共存は可能か』、明石書店、二〇一一年、二三三—三〇七頁。

（5）　島岡由美子氏によると、バラカ社がティンガティンガ村のアーティストの作品に対して行う「クオリティコントロール」とは、島岡夫妻が日本人の好む色や構図、題材や絵の大きさをアーティストに伝えたうえで、アーティストの自主性に任せるというものである。また、アーティストが夫妻にすすんでアドバイスを求めたり、夫妻が部分的に修正を求めたりすることもある。こうした関係において、新たな作品が創作されていく（二〇二〇年十月二十七日、島岡由美子氏とのイーメールでの通信）。

（6）　コースター一枚一枚にアーティストの名前は記されていないが、バラカ社のホームページには、それらがティンガィンガ村の女性アーティストによって制作されていることや、一部の女性アーティストの名前と経歴が、そのほかのアーティストの情報と共に掲載されている。https://africafe.jp/barua85tinga.html#wachoraji（最終閲覧日二〇二〇年十月二十二日）

（7）　ヤフィドゥ氏は八月下旬に無事にタンザニアに帰国することができた。

第2部

Promoting Arts from Africa: Prospects for Intersection between Business and Research

研究の視点から

3 美術展を立ち上げる
――アフリカの同時代をいかに売りこむか

川口幸也

私は以前、美術館と博物館に身を置いたことがある。美術館と博物館というのはどちらも英語では museum と呼ばれ[1]、似ているといえば似ているが、日本ではこの両者の間にあまり積極的な交流はなく、したがって、両方に勤めたという経験をもつ人はそれほど多くはない。そこで以下、美術館と博物館でもっぱらアフリカの同時代美術に関わってきた私のこれまでの経験を踏まえながら、アフリカ美術を売る、ということについて述べてみたい。もちろん、売るといっても、アフリカ美術のあれこれを売ってお金に換えるということではない。そうではなくて、美術館と博物館で、それぞれアフリカの同時代美術の展覧会を企画し、実現していく過程で、具体的にどのようなことがあり、何を感じたかということを書き記してみたい。

私は、これまでに、比較的規模の大きなアフリカ美術の展覧会としては、一九九五年に「インサイド・ストーリー――同時代のアフリカ美術」展を、次いで二〇一〇年に「彫刻家エル・アナツイのアフリカ」展を立ち上げた。前者は東京の世田谷美術館から始まり、全国で計六会場を巡回した。また後者は大阪の国立民族学博物館を起点に、全国の計四会場で行われた。その他にも、小規模な展示では、一九九六年に西アフリカ、セネガルのダカールで行われた第二回ダカール・ビエンナーレの際に、企画展コミッショナーとして招かれて、ダカールのゲーテ・インスティチュートで「パスカル・マルティーヌ・タユ――野蛮でも、プリミティヴでもなく」展を手がけたことがある[2]。

アフリカに出会う

最初に、私とアフリカの出会いについて触れておきたい。これについては、以前にも何度か書いたことがあるので、ここではごく簡単になぞっておくことにする[3]。

私は、大学の学部と大学院修士課程で主に日本の近代美術史を学んだあと、一九八〇年代半ばに、当時まだ開設準備室であった東京の世田谷美術館に学芸員として勤めることになった。入ってすぐに割り振られた仕事が、翌年の開館記念展における「民族美術」の部門の準備であった。民族美術とは、アジア、アフリカ、オセアニアをはじめとする非西洋の仮面や神像などの造形である。具体的には、国内にあるそれらの造形を調査して適切なものを借用し、展示を仕立てるというのが私の任務であった。いわゆる民族美術というものの存在を知ってはいたが、特段それに興味をもっていたわけではなかったので、私は少しずつ手探りしながら作業を進めていった。すると、意外なことに、日本の国内にもまとまった、しかも質の高いコレクションがあるということがわかってきた。

とくに印象に残ったのは、染色工芸家として知られた芹沢銈介旧蔵のアフリカの仮面のコレクションであった。当時、旧芹沢コレクションは大きく二つに分かれており、静岡市の静岡市芹沢銈介美術館と、ご子息の芹沢長介氏の勤め先であった東北福祉大学にそれぞれまとまって収蔵されていた(4)。

一九八〇年代の後半、いわゆるバブル景気に日本中が沸き立っていたころ、エスニック・ブームというのがあった。この時期、都市部を中心に、タイ、ベトナム、インドといったアジア諸国、そしてアフリカ、オセアニアなどのファッションや料理、音楽への関心がにわかに高まったのである。そうした流れを追い風に、私は勤め先の美術館で、何度かアフリカの民族音楽のコンサートに携わることになった。その際、関わったアーティストの中には、セネガルの伝統的な弦楽器コラの奏者ラミン・コンテや、同じくセネガルのパーカッション集団として有名なドゥドゥ・ンジャイ・ローズ一家がいた。こうして、いつのまにか、私はアフリカの匂いに引き寄せられていったのである。もちろん、だからといって一足飛びにアフリカの専門家ということにはならない。そもそも、アフリカの地に足を踏み入れたことがなかったのである。そのころの日本の美術館では、仕事がらみの出張といえばせいぜいヨーロッパ止まりで、アフリカに行くなどというのは想像もできないことであった。

一九八九年、外務省のアフリカ一課が旗を振り、全国で「アフリカ・カルチャー・キャンペーン'89」という通年の文化交流事業が行われたのだが、私はその作業部会の末席に加わった。このとき、キャンペーン全体を象徴するセレモニーが勤務先の世田谷美術館で催された。当日はセレモニーに先立ち、セネガルの映画監督センベーヌ・ウスマンを招いて彼の映画『チェド』を上映した。また、映画の上映会とその後のセレモニー、さらにはレセプションを通して、皇太子殿下(今上陛下)のご臨席を賜った。その折に、外務省のアフリカ一課長を務めておられた清水訓夫氏(5)からお声がけをいただき、国際交流基金の予算枠により、急遽、私のアフリカ行きが実現することになったのである。私としては、狐につままれたような気持ちであった。こうして私は、一九九〇年の十月末から一九九一年の三月にかけて、ほぼ半年近く、セネガル、コートジヴォワール、ガーナ、ナイジェリア、ザイール(現コンゴ民主共和国)、ケニア、タンザニアと、赤道を挟むアフリカ八カ国を周る機会を与えられた。

図１　「マジシャン・ドゥ・ラ・テール」展の会場，1989 年，撮影：小倉正史

ところで、一九八九年には、もうひとつちょっとした偶然が重なった。この年、私は、美術館の仕事として「シャガールのシャガール」展を担当した。この展覧会は、画家シャガールの没後に、遺族が相続税の代納として国家に納めた作品で構成されていた。作品は全て、いったんパリのポンピドゥ・センター・パリ国立近代美術館(以下、ポンピドゥ・センター)に寄託され、そこで展覧会としてお披露目をしたあと欧米各国を巡回し、その途上で日本国内の三都市でも公開されるという運びになっていた。ちなみに、展示された作品はどれも、シャガールが最後まで手元から放さなかったものであり、なかなか見ることのできなかった初期の名作も含まれていた。

世田谷美術館でシャガール展が開幕した初日、ポンピドゥ・センターのジャン゠ユベール・マルタン館長によるシャガールについての講演会が行われたのだが、最後の質疑応答の時間に、聴衆の一人から「マジシャン・ドゥ・ラ・テール(大地の魔術師)」展に関する質問が出た。

「マジシャン・ドゥ・ラ・テール」展は、同じ一九八九年の五月から八月にかけてほぼ三カ月間、フランス革命二百周年を記念する事業のひとつとして、ポンピドゥ・センターほかで行われた展覧会である(**図１**)。この展覧会は、欧米から五十人、アフリカ、アジア、オセアニア、中南米など非西洋圏から五十人、合わせて百人のアーティストを招いて作品を一堂に展示し、世界のアートの現在を輪切りにして見せようとする野心的な試みであった。それまで、現代美術というのは事実上、欧米諸国にどうにか日本を加えた先進国にしか存在しないとされていただけに、アジア、アフリカ、オセアニア、中南米といった非西洋圏における同時代の美術の一端が明らかになった衝撃は大きかった。とりわけ、アフリカの同時代美術はヨーロッパの観客の目を釘付けにした。

だが一方で、非西洋圏から選ばれたアーティストたちの大半が、美術の専門教育を受けていない、いわゆる職人であったことから、参加アーティストを選択する基準が恣意的だとされ、アートの名におけるネオ・コロニアリズムであるという厳しい批判を浴びることにもなった。とはいえ、「マジシャン・ドゥ・ラ・テール」展は、その後に続く非西洋圏の同時代美術への世界的な関心の高まりを画する記念碑的な出来事として、歴史に名を刻むことになった。

私は、観客の質問に対するマルタン館長の応えを聞きながら、美術の分野でも従来の西欧中心主義への反省の機運が芽生えてきているのを肌で感じ、同時代のアフリカ美術への思いをいっそう強めていった。

ところで、あまり耳慣れない「同時代美術」という言葉を私が使う理由について、ここで簡単に説明しておきたい。

同時代美術というのは英語にするとcontemporary artである。通常、この言葉には現代美術という訳語が充てられている。ならば、何もことさら同時代美術などという言葉を使う必要はないではないか、ということになりそうだ。けれども、現代美術というのは、多くの場合、第二次世界大戦後に、ニューヨークやパリ、ロンドンといった欧米の大都市を中心に展開された抽象的な傾向をもつ一群の造形を指している。いいかえると、現代美術という網は、決して現代の造形を丸ごと掬い取るような仕掛けではなく、現代に産みだされている造形物のうちの一部を指しているに過ぎない。このことはアフリカについてもそのまま当てはまる。つまり、同時代のアフリカ美術を論じる際に、不用意に現代美術という言葉を使ってしまうと、その瞬間に、多彩な造形のほとんどは指の間からこぼれ落ちてしまうのだ。少なくとも、私がアフリカ大陸を自分の足で走り回って、この目で確かめてきた豊かな造形たちの大半は跡形もなく消え去ってしまう。私としては、こうした事態だけは何としても避けたいと考えている。そこで、使い勝手が悪いのを百も承知で、同時代美術という言葉をあえて用い、現代美術という言葉とは文脈に応じて使い分けることにしている。

ただ、のちに偶然、オセアニア美術を研究しているオーストラリア国立大学（当時。現在はケンブリッジ大学）のニコラス・トーマスがほぼ同じようなことに言及しているのを知り、少しばかり意を強くしたことがある。彼は、現代に造られているマオリ人の造形作品が現代美術とは呼ばれていない事実を指摘して、こんな風にいっている――「『コンテンポラリー』という言葉は単に『現在の』という意味にすぎないのだろうが、実際には『国際的なアートワールドで流通している』という意味で使われている[6]」。

なにも遠くマオリ人の造形にまで思いを馳せる必要はない。私たち日本人なら日本画を思い起こせば話は早い。日本画は現代の日本美術をかたる際に欠かすことのできない一分野を形成している。現に日本画の作家は国内に大勢いて、毎年多くの作品を世に送り出している。だが、それらを現代美術と呼ぶ人はいない。日本の現代美術と口にした途端、日本画はみごとにその枠から排除されてしまい、あたかも現代の日本には日本画は存在しないかのようにみなされてしまうのである。日本に限らず世界的に見ても、現代の美術、あるいは現代の造形全般を見晴るかした時、現代美術というのは私たちが思い描いているよりもずっとマイナーな枠組みなのではないだろうか。もっとも、欧米にしてみれば、自分たちの文化を非西洋圏のそれと差異化し、希少性と優位性を保つためには、その方が何かと都合がいいのかもしれないが。

展覧会を立ち上げる
――「インサイド・ストーリー――同時代のアフリカ美術」展

さて、私はアフリカ大陸に向けて一九九〇年十月末に日本を発ち、ヨーロッパ経由で最初セネガルに入った。そこから、広大なアフリカ大陸を西から東へ、さながら徒手空拳で駆け巡り、ケニア、タンザニアからエジプトを経て一九九一年の三月半ばに日本に戻ってきた（図2、3）。ちょうど湾岸戦争を挟む時期であった。帰国後に振り返ってみたら、車による走行距離はおよそ七五〇〇キロに達していた。初めて足を踏み入れたアフリカで、酷熱の太陽の下をたった一人で異文化の懐の中に飛び込んでいくというのは、やはり欧米を旅するのとは違い、心身ともにかなり消耗を強いられた。基本的には、連日、手に入れた情報を基に会うべき相手を決め、その居場所を突き止めて実際に会いに行くということの繰り返しだったが、その時分はまだ、アフリカの同時代美術のアーティストや研究者の情報を網羅したガイドブックもなく、ましてパソコンもスマホもなかったので、なかなか思うようには進まなかった。電話はあったが、これも雨が降ると頼りない。要は、確実に頼れる連絡手段がなかったのだ。初めのころは、何日も手掛かりがつかめず、焦って気持ちばかりが空

図2　マリのバンジャガラ峡谷にて，1990年11月

図3　シェリ・サンバの工房，コンゴ民主共和国キンシャサ，1991年1月

転するということも一度や二度ではなかった。それでも、アフリカに入ってからしばらく経つと、現地の生活のリズムにしだいに馴染んできて、いわゆるアートワールドの様子も少しずつ見えてくるようになった。私は、どこの国でも、真っ先に国立の博物館に行き、次に国立の美術学校か大学の美術学部を訪ねることにした。それが、アートワールドに入り込むための有力な糸口であることが分かってきたからである。

こうして、日々の悪戦苦闘を積み重ねながら、私はどうにか全行程を無事に走破することができた。サブサハラ最後の国となったタンザニアを発ち、地中海世界であるエジプトのカイロに降りたったときは、ほっとして全身の力が抜けたことを憶えている。夜間飛行の旅客機の窓から見えるカイロの街の照明の量が、それまでのサブサハラの国々の首都に比べたらあまりにも多かったのが印象的であった。単独行による初めてのアフリカであったにもかかわらず、何とか一定の目的を達成することができたのだとしたら、何よりも行く先々で出会った現地のアーティストや職人、博物館の学芸員、大学の研究者から得た貴重な助言や協力のおかげであった。また、外交やビジネス、開発援助、医療、教育、研究、宗教などなど、じつに多彩な分野で活躍しておられる在留邦人の方がたからの有形無形の支援も有難かった。

とはいえ、問題はその後である。アフリカから戻ってしばらく経ち、一種の熱病から解き放たれてみると、ある漠然とした不安が頭をもたげてきた。アフリカの同時代美術の全体像と、個別のアーティストや職人、そして彼らの造る造形に関する情報がひと通り手に入ったのは、とりあえずよしとしよう。けれども、それに基づいて展覧会を仕立てるとなると、これは全く別の話であり、この両者の間にはニジェール川ほどの隔たりがある。川幅が広いことで知られるこの大河にどうやって橋を架けるのか。不安はやがてはっきりとした輪郭を描き始め、どんどん膨らんでいった

規模の大きな国際美術展を立ち上げようとすると、最初に立ちはだかるのは資金の問題である。国際展というのは経費がかかるので、ひとつの公立美術館の予算だけで賄うのは極めて難しい。展覧会というプロジェクト全体を大きな家に例えると、柱は多い方がいい。全部で三本、できれば四本あれば何とか形になる。いいかえると四館ぐらいの美術館、博物館が一緒に参加してくれれば、一館当たりの経費負担はずいぶん楽になり、実現の可能性は一気に高まる。

一九九五年にアフリカの同時代美術の展覧会を立ち上げた際、事前の準備段階ではこの点が最大の難所だった。私は、脈のありそうないくつかの美術館の学芸員を捕まえて話をしてみたのだが、「アフリカですか、それは面白そうですねぇ」という返事が返ってくるばかりであった。それなどはまだいい方で、人によっては、「こいつ、どうかしたんじゃないのか」という眼差しを向けられることさえあった。そもそも話をしようにも、それこそルノワール展やピカソ展なら説明もしやすく、こちらの考えも伝えやすいのだが、現代アフリカの美術などといったところで、話を持ちかけられた方も、具体的なイメージを思い描く手がかりがないのである。これが伝統的な仮面や神像なら、まだしも可能性があったかもしれない。どうやら、現代というのが、アフリカとは結びつかないらしいのだ。まるでアフリカには「現代」という言葉が禁じられているかのようでさえあった。繰り言をいっても仕方がないが、多くの人はアフリカになど端から関心がないのである。けれども、冷静に考えてみれば、かくいうこちらの厚かましさも相当なものだ。というのは、たまさか自分がアフリカに行って見てきたからといって、人にも自分と同じ関心をもてといっているわけだから、最初から無理がある。展覧会の共催館になってくれというのは、結局のところ、自分の夢に金を出してくれといっているのと同じであり、半ば投資詐欺のような話で、厚顔無恥もいいところである。アフリカに何の関心もない赤の他人に自分の関心を共有してもらおうとする企ての絶望的な困難さを、私は嫌というほど思い知らされることになった。

これといった進展がないまま、一九九四年の正月が巡ってきた。アフリカでの調査を終えて日本に戻ってきたのは一九九一年の三月半ば過ぎだったから、すでに三年近くが経とうとしていた。この間、時は無情に過ぎ去り、自分の中の焦燥は日に日に増殖していった。

一九九四年二月、美術館連絡協議会（美連協）の総会が熱海で開かれた。美連協とは読売新聞社が運営する全国の公立

美術館のネットワークである。私はそこで、全国の美術館からやって来た五十人ほどの学芸員を相手に、数年来温めてきたアフリカの同時代美術展の構想を訴える機会を得た。大きなポイントとしては、E・サイードのオリエンタリズム批判の流れを踏まえて、欧米中心主義的な従来の日本の美術展の在り方とは少し違う視点を、日本の美術館の学芸員として提示したいということを強調した。とはいえ、それは、よくある選挙での泡沫候補の最後の訴えの域を出ていなかっただろう。

その場の反応は、やはり予想通り、さほど芳しいものではなかった。けれども、ひとつの転機にはなった。そういう企画があるということを認知してもらえたというのが大きかった。そして、話を聞いてもいい、聞いてやろうという流れが少しずつ出てきたのである。小さな幸運もあった。そのときの美連協の事務局長は飯田隆介さんという人であったが、飯田さんが読売新聞の記者だった一九七四年に、当時の木村俊夫外務大臣のアフリカ歴訪に同行してアフリカ各国を訪ねたことがあり、私の提案に理解を示してくれたのである。こうしたことは、何気ないことのようだが、後になって微妙に効いてくる。余談だが、木村外務大臣のアフリカ歴訪を現場で仕切ったのが当時外務省のアフリカ課長であった黒河内康氏であった。黒河内さんは、私が最初にアフリカを訪ねたときにナイジェリア大使を務めておられ、後述するように、それ以来なにかにつけてお世話になっていた。細かく途切れていた糸が、少しずつつながり始めようとしていた。

その後何度か会議を重ね、一九九四年の夏が過ぎたころになって、ようやく巡回先の美術館が固まってきた。世田谷美術館に始まり、徳島県立近代美術館、姫路市立美術館、郡山市立美術館、岐阜県美術館を巡回するという段取りになった。最終的には、巡回が始まる直前になってもう一館、丸亀市猪熊弦一郎現代美術館が加わった。全国で計六館、一年以上をかけての巡回展というのは私の予想をはるかに上回る大ツアーで、一年前の状態から見たら夢のような展開であった。

私は、参加美術館の担当学芸員による現地調査を提案し、それが受け入れられて同年の十一月、調査旅行を実施することになった。といっても、関係する国や地域をすべて周るのは時間的にも経費的にも不可能だ。そこで、日数は約十日間、訪問先は西アフリカの仏語圏のセネガル、マリ、コートジヴォワールに絞ることにした。この、参加館の担当学芸員全員による現地調査ということには、少しだけ自分なりのこだわりをもっていた。その理由はいくつかあった。まずひとつには、各美術館の担当者が実際にアフリカの大地を踏んで同じ経験を共有することで、アフリカの美術に関する問題意識が高まり、プロジェクトの求心力が生まれると考えたのである。

また、もうひとつは、この機会に何人かの学芸員がアフリカを訪ねておけば、先々十年後、二十年後、あるいはもっと先に、二度目、三度目のアフリカ美術の展覧会の企画が持ち上がったときに、きっとよき理解者、あるいは応援団になってくれるだろうという期待があった。もちろん、それらの企画を提案するのが私であるとは限らない。けれども、それならそれで、日本の美術館におけるアフリカ美術への関心の裾野が拡がったということであり、大いに結構なことだ。

そして三つ目に、そのころの日本の美術館で行われていた西洋美術の展覧会に対して、私が漠然と抱いていた疑問があった。日本の美術館で行われる西洋美術に関する展覧会は、新聞社、テレビ局が欧米の美術館にお金を払って興行権を買い取って行われ、展覧会の内容、構成から展示の実際、さらには図録の解説にいたるまで、肝心な部分はほとんど前もって欧米の美術館が仕立てているということが少なくなかったのである。[7] もちろん、全部が全部そうだったというわけではない。たとえば、一九八八年に国立西洋美術館で開催された「ジャポニスム」展のように、企画段階からすべて日本側が主体になって実施された展覧会もあった。だが、全体として見ればこのような例は限られていた。日本の美術館も、自分たちの足と目で調査して、自前の展覧会を立ち上げるべきだと、かねてから私は考えていた。このアフリカ美術展は、そのための絶好の機会だと思っていたのである。

西アフリカ三カ国を周る調査行は、駆け足ではあったが大成功であったと、今でも私は思っている。実際にアフリカのラテライト（赤土）の大地を踏み、食べ物を口にし、空気を呼吸し、人びとの暮らしぶりを見て、アーティストや職人たちと言葉を交わす。文化や美術をかたる上でこうしたことがいかに重要であるかを、参加した全員が身に沁みて感じたはずだ。ほどなく、展覧会の最初の会場である世田谷美術館での日程は一九九五年九月二十三日から十一月十九日と決まり、プロジェクトは軌道に乗り、巡航速度に移った。

だが、ここまではむしろ、物語の全体から見ればまだほんの序章に過ぎなかったのかもしれない。たしかに、国際美術展という大きな家を建てるために必要な柱は六本も揃った。これは予想以上であり、申し分ない。けれども、次の問題は建てた家の中身である。誰のどのような作品や資料をどこから借りてくるのか。この問題は、ことアフリカが相手となると決して簡単な話ではない。これが西洋美術のあれこれなら、どこの美術館がどの作品をもっているか、あるいはどこにどんなアーティストがいて、どのような作品を造っているかは、少し調べればだいたいはわかる。相手と何度か手紙のやりとりをして出品作のリストが決まれば、あとは日本の大手の運輸会社に頼んで集荷してもらえばよい。けれども、アフリカとなるとそうはいかない。そもそも、相手によっては、連絡を取るにも取りようがないのだ。先にも述べたが、今ならパソコンやスマホがある。だが当時は、連絡の手段は手紙か電話しかなかった。手紙は日本とアフリカだと片道二週間、往復では一カ月かかる。電話は国際電話が通じたが、いくつかの国ではそれも現地で雨が降ると難しかった。雨が降ると電話が通じなくなるのだ。もっとも、電話が通じるといったところで、向こうが電話を持っていればの話である。

かりに首尾よく作品を借りることができたとして、では、それをどうやって梱包して輸送し、相手国のどこに仮置きするのか。さらにはそれらをどのように通関させ、飛行機の貨物便に載せるのか。それだけではない、展覧会が終わった後、返す段になってどうやって現地の空港で受け取って、元の持ち主に返し、さらにその受け渡しの確認を取るのか…… 考えてみると、問題は山積していた。

上述したように、展覧会に関するインフラが整っている欧米相手なら、これらの仕事はすべて日本の大手の運輸会社の美術品輸送部門が代行してくれる。したがって、美術館のやることといえば借用先のリストを作ることぐらいである。私は目の前に垂れこめる暗雲に頭を抱えた。

とりあえず、雲をつかむような思いで、大手運輸会社の美術品部門の担当者に見積もりを頼んでみたところ、あいにくアフリカから美術品を持ってくるというのはウチも初めてでして、といって出てきた金額が軽く一億円を超えていた。これでは話にならない。前後にちょうど別件でパリに行く機会があったので、アフリカ美術の専門家を凱旋門近くの自宅に訪ねて訊いてみた。すると、「フランスには昔からの経験の蓄積があってルートが確立されているけど、日本ならソーゴーショーシャはどうですか」という返事が返ってきた。ラーメンからミサイルまで、そのころ、バブル景気の余韻もあって日本の総合商社は破竹の勢いで世界を席巻していた。だが、ラーメンやミサイルなら扱えば大きな金になる。残念ながら、アフリカの同時代美術ではそうはいかない。私はいよいよ窮地に追い込まれた。

救世主は意外に身近なところにいた。旧知の小川弘氏である。小川さんはもう二十年近くも、仮面や神像をはじめとするアフリカやアジアの民芸品を現地から輸入してきた実績をもっていた。冒頭に挙げた旧芹沢銈介コレクションのアフリカの仮面も、すべて小川さんの手を通っていた。おまけに小川さんは東京芸大の出身だからアートにも明るい。すぐに小川さんに電話をして事情を説明すると力強い返事が返ってきた。暗雲は一挙に晴れて、青空が拡がった。

さまざまな事態を想定して、色々と検討を重ねた結果、現地のアーティストや職人たちを一人ずつ直に訪ね歩くしかないという結論に達した。選挙さながらのドブ板作戦、とでもいうことになるのだろうか。そして輸送のうち、帰りの分、つまり返却だが、片道分の輸送費を考えたら、作品や資料を借りて返すより、買えるものはその場で買った方が安くつき、種々の手間も省けるということに落ち着いた。幸いにして、当時はまだ、アフリカの同時代美術の値段は今ほど高くはなかった。また、ガラス絵や看板など、土産品の類は値段にすればたかが知れている。ところが、厄介なことに、日本の国公立の美術館、博物館は、法制上の制約があって、海外で直接作品や資料を買うことができないのだ。そこで、借用、というか収集の段階から小川さんにいっしょに同道してもらい、小川さんが我々に代わって作品や資料を購入して日本へ運んだあと、今度は我々が小川さんから作品と資料を有料で借りる、という方法を採ることになった。

ただ、すでに触れたように、パソコンもスマホもなかったこの時代、先方との間で約束を取り付けるというのは至難の業で、アトリエや店までたどり着いても、目指す人物の顔を本当に見るまでは気が気ではなかった。というのは、どの国でも、どの街でも、飛行機便の都合から私たちの滞在時間は前もって限られていたからである。

セネガルでのエピソードを書き留めておこう。ダカール湾に浮かぶ小さな島、ゴレ島に住む彫刻家ムスタファ・ディメの木彫りの、重くて大きな作品を二点、収集したときのことである。ゴレ島は、かつて新大陸へ運ぶ奴隷の集積所になった島として知られ、世界遺産にもなっている（図4）。ディメは、そのゴレ島の裏手の切り立った断崖の上にへばりつくようにして立つ、石積みの堅固なアトリエ兼住居に住んでいた（図5）。この建物は、数百年前にヨーロッパ人の手で要塞として造られたと彼から聞いたことがある。私は、アトリエの地下にある倉庫に入って、数十点もある彼の作品のなかから、二点を選び出した。次に値段の交渉だ。この段階になると、小川さんが前面に出てくれる。私は、初めてアフリカに来た時からもう何度かディメに会ったことがあり、たがいによく知っていたが、その分だけ情に流されがちで、ディメにはまことに申し訳ないが、ここは小川さんに委ねることにした。

その日の朝は早めにダカール市内のホテルを出て、午前中に現場に着いたのだが、話し合いがまとまり、最終的な契約書を取り交わした時は時計の針が午後三時を回っていた。見上げると、熟しきった太陽が東の空から西の空へと居場所を移し、大西洋の大海原を光の海に変えていた。私たちは港まで十五分ほど歩き、汗を拭うのも忘れて、ダカールへ戻る連絡船を待ち続けた。ほんのわずかな達成感が汗とともに体じゅうに染みわたってきた。ただし、その日の仕事はまだ終わりではなかった。そのあと、ダカール市内中心部に住むアーティスト、イッサ・サンブのアトリエを訪ねて、彼の作品を購入しなければならなかったのだ[8]（図6）。

売買が成立した日の翌朝、ディメは数人の弟子と一緒に、二点の作品をアトリエから港まで移し、さらに朝焼けの海を連絡船でダカール港まで運んでくれた（図7）。それを待ち受けていた私と小川さん、またもうひとり、新たに加わってくれた、小川さんの会社のスタッフの佐々木達雄さんの計三人で、作品をトラックのクレーンに掛けて荷台に載せ、あらかじめ予約しておいたレバノン人が経営する木工店まで持っていく。イッサ・サンブの木の立体作品など、ダカールで梱包する作品はほかにも何点かあったが、それらはすでに前日の夜遅くに同じ木工店に移してあった。そして、その場で簡単な手書きの図面を作って見せながら、大工に輸送用のクレート（木箱）を造ってもらう。小川さんのこれまでの経験と知識が存分に発揮される場面であった。日曜日の朝、三人ばかりの大工職人は金づちの大きな音を響かせながら何とかほぼ略図通りのクレートを四つ、五つと作ってくれた。ただし、クレートといっても、日本で見るような頑丈な代物ではない。近くのマーケットで買ってきたベニヤ板と角材で造ったとりあえずの四角い木の箱でしかなく、なんとか日本まで無事に着いてくれれば、という程度のものである。

梱包の終わった荷物をアフリカの外に送り出すための最後の関門が税関だ。私たち三人は、クレートをトラックに載せて空港わきの税関にまで運び、そこで輸出手続きを行った。一番の難関は、係官との交渉だ。ダカールでは、私たちの相手は緑のポロシャツ姿の三十代半ばぐらいの若い男だった。どこの国でも似たようなものだが、何かにつけてあら捜しをしようとする彼らの機嫌を損ねると、時間ばかりかかってことはうまく運ばない。今日じゅうに通関を終わらせなければ、明日以降の予定が総崩れになってしまう。次は隣国マリのバマコで同じことをやらなければならないのだ。ここも、経験と知識を持つ小川さんの見せ場だった。時に応じては、相手に少額を握らせる裏技も必要になる。あらゆる局面でインフォーマル・セクターが幅を利かせる途上国、とりわけアフリカでは、こうした手段も潤滑油として不可欠なのだ。結局三時間ほど要しただろうか、書類を作って出し、所定の金額も支払って、クレートを送り出すことに成功した。衣服が汗を吸って重くなっているのが分かった。あとは作品が無事に日本に届くことを祈るのみである。

展覧会への出品作品はアフリカ以外からもかなりの数がやってきた。一九二〇年代から戦後にかけて描かれた水彩画や油彩画は、ほとんどをフランスとベルギーのコレクター、あるいは画廊が所蔵しており、彼らから借りることになった。

図5　彫刻家ムスタファ･ディメのアトリエ兼住居

図4　ダカール湾に浮かぶ世界遺産のゴレ島

図7　作品を運ぶムスタファ・ディメ（正面）

図6　アトリエのイッサ･サンブ(ダカール)。2017年に死去

この面では、フランス在住で、ADEIAO（アフリカ・オセアニア美術館国際文化交流促進協会）の会長として、長くアフリカの主に絵画をヨーロッパに紹介してきたことで知られるリュセット・アルバレ氏に大いにお世話になった[9]（図8）。一九二〇年代ベルギー領コンゴのルバキやジラテンドの水彩画にしても（図9）、オッサーリやタンゴ、オンドンゴ、ゴテネ、ジゴマといった、戦後すぐに旧フランス領コンゴのブラザヴィルに現れたポトポト派の作品にしても、あるいは旧ベルギー領でかつてはザイールと呼ばれたコンゴ民主共和国のルブンバシ派のベラやピリピリたちの絵にしても、アルバレさんの献身的な協力がなかったら、あれほどまとまった形で日本に紹介されることはなかっただろう[10]。アルバレさんとは、のち二〇一八年の春から秋にかけて、私が半年ほどパリに住んだときに、二度ばかりお会いする機会があったが、まだまだお元気であった。

一九九五年九月半ば、そぞろ秋の気配が漂い始めたころ、東京の世田谷美術館で展覧会の設営作業が始まった。アフリカからパリ経由で空輸され、東京の輸送会社の倉庫に保管さ

図8　リュセット・アルバレ氏，ADEIAO にて。2009年

図9　ルバキの作品

れていた懐かしのクレートとふたたび対面した時は、手のかかった放蕩息子に再会したような、何ともいえない気持ちになった。

展覧会のオープニングに合わせて、私は、五年前に初めてアフリカの土を踏んだときに、マリのバマコで私を案内してくれたアブドゥライ・コナテ、同じくナイジェリアのラゴスでお世話になったデレ・ジェゲデ、そしてコートジヴォワールのアビジャンで自宅を訪ねたクラ・ンゲッサン、またパリで側面から展覧会を支えていただいたリュセット・アルバレさんの計四人を日本に招いた（図10）。そして、これとは別に、外務省のアフリカ一課課長（当時）の四宮信隆氏の計らいにより、この時はまだ元気であった彫刻家のムスタファ・ディメをダカールのゴレ島から招くことができた。この展覧会はＮＨＫの美術番組『新日曜美術館』の四五分枠の方で取り上げられ、来日したアーティストたちが美術館の現場で実際に作品に手を入れ、展示に携わっている様子も放映された。一方、主催に名を連ねる読売新聞はもとより、他の新聞、雑誌も広く関心を示した。年末には、朝日新聞夕刊の文化欄の、その年の印象に残った展覧会を振り返る恒例の企画において、評者の一人、学習院大学の千野香織氏からこの展覧会の名前が挙がった。

図10　「インサイド・ストーリー——同時代のアフリカ美術」展の会場

エル・アナツイを展示する
——アートと文化人類学のはざまで

二〇〇三年春、私は大阪の国立民族学博物館（以後、民博）に移った。民博は博物館、しかも民族学、文化人類学を主たる領域とする博物館であるだけに、美術館とは違ってアジアやアフリカ、オセアニアなど非西洋文化圏に関する話題は日常的に飛び交っていた。私は、二〇一〇年の秋を目途に、

図11　エル・アナツイ《あてどなき宿命の旅路》，1995年，木，ゴム，世田谷美術館蔵

ガーナ出身でナイジェリア在住のアーティスト、エル・アナツイの展覧会を企画することになった。ただ、アフリカの話題は口に出しやすかったが、アートとなると事情は少し違っていた。とりわけ、現に生きているアーティストを一人だけ取り上げる個展という形式になると、今度は逆に、原則として非西洋圏の民族の文化を対象にする民族学博物館としてはどうか、という懸念も出てきた。この部分、普段はあまりはっきりと意識していないが、博物館と美術館の違いが微妙に浮かび上がってくる場面である。私は、一人のアーティストの背後にある歴史や文化、風土といった集団的な要素に着目し、いわば、アートと文化人類学の双方の視点からエル・アナツイの作品を振り返るということで、部内の理解と力強い後押しを得ることができた。民博は、予算面で他より多少恵まれていたということもあったが、それよりも、プロジェクトを担当する部局が制度的に分業化されていたということの方が、私には有難かった。これによって、実際に展覧会を行う上での負担が軽減され、その分、展覧会と図録の中身を充実させることに注力することができたからである。

私にとって、大規模で本格的なアフリカの美術展を手がけるというのは、一九九五年以来のことである。そのときからはすでに一五年近くも経っていて、アフリカの同時代美術を取り巻く環境もかなり変わっていた。現に、巡回先の美術館を探すのに要した手間と気苦労は、前回に比べればはるかに小さかった。最終的に神奈川県立近代美術館、山形県の鶴岡アートフォーラム、そして埼玉県立近代美術館の三館、民博と合わせれば計四館がプロジェクト・チームに加わった。

　だが、この間、なんといっても一番変わっていたのは、世界のアートワールドにおけるアフリカの同時代美術に対する認知度、とりわけエル・アナツイというアーティストの知名度であった。アナツイは一九九五年の「インサイド・ストーリー」展にも出品していたが、二〇〇七年にヴェネツィア・ビエンナーレで都合三点の織物状の大作を展示して高い評価を受け、トップ・アーティストの一人として世界じゅうの耳目を集める存在になっていたのである。[11] もちろん、そのためにかえってやりにくくなった面もあった。というのは、彼の下へ展覧会のオファーが欧米各国から次々に舞い込み、そのために新作はともかく、過去に造られた作品については取り合いになり、うっかりすると目ぼしいものは他に持っていかれてしまうという状況が出てきたのだ。たとえば、世田谷美術館が所蔵している《あてどなき宿命の旅路》という木の臼を用いたインスタレーションの作品がある（**図11**）。いささか手前味噌になるが、前回一九九五年の展覧会に出品されたこの作品は、アナツイの木を使った作品のなかでは最も優れた作品として世界的に知られている。じつはほぼ同じ時期、アメリカで、ニューヨークのアフリカ美術館が全く別のアナツイの巡回展を企画していた。[12] 当然のことながら、彼らもこの作品を狙ってい

図12　ンスカにあるアナツイの工房

図13　エル・アナツイの工房にて。アルミの輪をつなげる

た。幸運にもタッチの差で我々が先に押さえることができたが、あと二週間ほど世田谷美術館への借用依頼が遅れていたら危ないところだった。

二〇〇九年の八月末、私は神奈川県立近代美術館副館長（当時）の水沢勉氏と二人で予備的な調査と交渉のために、ナイジェリアのンスカの工房にアナツイを訪ねた（図12）。工房では、十数人の若い助手たちが、ワインやウィスキーの空き瓶の、首の部分に付いているアルミ製のキャップやシールを銅線で縫い合わせて、風呂敷ほどの大きさのユニットを作る作業を地道にこなしていた（図13）。ユニットの形は長方形や正方形に近かったり、あるいは円形であったりと多種多様で、色もまたその時に使うキャップやシールによって違っていた。こうしたユニットを繋ぎ合わせて、大きな織物状の作品を造り上げるのである。

このとき、私は、翌年に控えた展覧会のタイトルとしてArt & Anthropology（アートと人類学）という案を用意していった。このタイトルは民博の部内で事前に諮ってみたところ、まずまず好評であった。ところが、アナツイはこの案に難色を示した。anthropology、人類学という言葉が受け入れ難いというのである。私は、アートと文化人類学の複数の文脈の上にアナツイの作品を位置づけることでアートというかたりを相対化し、新しいかたりの枠組みを提示することへ繋げたいと説明したつもりだが、アナツイは最後まで首を縦に振らなかった。その時、彼はこんな風に私に訊ねた――「ヨーロッパのアーティストにもanthropologyという言葉を使うのか？」一瞬、虚を突かれた私は応えに窮した。やむを得ず私は、自分の案をいったん日本に持ち帰って検討しなおすことにした。

たしかに、いわれてみれば、ルノワールやピカソ、あるいはアンディ・ウォーホルでも誰でもいい、欧米の近現代のアーティストの展覧会でタイトルにanthropologyを謳うことはほとんどないだろう。ここは盲点を突かれた形になり、結局、その後、私はこの案を取り下げることになった。

ンスカでの滞在中に、私たちは、ンスカ派と呼ばれる地元の若手のアーティストの招きに応じて講演会を行った。彼らはナイジェリア大学美術学部の出身者であり、ンスカ派の中心人物ウチェ・オケケの愛弟子にあたる。私は十年近く前、二〇〇〇年の六月に彼らの招きを受けてエヌグとンスカを訪ねたことがあった。

さらに、ンスカでの日程を終えて、ドバイを経て東京に戻る際、途中のラゴスで、ラゴス現代美術センター（CCA, Lagos）のビシ・シルヴァを訪ねた。ここで、再び簡単な講演をする予定になっていたのだ。ラゴス現代美術センターは、二〇〇七年にラゴスの下町ヤバ地区に新しく誕生した、NP

Oが運営する画廊である（図14）。発足以来、若き女性キュレーター、ビシ・シルヴァの主導により、ナイジェリアを中心に広く西アフリカ一帯の同時代美術を、国内および世界に向けて積極的に発信し続けている。しかも展覧会だけではなく、講演会やシンポジウムも随時開催し、また常設のライブラリーを通して美術関係の情報を広く利用者に提供している。

私はこのとき、現在進行中のエル・アナツイ展の構想の概略についてスライドを交えながら説明した。出席者はアーティストや美術関係の学生などを含めて約二十人、最後に設けられた質疑応答の時間にはいくつか質問が出た。その際、ビシ・シルヴァから次のような問いが私に投げかけられた――エル・アナツイの大規模な個展を日本で開くというのは素晴らしいことだ。だが、なぜ、民族学博物館が展覧会の企画をし、巡回の出発点になるのか。もしかしたら、これは、表向きはアフリカの現代美術を紹介するといいながら、じつはアフリカ美術をもう一度民族学、文化人類学の手に引き渡そうとする企てではないのか。

これに対して、私は再び、いわゆるアートを美術史と文化人類学の複数の「かたり」によってかたることの意義を説いた。けれども、彼女の理解を得ることはできなかったようだ。

図 14　ラゴス現代美術センター，ナイジェリア

図 15　展覧会のオープニングでのビシ・シルヴァ，2011 年

彼女は、この経緯について、のちに展覧会の図録に寄せた論文の中でも率直に触れている。[13] 先にも触れたように、博物館と美術館、文化人類学とアートという構造は、アフリカの同時代美術に向き合おうとすると、必ず影を落とす問題なのである。

少しだけ先回りをすると、ビシ・シルヴァは二〇一一年八月に、エル・アナツイ展の巡回先のひとつ、埼玉県立近代美術館の招きに応じて来日し、シンポジウムの基調講演者として元気な顔を見せてくれた。[14] ところが、二〇一九年の二月に、彼女は天に召されてしまった（図15）。数年来、乳がんを患っていたのだという。治安の悪いラゴスでは、彼女のような知り合いがいると心強いということもあり、私は以前から、ラゴスに行くたびに彼女に会っては、アフリカの同時代美術の新しい動きについて色々と話を聞かせてもらっていた。二〇一九年の夏にはまたラゴスに行くので会えるとばかり思っていたのに、結局、二〇一六年にラゴスで会ったのが最後になってしまった。私は、突然舞い込んできた訃報に言葉を失った。

話を前に戻そう。二〇一〇年五月、私は再びアナツイ展の事前調査と交渉を兼ねてナイジェリアのンスカを訪ねた。今度は、巡回展に参加する美術館の担当キュレーター、神奈川県立近代美術館の朝木由香氏と埼玉県立近代美術館（当時）の渋谷拓氏、そしてもう一人、ナイジェリアのンスカをフィールドにイボ人の社会制度の研究をしている横浜国立大学准教授（当時）の松本尚之氏、計三人と一緒であった。[15] 前回、一九九五年の展覧会の時と同じように、私は、参加館の担当キュレーター全員で現地のフィールドワークを行うということにこだわっていたのだ。

私は別件でダカール・ビエンナーレの調査があったので先にセネガルに寄り、そこからガーナに向かい、アクラのホテルで日本から来た本隊と合流した。アクラからはいったん北上してクマシに向かった。クマシは、アシャンティ王国のかつての都であり、いまも落ち着いた古都の風情を色濃く湛えている。私たちは、アナツイが彫刻を学んだクワメ・ンクルマ科学技術大学の美術学部、また学生時代に彼がしばしば通ったという国立クマシ文化センター、そしてアシャンティ王国の王宮を順に訪ねた。もうひとつ、クマシの中心といっていい西アフリカ最大のマーケットも欠かせない（図16）。私にとっては、二〇年前にはじめて足を踏み入れて以来、クマシといえばこの巨大マーケットであった。

クマシの街では、アナツイが何度も作品の中でモティーフとして使ってきたアディンクラが、家々の壁や塀、あるいは食器や家具などいたるところで装飾として使われていた。アディンクラは一種の絵文字であり、元はガーナに住むアカン人の一派ジャマン人が考案したが、のちに同じくアカン人の一部であるアシャンティ人の手を経て用途が多様化した（図17）。私たち一行は、アシャンティ文化が今日なおクマシの人びとの生活の中に息づいていることを実地に確かめることができた。また、アナツイの手配により、彼の甥にあたる人物の案内で、隣国トーゴに接するラグーン地帯にあるアナツイの生まれ故郷アニャコ（図18）と、彼が叔父の手によって育てられたアンロガの町を訪ねた。故郷のアニャコでは幼いころに亡くなった彼の母親のお墓にお参りすることもできた。さらに、アナツイの兄弟縁者が今もこの地に健在で、彼らに会って話を聞くことができた。ギニア湾に横たわる細長い砂洲の上に位置するアンロガには、アナツイが育った教会と寮の建物が往時のまま残っていた。

ガーナからナイジェリアに移ると、私たちはすぐにラゴスから南西部の中心都市エヌグへ飛び、そこからさらに車でンスカに移動してアナツイの工房を訪ねた。工房では前と変わ

図16　クマシ（ガーナ）のマーケット

図17　塀に書かれたアディンクラ（クマシ）

図18　エル・アナツイの生地アニャコ

らず十数人の助手たちがアルミのシールやキャップで作品のユニットを黙々と作り続けていた。アナツイはといえば、いつもと同じように、落ち着いた物腰で淡々と仕事を前に進めていた。

展覧会への出品作の選定は、すでに日本にいたときにインターネットを通してあらかた済ませてあったので、あとは新作と若いころの水彩画やデッサン、写真などを選んで、最終的に出品リストを確定すること、そして展示や図録の内容について細かな点を詰めることが主な任務であった。

ところで、前回の一九九五年の時と比べると、展覧会の準備をめぐる事情はかなり変わっていた。まず、通信手段が電話と手紙からインターネットへと革命的に進歩していたし、おまけに、この時点ではすでに、ナイジェリアでも美術品を扱う運輸会社がビジネスを展開していたのである。したがって、展覧会の準備を進めるにあたってのハードルははるかに低くなっていた。この運輸会社に関する情報は、大英博物館の学芸員のジュリー・ハドソン氏から事前に仕入れていたのだが、実際に彼らの作業を見て少々驚いた。分厚いスポンジに作品と同じ形の穴を刳りぬき、そこに作品を埋め込んで木のクレートに詰めるのだが、その手順が、日本の運輸会社のそれとほぼ同じなのである。木のクレートも日本で見るのと変わらない。違いがあるとしたら、ナイジェリアの方は作業がゆっくりしていて時間がかかるということぐらいだろう。理由を尋ねてみたら、一九八九年に日本の運輸業者がラゴスに来て、東京での展覧会に出品する作品や資料を梱包して運び出した。そのときに、見よう見まねで手順を覚えたということであった[16]。文化交流というのか、技術移転というのか、こういう交流もあるものだと、妙に感心させられたのを憶えている。

通関手続きも、すべてその会社に任せておけばよいわけで、しかも、その会社との交渉は日本の大手運輸会社が代行してくれる。何のことはない、欧米の美術館やアーティスト相手に展覧会を仕立てるのと同じである。もっとも、日本に比べると道路事情はよくないし、また美術品専用車が揃っているわけでもないから、すべてが同等というわけにはいかないが、それでも前回と比較したら、天国と地獄ほどの違いであった。作品は、ほかにラゴスの民間ギャラリーともう一カ所からも借用したが、こちらも時間がかかったというだけで、特に大きな問題はなかった。

エル・アナツイ展のタイトルは最終的には「彫刻家エル・アナツイのアフリカ――アートと文化をめぐる旅」に落ち着いた。英語では A Fateful Journey: Africa in the Works of El Anatsui となり、アナツイの了承を得ることもできた。このうち、日本語のタイトルについて、少しだけ補足しておこう。

図19　「彫刻家エル・アナツイのアフリカ」展の会場，国立民族学博物館，2010年

「彫刻家エル・アナツイ」という文言だが、アナツイは、自分が彫刻家だということに強くこだわっている。だからというのもあるのだが、タイトルでわざわざこのように謳ったのは別の理由があったからだ。民博は民族学博物館である。したがって、世の中の人びとは、そこでまさかアートの展覧会、それも現代美術の展覧会が行われるとは思ってもいない。したがって単に「エル・アナツイのアフリカ」だけだと、世間の人にはそれが何の展覧会だかわからないというのである。この辺が、美術館と違って、博物館、まして民族学博物館でアートの展覧会を開くことの難しさである。それは同時に、博物館と美術館という一種の二重構造が意外に私たちの日々の暮らしのさまざまな面に影響を及ぼしているということを物語ってもいるのである。

二〇一〇年九月、エル・アナツイの来日を得て準備も着々と進み、十五日、いつまでも猛暑が続く中で、展覧会は無事に船出した（**図19**）。アナツイはといえば、連日の展示作業と時差のせいでやや疲れを見せていたが、それでも開会式の日は、大勢の報道陣や出席者に囲まれて上機嫌であった。

巡回期間を通して、読売新聞は主催者の一員であるから当然としても、朝日新聞、毎日新聞、芸術新潮といった新聞、雑誌が展覧会を大きく取り上げた。ただ、私としては、最初の国立民族学博物館での展示の際に、あるひとりの観客がアンケート用紙に鉛筆書きで残した感想が深く印象に残った——「これまで現代美術にはまったく興味がなかったのですが、この展覧会には期間中三回来ました。見ていてとても心が癒されました」。書き手は七十代の女性だった。たったそれだけの短い感想ではあったが、エル・アナツイというアーティストと彼の作品の本質を見事に掬い取っているように私には思えた。いわゆる現代美術の先鋭的な作品にありがちな、冷たく、拒絶的な感じがアナツイの作品には微塵もない。逆に、彼の作品は、いくつもの物語をはらんでいて、見るものを優しく包み込んでくれる。女性のコメントはそのことを正確に伝えてくれていた。

エル・アナツイ本人はこの巡回展のために都合三回、日本にやってきた。一度目は、大阪での展示が始まる三カ月前の二〇一〇年六月、作品の写真撮影に立ち会うためであった。大きな作品を一点ずつクレートから取り出し、展示をして写真を撮るのだが、撮り終わったら作品の見栄えを味わう間もなくすぐに収納しなければならないという、何とも空しい作業である。アナツイの織物状の新作は展示の仕方ひとつで無限の形状が可能であり、彼がいないことには見せ方の要領がわからないのだ。二度目は、二〇一〇年の九月、国立民族学博物館でのオープニングに際してであった。さらにそのあとは、年が明けて、二〇一一年二月初め、神奈川県立近代美術館での展示作業とオープニングのために来日した。

ただ、この間、ちょっとした小波が立った。たしか、民博での開会式を二カ月後に控えた二〇一〇年の七月だったと思う。アナツイが急に、九月の国立民族学博物館での立ち上げのセレモニーには出席できない、訪日はあと一回にしてほしい、とメールで伝えてきたのだ。理由は、ナイジェリアの日本大使館まで何度もビザを取りに行くための時間を取れない、というのである。ナイジェリアの首都は最大の都市で経済の中心地であるラゴスではなく、国土のほぼ中心に位置するアブジャである。したがって、日本大使館はアブジャにある。彼が住むンスカからアブジャへは、私の経験からいえば、休憩も含めれば、車で片道十時間近い行程であり、往復となればその倍になる。しかもビザは即日交付されるわけではないから、そこで何日か待たなくてはならない。訪日のために年に何回もこの手続きを、となれば、たしかに気が重くなる。ちなみに、アメリカやEUとの間では、数次旅券といって、一回ビザを取ればそれで何度も入国できるということになっているらしい。ビザというのは外交上の相互主義が原則だから、何とも厄介である。最初私は、困ったなとは思いつつも、それでも最後は何とかなるだろうと高を括っていた。ところが、アナツイの意思は固く、最後まで折れない。一方、民博はどうかといえば、特別展の開会式でその主人公がいないというのは前代未聞、あり得ないという話になってきた。世にいう板挟みの苦しみというのを、私は身をもって味わわされる破目になったのである。

私は最後の頼みの綱、初めてアフリカに行った時以来、何かとお世話になっていた、元外務省でタンザニア、ナイジェリア、スイスで大使を歴任された黒河内康大使のご自宅に電話を入れて、祈るような気持ちで窮状を訴えた。もちろん、その場で、わかりました、という話にはならなかったが、数日後、別の用事で霞が関の外務省に出向いたついでに領事局長に直接掛け合っていただき、何とか二次査証を発給してもらう運びとなった。九回裏の土壇場のピンチで絶妙のリリーフを仰いだ格好で、本当に救われた思いがした。

ところで、この件についてはひとつだけ、私には気になることがあった。それは、なぜ、アナツイは巡回の出発点である民博でのオープニングに行けない、といい出したのだろうか、という疑問であった。ビザ取得も含めて、何度も訪日するのがたいへんだというのはよくわかる。でも、ならば、巡回の立ち上がりの民博には出席するが、二つ目の会場の神奈川県立近代美術館は欠席する、という手もあったはずだ。というより、日本的な考え方かもしれないが、本来ならそちらの方が筋だろう。

アナツイはこれについて何もいわなかったし、私も、その後今日まで何度も彼に会っているが、あらためて尋ねることもしなかった。ただ、私は次のように想像している。たぶん、アナツイは、最初の会場が民族学博物館であったということに少しばかり抵抗があったのではないだろうか。一連の動きを通して、彼なりに、胸の内のわだかまりを伝えようとしたのではないだろうか。

博物館と美術館、アートと文化人類学という二重構造は、ここでもまた顔を覗かせてきた。それはおそらく、エル・アナツイ展に特有の問題というよりも、欧米や日本でアフリカの同時代美術を取り上げようとするあらゆる試みに、あたかも通奏低音のように常に付きまとう問題なのではないだろうか。

私は、エル・アナツイ展の図録に寄せた論稿の中で、欧米や日本でアフリカの同時代美術が置かれている状況を踏まえて、アフリカの同時代美術は、アートと文化人類学の間で、美術館と博物館の間で、宙づりになっていると書いた[17]。現に、エル・アナツイの織物状の作品を世界で初めてコレクションに加え、常設展示したのは美術館ではなく、ロンドンの大英博物館だったし（図20）、ニューヨークのメトロポリタン美術館ではアナツイの作品は、現代美術の展示室とアフリカ美術の展示室の双方にそれぞれ一点ずつ、全く異なる文脈で展示されている[18]（図21）。ドイツでもダーレムのベルリン民族

図20　大英博物館に展示されている《男の布》

図21　エル・アナツイ《天と地の間に》（メトロポリタン美術館アフリカ美術ギャラリー）

学博物館やミュンヘンの民族学博物館には、一九九〇年代以降に造られたアフリカの同時代美術の作品が、十九世紀の仮面や神像といっしょに展示されている。そして今、私たちのエル・アナツイ展でも、もはや押しも押されもせぬ世界のトップ・アーティストの一人を、民族学博物館と美術館の両方で遇しているのである。私は奇妙な感覚に襲われた。美術館と博物館の間で、アートと文化人類学の間で、宙づりになっているのはアフリカの同時代美術ではなくて、それを展示している欧米であり、日本ではないのか。アフリカの同時代美術の展覧会を企画するとき、美術館よりも民族学博物館の方が何かにつけて話題にしやすく、予算も取りやすい、などというのは、私たちの怠慢を糊塗するための口実にすぎないのではないか。私たちはみずからの怠慢を棚に上げて、本音と建て前を巧妙に使い分けては、アフリカを弄んでいるのではないか。

Art & Anthropology というタイトルに同意しなかったアナツイは、そうした欧米や日本の「親密なアウトサイダー」たちの無自覚な暴力に、静かに異議を唱えていたのかもしれない。[19]

二十一世紀のアフリカ美術と日本——変動する磁場

二〇一九年の八月はじめ、私はアナツイ関連の調査をするためにナイジェリアのンスカに滞在していた。雨季の真っただ中で、朝晩は雨が降ると肌寒かった。ンスカが内陸に位置し、標高が四五〇メートルほどもあるということを今さらのように思い返していた。

図22 スマホで写真を撮るンスカの若者たち，2019年8月

滞在中、昼間はアナツイの工房を訪ねるのを日課にしていた。ある日、夕方六時過ぎになって少しずつ辺りが暮れなずみ始めたころ、私はサンダル履きでホテルを出て、あてもなく近くを歩いていた。すると、小さな田舎風のバァの前で、二十歳過ぎくらいの若い男女十人ほどが、日本でもよく見かける白いプラスティック製のガーデン・テーブルを囲んで、ビールを飲みながらにぎやかにかたらっているところに出くわした。私は道を横切って若者たちに近づき、写真を撮っていいかと尋ねた。すると、彼らは勢いよく大きな声で「OK、写真を撮ったらいっしょに飲もう」といってくれた。そこで、バァの敷地内に入ってテーブルの脇に立ち、カメラのシャッターを押した。最初の一枚か二枚を撮り終わると、彼らは全員、手にしていたスマホを一斉に私に向けて写真を撮り始めた。さらに、私に椅子に腰かけるようにいい、ビールをもってきてくれた。全員で乾杯をしたあと、彼らは男も女も、入れ替わり立ち代わり私の写真を撮り続けた。中には私と並んで写真を写そうとする若者もいた。日が落ちてきたせいもあって、スマホのストロボが発光して眩しかった。私も自分のカメラで、スマホを構える彼らの姿を写真に撮った。この間、時間にしてわずか数分であっただろうか（**図22**）。

撮ったばかりの写真をその場で再生しながら、つい今しがた、目の前で起きた出来事を頭の中で反芻しているうち、私

図23　第10回ダカール・ビエンナーレ（セネガル，2012年）の会場

図24　The Omenka Gallery（ラゴス）での展覧会オープニング，2011年

は時間がすっぽりと抜け落ちてしまったような妙な思いに囚われていた。アフリカと関わり始めて三十年になる。だが、その間ずっと、カメラを構えて写真を撮るのはもっぱら旅行者か駐在員、いずれにせよアフリカの外からやって来た外来者であった。アフリカ人はいつでもどこでも、一方的に写真を撮られる被写体でしかなかった。それが今や立場が逆転している。現に、その場にいたナイジェリアの若者たちは全員がスマホを持っていたのに、普段からスマホを使わない私はそれを持っていなかった。私が手にしていたのは小さな古いデジカメであった。スマホという道具が普及したことによって、彼らも「かたる」という権力を手にしたのである。写真だけではなく、動画や音楽、言葉を織り交ぜながら、彼らはSNSを通してあらゆることを自在にかたっていくのだ。そして彼らのかたりはそのまま瞬時にして地球上の津々浦々にまで拡がっていく。私は、かたるという権力の磁場に巨大な地殻変動が起きているということを、まざまざと見せつけられた気がしていた。

考えてみると、アートワールドでも似たようなことが少し前から色々な形で見られるようになっている。まず、各国、各都市で行われているビエンナーレに注目してみよう。数が多いので以下、その一部を拾って書き出してみる。

・カイロ・ビエンナーレ（エジプト、一九八四―）
・ダカール・ビエンナーレ（セネガル、一九九二―）

・バマコ・ビエンナーレ（マリ、一九九三―）
・ヨハネスブルク・ビエンナーレ（南アフリカ、一九九五、一九九七のみ）
・東アフリカ美術ビエンナーレ（タンザニア、二〇〇三―）
・マラケシュ・ビエンナーレ（モロッコ、二〇〇五―）
・ルブンバシ・ビエンナーレ（コンゴ民主共和国、二〇〇八―）
・ベナン・ビエンナーレ（ベナン、二〇一〇―）
・カサブランカ国際ビエンナーレ（モロッコ、二〇一二―）
・カンパラ美術ビエンナーレ（ウガンダ、二〇一四―）
・ラバト・ビエンナーレ（モロッコ、二〇一九―）
・ワガドゥグ彫刻ビエンナーレ（ブルキナファソ、二〇一九―）

このように見ると、今やアフリカ大陸全域においてビエンナーレは花盛りであることがよくわかる（図23）。しかも、これらはごく一部にすぎず、アート・フェスティバルやアート・フェアといった名前で行われているものも含めたら、アフリカ大陸では、いくつもの都市で何らかの美術展が毎年開かれていることになる。ただ、正直にいえば、どの国であれ、ビエンナーレやアート・フェアといった美術に関わる催しが、庶民の暮らしにそれほど深く根ざしているとは思えない。にもかかわらず、これほど多くの国で、この種の催しが運営されているというのには、それなりの理由がある。ひとつには美術品の販売と輸出の促進という経済的な意味合いがあるだろう。だが、それよりも、美術の展示を通して、内にあっては多民族からなる国民に向けて、外にあっては欧米をはじめとする諸外国に対して、国民国家としてのプレゼンスと文化的アイデンティティを明確に示すという政治的な思惑があるからであろう。アフリカでは、いまなお常設の美術館を有する国は多くはないが、しかし美術館がなくても、定期的に開催されるビエンナーレやアート・フェアが、事実上その代役を果たしているのである。

こうしたビエンナーレやアート・フェアに刺激を受けて、民間のギャラリーの動きも活況を呈してきている。先に、ビシ・シルヴァのラゴス現代美術センターの例を挙げたが、民間ギャラリーの旺盛な活動が見られるのは何もラゴスに限らない。西アフリカではダカールや、アビジャン、アクラで、また東アフリカではナイロビやアジスアベバ、そしてウガンダのカンパラで、要は主だった国の首都には民間のギャラリーはすでにいくつかあって、自分たちの地元の美術の動向を、日ごろから内外に伝えているのである（図24）。彼らは、インターネット空間でホームページやSNSを使いこなして、先進国のギャラリーと比べても遜色のない活動を繰り広げている。

このような状況がさらに進展すれば、やがて近い将来、各国で美術館の開設に向けた具体的な動きが一斉に出てくるに違いない。これまで、アフリカの同時代美術は、欧米や日本をはじめとする先進国の美術館や博物館によって、ともすれば一方的かつ恣意的に切り取られ、かたられてきた。しかし今や、アフリカのアートワールドも、ビエンナーレや民間ギャラリーに加えて常設の美術館を整備することで、自前の堅固な陣地を構築しようとしているのだ。そうした陣地を拠点にして、自分たちの美術や歴史を自在にかたっていくための態勢を整えつつあるのである。

アフリカが、みずからの歴史と文化をかたる権力をふたたび取り戻す日はもうそこまで来ている。とはいえ、今日私たちに求められているのは、文化の領域で覇権を求めて相争うことではない。そうではなくて、西洋を中心とした近代という物語とは違う、別の複数の物語が共存しうる「かたり」の場とルールを確かなものとし、たがいに共有することである。その可能性を絵空事だとして一笑に付すのではなく、真剣に模索するべき地平に、もはや私たちは佇んでいるのだ。私たち日本人は、これまでにさまざまな分野で、アフリカとの交流を通して多くの知恵と経験を蓄えてきた。そうした私たちの知恵と経験が生きる日が、いずれ近いうちに必ず来るに違いない。

【註】

（1）　英語圏のうち、とくにイギリスでは museum は概ね博物館を意味し、美術館には gallery が使われることが多い。

（2）　*Pascale Marthine Tayou: Ni primitive, ni sauvage*, Goethe Institut, Dakar. 一九九六年五月、第二回ダカール・ビエンナーレ（Dak'Art 96）。

（3）　以下を参照。拙著『アフリカの同時代美術——複数の「かたり」の共存は可能か』、明石書店、二〇一一年、三二七—三三三頁。川口幸也「アフリカ——人と土、歴史と文化」『Mouseion（立教大学博物館研究）』no.65、立教大学学芸員課程、二〇二〇年、印刷中。清水眞理子「川口幸也立教大学教授に聞く——官民を超えた総合的な経験の蓄積、多彩な分野の横の繋がりが不可能を可能にします」『月刊アフリカニュース』no.81、アフリカ協会、二〇一九年、二六—三〇頁。影山幸一「アブラデ・グローヴァー《タウン・パノラマ》——きらめく群衆のエネルギー『川口幸也』」、二〇一九年八月一日、https://artscape.jp/study/art-achive/10156275_1982.html（最終閲覧日二〇二〇年十一月九日）。

（4）　現在、東北福祉大学の旧芹沢コレクションは、東北福祉大学芹沢銈介美術工芸館に収蔵展示されている。

（5）　のちニカラグア、アルジェリア各大使から防衛大学校教授を歴任。

（6） Nicholas Thomas, "Contemporary Art and the Limits of Globalisation," in: *The Second Asia-Pacific Triennial of Contemporary Art.* (exh. cat.), Queensland Art Gallery, Queensland Cultural Centre, 1996, p.17.

（7） この辺の事情については以下が参考になる。古賀太『美術展の不都合な真実』、新潮社、二〇二〇年。

（8） イッサ・サンブ（Issa Samb, 1945-2017）ジョー・ワカム（Joe Ouakam）の名でも知られる。絵、彫刻、インスタレーション、パフォーマンスと多分野にわたるアーティストであると同時に、詩人、劇作家としても知られた。ダカール市内中心部のジュール・フェリー街一七番地にあった彼の住居兼アトリエの庭は、ダカールの若い美術関係者や演劇関係者が集う文化拠点の観を呈していた。

（9） リュセット・アルバレ（Lucette Albaret）、アフリカ同時代美術の専門家。ADEIAO（アフリカ・オセアニア美術館国際文化交流促進協会）の会長を務め、展覧会企画および図録の出版を通して、仏語圏アフリカの同時代美術の紹介に努めた。ADEIAOは一九八四年から一九九六年まではAssociation pour le développement des échanges interculturels au musée des arts d'Afrique et d'Océanie、それ以降はL'Association pour la défense et l'illustration des arts d'Afrique et d'Océanieの略。

（10） ここに挙げた画家たちのフルネームと生没年は以下の通り。ルバキ（Albert Lubaki、一八九五—不明）、ジラテンド（Djilatendo、別名Tschyela Nntendu とも。一八九五頃—一九五〇年代）、オッサーリ（Félix Ossali、一九三二—一九七一）、タンゴ（François Thango、一九三六—一九八一）、オンドンゴ（Nicolas Ondongo、一九三三—一九九〇）、ゴテネ（Marcel Gotène、一九三九—二〇一三）、ジゴマ（Jacques Zigoma、一九三六—一九八七）、ベラ（Bela Sara、一九一八—一九六八？）、ピリピリ（Philippe Mulongoy Pili-Pili、一九一四—不明）。

（11） そのうちの一点《Dusasa II》は、現在メトロポリタン美術館に収蔵されている。

（12） 展覧会名は*El Anatsui: When I last wrote to you about Africa*、企画したキュレーターはニューヨークのアフリカ美術館（Museum of African Art）のリサ・バインダー（Lisa Binder）。

（13） 以下を参照。ビシ・シルヴァ「展示、あるいは表象のポリティクス——アフリカの『うち』と『そと』」、川口幸也・竹沢尚一郎ほか編『彫刻家エル・アナツイのアフリカ』（展覧会カタログ）、国立民族学博物館、読売新聞社、美術館連絡協議会、二〇一〇年、二〇一頁。

（14） 「異文化の表象と展示空間の政治学」、二〇一一年八月二十一日、埼玉県立近代美術館。

（15） この時点では鶴岡市アートフォーラムの参加は確定していなかった。

（16） 一九八九年に西武美術館で開催された「ナイジェリア　ベニン王国美術」展（朝日新聞社主催）を指す。

（17） 拙稿「エル・アナツイのアフリカ——複数の語りが共存する場への試み」、川口幸也・竹沢尚一郎ほか編『彫刻家エル・アナツイのアフリカ』（展覧会カタログ）、国立民族学博物館、読売新聞社、美術館連絡協議会、二〇一〇年、二八頁。

（18） 以下の拙稿を参照。「場の政治学——アフリカの同時代美術はどこに展示されてきたか」『Mouseion（立教大学博物館研究）』no. 58、二〇一二年、一—一八頁。

（19） 親密なアウトサイダー（intimate outsiders）はマーシャ・ライト（Marcia Wright、コロンビア大学名誉教授、東アフリカ史）の言葉。十九世紀にアフリカに入ったヨーロッパの探検家、キリスト教の神父、行政官、軍将校などを指す。のち一九九一年に、スーザン・ヴォーゲル（Susan Vogel）がニューヨークのアフリカ美術センター（Center for African Art）で立ち上げた展覧会「Africa Explores: 20th Century African Art」展のカタログの中で、自らを念頭に置きながら、二十世紀のアフリカ美術という文脈に置き換えて、この言葉を使った。

【さらに詳しく知りたい人へのガイド】

① 川口幸也ほか編『インサイド・ストーリー——同時代のアフリカ美術』（展覧会カタログ）、世田谷美術館・読売新聞社・美術館連絡協議会、一九九五年。

② 川口幸也・竹沢尚一郎ほか編『彫刻家エル・アナツイのアフリカ』（展覧会カタログ）、国立民族学博物館・読売新聞社・美術館連絡協議会、二〇一〇年。

③ 川口幸也『アフリカの同時代美術——複数の「かたり」の共存は可能か』、明石書店、二〇一一年。

①は一九二〇年以降のアフリカの同時代美術が、白人との接触により描かれたプリミティヴな絵の数々から、最新のインスタレーション作品まで、歴史を踏まえて紹介されている。②は現代アフリカを代表する彫刻家、エル・アナツイの作品世界を、アートと文化人類学という複数の視点からかたる。多彩な論者が、西アフリカの歴史と文化に言及しながら議論を展開する。カラー写真が鮮やか。③はアフリカの同時代美術の現状と今後の課題について、一九二〇年代以降の歴史を背景に踏み込みながら論じ、欧米を中心とするモダニズムとは別の「かたり」の可能性を探ろうとする。

4　植民地状況下のアート
――ダオメ王国文化とツーリストアート

柳沢史明

アフリカにおける「アート」と「売る」こととの関係を考えるにあたって、売買が製作の主要な目的となる「ツーリストアート」について論じることはそれほど不思議ではないだろう。美術史家のM・マウントは一九七三年に出版された書のなかで、「ツーリストアート（Souvenir Art, Tourist Art）は現代のアフリカンアートのなかでおそらく最もよく知られたカテゴリー」、「おそらく新たなアフリカンアートのどれよりもよく知られている」と語っていたが[1]、それは二十一世紀に入った現代においてもある程度妥当する。というのも、旅行先の「土産物」としての有名ブランド品や家電製品などを持たないサブサハラのアフリカ諸国では今なおツーリストアートは訪問者らにとっての土産物の主たる選択肢の一つであり、アフリカの大都市には観光客向けのツーリストアートの売り手が路上はもちろん、ホテルや博物館近くに店を構えているからだ。そこで販売されているアフリカの様々な地域・民族の様式的特徴を留めた彫像や仮面、装身具、絵画は、さながら小さな博物館・美術館の様相を呈しており、アフリカの儀礼用仮面や彫像、現代アートなどに通じていない観光客にとっても、否が応でも目にすることになる「アフリカンアート」の一つが、ツーリストアートであることは間違いない。

二十世紀以前の「古典的」な彫像や仮面を模したレプリカと、二十世紀以降に作られはじめた新たな様式の彫像や図像作品とが観光客向けの販売所で並ぶこともしばしばあり、「ツーリストアート」の定義自体は難しい。とはいえ、「ツーリストアート」は、伝統的な造形物に由来する諸要素（素材、技法、主題、形態、作業場など）を留めつつも、製作された地域の慣例的な用途や使用を目的とせずに、地域の外からの訪問者（旅行客だけでなく、行政官、軍人、宣教師などを含む）への土産物として販売されることを目的に製作された「アート」全般を指すものであるとここでは説明しておこう。ツーリストアートに関しては、非西洋諸民族の様式変化を対象にした人類学者のグレイバーンの論集、人類学的な物質文化研究の観点からツーリストアートと土産物とを分析した美術史家ヒュームの研究、アフリカを対象とした研究としては、先に言及したマウントによる分析や、作品の分業的な製作過程を通じてツーリストアートの社会的意味や役割を考察した社会学者ジュールス゠ロゼットの書など、様々な観点やフィールドにて研究が進められてきた。(2)本章での目的は、アボメイの真鍮製彫像を例に、今日ではツーリストアートとして認識されうるこの造形物の歴史分析を介して、ダオメ（現ベナン共和国）が経験した植民地化の歴史、その製作と受容にまつわる人々の行動や思惑、新たな造形表現が切り開いた可能性を明らかにすることにある。こうした作業を通じて、二十世紀アフリカのツーリストアートをめぐる一つの歴史を描き出すとともに、植民地支配の不均衡な力関係のなかで価値を与えられた「アート」に対し、自らの職能を活かしつつ各々の仕方でアプローチする人々の姿を浮かび上がらせ、植民地文化論という観点からアフリカの「アート」へと迫ることを目指している。

ダオメの真鍮製彫像

ギニア湾沿岸部、ベナン共和国の中部に位置するアボメイには、かつてここを首都としたダオメ王国の宮殿跡が存在している（**図1**）。一九八五年に世界遺産に登録されたこの「アボメイの王宮群」の一部は、現在ではアボメイ歴史博物館として使用され、ガイドが宮殿内の案内を行いつつ建物やレリーフ、展示品の説明を介して訪問客に往時の宮廷生活を偲ばせてくれる。訪問客は建物の入り口から宮殿へと移動する際、広い中庭を最初に通ることになり、宮殿を一通り見学したのち再びこの中庭へと戻ってくる。この中庭にはアボメイの伝統工芸品のアトリエや十店ほどのスタンドが軒を並べており、宮殿の訪問客に土産物をアピールしている（**図2**）。店先に並ぶのはアトリエにて製作されたダオメ王国の宮廷文化を想起させる品々（織物、アップリケの施された壁掛け布、木彫、金属製彫像、装身具など）である。観光地でときおり見られる製作者から直接購入可能な販売所を含むこうした「工芸村」での経験は、博物館の外に位置する土産物屋や、ベナン経済の中心都市コトヌーにある「工芸品センター」におけるそれと異なり、観光客が抱く「本物らしさ」や「真正性」に深く影響を及ぼす。もっともアボメイ王宮群内の工芸村にアトリエを構えているのが、「伝統的」なツーリストアートを提供する作り手であるというだけでなく、個々の造形物の製作をかつて王宮内で専属的に行っていた家系から派生した同族集団の一員であるということが、そうした「真正性」の印象を観光客に否応なく抱かせる。例えば王国の歴史や口承伝統を伝えるアップリケの施された壁掛け布は、かつて王やその臣下の衣服を手掛けていたイェマジェ家の者が、木彫に関

図1　アボメイ王宮群，2019 年（筆者撮影）

図2　アボメイ王宮群の中庭の「工芸村」，2019 年（筆者撮影）

しては儀礼に用いられる彫像や「レカド」と呼ばれる王や首長のみが所有を許された指示棒の彫刻を請け負っていたフンド家の者が、今なおこの工芸村での製作を行っていることが博物館のサイトに記されている[3]。彼らとスタンドを並べているのが、フントンジ家の流れを汲む彫金細工師らであり、彼らの売り物は真鍮でできた五—六センチほどの小像をはじめ、二〇センチを超える中型の彫像、そしてブレスレットなどの装身具である（図3）。比較的簡素であまり際立った装飾の施されていないブレスレットと比べて、小像はやや手の込んだ作りとなっている。浮き上がった目鼻が目立つ様式化された顔、長く太い首、薄く伸ばされた手、細長く筋肉表現が簡略化された手脚を備えた造形によって、杖を持った腰の曲がった老人や子供を背負いつつ穀物をつく母親など日常的生活を喚起させる主題が表現されている（図4）。タガネによる装飾がやや粗かったり、左右の腕が不均衡であったり、ところどころ磨き残しが見つかったりと、「仕上げ」という面ではやや難が見られるものの、黄金色に光るこの小さな置物はコトヌー市内にある「工芸センター」内の販売所でも多数見つけることができるダオメの代表的なツーリストアートである。

図3　彫金細工を扱う販売所と彫金細工師のM・ヴィスクポ氏，2019年（筆者撮影）

ダオメの小型の金属製彫像は日本ではそれほど知名度は高くないが、この地を植民地としていたフランスでは美術館・博物館の展示区画の一角にこの彫像が並べられていることが多い。亜鉛の含有量が少なく赤銅色を帯びた彫像や、錆びつき黒みがかった青銅の彫像など、広く銅合金で製作された同じ様式の彫像も存在するが、それよりも圧倒的に多いのが五円玉硬貨に代表される錆つきづらく黄金色を放つ銅と亜鉛の合金の真鍮製のもので、パリのケ・ブランリ美術館やリヨンのアフリカ博物館（二〇一八年閉館）の展示にてそれを確認できる（図5、6）。こうした施設の展示物にみられる形態上の特徴は、今日アボメイで売られているものと類似し、高さ五センチほどの大きさ、細長い胴体や手足、薄く伸ばされた手のひらや、比較的写実的に描写された顔や筋肉を有し、タガネなどを用いて衣装・瘢痕文身の装飾が繊細に施されている。銃や刀、鋤といった付属品を備えていることもあり、表面はヤスリなどで丁寧に磨かれている。主題としては王族や高貴な身分の人間を模した像、キリスト教関連の彫像も一定数存在するものの、ダオメの日常的風景や儀礼的な場面等を描写していることが多い。アボメイの「工芸村」の真鍮製彫像は、フランスの展示施設に収蔵されている作品群の様式と歴史を受け継ぐ造形物として、今なお製作され続け「ツーリストアート」として観光客の目に留まるのを待っているのである。

彫像の商業性

ではこれらの彫像がツーリストアートとして製作され、受容されはじめたのはいつ頃からか。デンマークのアフリカ彫刻収集家であり、様式分類に焦点を当てた浩瀚な二巻本を一九三〇年代に発表した医師のキエルスマイアーは、ダオメ地域の彫刻にはヨルバ人からの影響を受けた様式が見られるこ

図 4　アボメイの「工芸村」で販売されていた真鍮製彫像，2019 年（筆者撮影）

図 5　ケ・ブランリ美術館での展示の模様，2017 年（筆者撮影）

図 6　アフリカ博物館での展示の模様，2016 年（筆者撮影）

とを認めつつ、他方で、ヨルバ人には見られない「一群の作品」が存在することを指摘し、そこに付された註のなかで以下のように語っている。「金属製の小像はここでは考慮しないでおこう。それらは大した芸術的価値はないがかなり洗練されており、この数年で現地の芸術家にとっての重要な輸出品目となっている。これら現代的な小作品から選ばれた一部が、一九二七年パリにおける『フランス芸術家サロン』にて展示された」[4]。キエルスマイアーが同じ箇所で参考資料として挙げている当時の雑誌を参照するならば[5]、ここで彼が言及している「金属製の小像」「現代的な小作品」が上述してきたアボメイの真鍮製小像を指していることがわかる。彼は「大した芸術的価値はないがかなり洗練されており」と譲歩つきの評価を行いつつ、これらの小像がダオメの国外市場に向けられた「輸出」品の一部であることを指摘している。

「金属製の小像」が当初より外国人を対象として販売され流通していたという意味では、現地で使用・実践され何かしらの社会的・宗教的機能を有していた彫刻・仮面が「アート」として売買されたり流通したりするのとはその性質を異にする。むしろ、当該社会の外部に向けて製作・販売されることを目的とし、それを購入することでその社会のイメージや伝統を別の地にて享受することを可能とする「アート」として認識されているという意味で、「金属製の小像」はいわゆるツーリストアートとして一九三〇年代には認識されていたといえる。とはいえ、キエルスマイアーの考察はかなり断片的なものであり、同時代のフィールドワークに基づく研究を参照すると、真鍮製彫像が有する別の歴史的側面、つまりダオメの王国文化・宮廷文化に由来する歴史的文脈が存在することも判明してくる。

一九三〇年代からはじめられた現地調査に基づき歴史的かつ体系的な研究を行ったアフリカ文化研究の大家M・ハースコヴィッツは、ダオメにおける真鍮を用いた様々な造形物が、銀を用いた彫像と並び「伝統的」な宮廷文化であったとみなしている。じじつ彼は自身の研究でいくつかの小像に言及し、様式化された表現や劇的な場面の大胆な再現、筋肉表現や瘢痕文身などの正確かつ特徴的な造形、またヤスリがけやタガネを用いた装飾文様の細工など、多岐にわたって見られる技工の質の高さを列挙している。さらに、それらがダオメ王国の王やその家族の要請（客人への土産物として）によって作られたものであり、フントンジ家が彼らの要請を受け王宮内部の作業場にて様々な金細工を伝統的に請け負っていたことにも言及している。とはいえ、ハースコヴィッツもまた真鍮製彫像のすべてが宮廷文化の文脈のなかで、贈答を目的に製作されていたものだと考えていたわけではない。王宮文化を模倣しようとする首長をはじめとした「現地の買い手」を対象とし「自分たちのあらゆる技能を惜しみなく施すような」作り手らの作品があること、さらには子を抱きつつ杵をつく女性の像を例に挙げ、その杵や臼と母子像との均整の取れていない点や、仕上げの未熟さなどを列挙しつつ、それが他の彫像と比して「もっとも芸術性の劣るもの」「商業的な種類に属する」ものであると指摘する。そしてとりわけ質の低い彫像は、隣国ナイジェリアなどへの「輸出」を目的として製作されているとハースコヴィッツは記述している。[6]

アフリカ彫刻収集を趣味とするキエルスマイアーと現地での調査に基づく民族誌家ハースコヴィッツとの解釈は、必ずしも併置して考えるべきではないが、少なくとも、両者の記述から判明するのは、一九三〇年代のダオメの地にて製作されていた真鍮製彫像がアボメイの外部の需要も意識して製作、販売されていたという事実であろう。この点について、その社会的要因や歴史的背景を次に考えてみたい。

植民地状況下の文化変容

ハースコヴィッツの見解は時代的な制約もあり、ダオメの様々な真鍮製彫像の存在、とりわけダオメ王国時代のものを充分に知り得なかったことが指摘されている。じっさい、ダオメ文化研究者S・P・ブリエーは、ダオメの貴金属製彫像は古くから存在するものの、王宮にて製作されていたものと、植民地化以降多数製作されたものとには幾つかの差異が認められると述べている。ブリエーによれば、ダオメ王国で製作されていた金属製彫像の多くは銀製であるのに対して（図7）、征服後は真鍮製が主要なものになっている。また征服前後に製作された彫像が真鍮製の場合であってもその高さは数十センチから一メートルを超える大型のものが製作されていたのに対し（図8）、植民地化後は概ね小型の彫像が製作されている。さらに王国時代のものは王宮文化に関連する主題（王の象徴的モチーフや王国と関連する神など）が選ばれていたのに対し、植民地化以降はダオメの日常的風景や儀礼的な場面を象ったものが多い。こうした差異を踏まえつつ、ブリエーは前者の彫像が「唯一無二の手本」ともいえる質を有していると評するのに対し、後者の彫像の大半が「似たようなフォルムと主題とを示す大量生産の品質」であるとし、双方の造形的質を明確に区分している。[7]

ブリエーの美的評価に対する判断はここでは脇に置くにせよ、彼女が着目するもうひとつの差異は注目に値する。それは彫像の製作技法に関するものであり、アボメイ周辺で製作された彫像が失蝋法（lost-wax, cire perdue）によるものか、そうでないかという点である。[8] ハースコヴィッツは失蝋法による彫像もまたダオメ王国の文化の一部として紹介しているが、実際に王宮で製作されていた金属製彫像は、銀や真鍮を薄く伸ばしたものを木製原型に貼り付けたものであったり、金属板を叩いて成形する打ち出し技法によるものであったりするという点で、技法という面からも王宮にて製作された金属製彫像と、植民地化以後の彫像は大きく異なっていた。[9]

ナイジェリアのベニン王国で製作されていた真鍮や青銅による装飾板や彫像、ガーナのアカン人らの金を量る分銅など、西アフリカ各地で古くから失蝋法の技法は広く知られていたが、不思議なことに王宮の鍛冶場を司っていたフントンジ家の面々によってこの技法が使用されはじめたのは十九世紀末のこととされている。フントンジ家の末裔らからの聞き取りに基づき技法の伝承過程を調査したアフリカ文化研究者のE・G・ベイは、フントンジ家の一員であるトティ・フントンジがダオメ南部の古都ウィダーにて、「ポルトガル人」からこの技法を習得、その後トティによって一八九二年にフントンジ家へと伝えられたとしている。[10] ここでの「ポルトガル人」は、ポルトガルからの使節、ブラジル政府の関係者、「アグダ」と呼ばれるアフリカ系ブラジル人のいずれかである可能性をベイは指摘しているが、いずれにせよ、失蝋法そのものは、ダオメ王国がフランスによって征服されることになる第二次ダオメ戦争の真っ只中にフントンジ家へと伝えられたこととなり、王国の伝統的な技法と言うよりも、王国の

図7 アロデ・フントンジ？，グレレ王（在位：1858-89）の象徴の一つライオンの彫像［木製原型に薄く叩いた銀シートが貼られている］，製作年不明，高さ 45 センチ（S. Preston Blier, *African Vodun: Art, Psychology, and Power*, University of Chicago Press, 1995, p. 344 より）

図8 タホザンベ・フントンジ，グレレ王の象徴の一つサイチョウの彫像［木製原型に貼られた真鍮シートに槌などで装飾が加えられている］，製作年不明，高さ 64 センチ（S. Preston Blier, *African Vodun: Art, Psychology, and Power*, University of Chicago Press, 1995, p. 345 より）

といえる。

黄昏時に導入された当時としてはかなり新奇な技法であった

もちろん、失蝋法の導入がそのまま、ツーリストアートとして販売される彫像の製作へと繋がるわけではない。では失蝋法を用いた小像製作、とりわけ外部の視線を喜ばせうるような一群の小像製作を促す契機は何であったのか。この問いには、フランスによる植民地化のなかで、代々専従してきたダオメの王家がもはやその政治的・社会的・経済的力を失い、フントンジ家が新たな後ろ盾を求めたこと、自らその技術や作品によって金銭を獲得する必要に迫られたことなど、当時の社会体制の変化や植民地状況が深く関わっている。

植民地関係者たちの「ダオメ美術」

十九世紀末にアボメイのフントンジ家へと伝わった失蝋法を用い、今日のツーリストアートとして販売されているような小像を製作しはじめたのはフントンジ家の一員であったニャスヌゥ・フントンジとされる。彼の息子にあたる人物に聞き取り調査を行ったコードウェルの研究によれば[11]、ニャスヌゥは伝統的な打ち出し技法とともに失蝋法による彫像製作を身につけたが、新奇なものを試みる生来の性格から様々な実験的試みを行い、その一つとして製作したのが小さな真鍮製の人物像であったという。彼がそれをアボメイにいたフランス人行政官に見せたところ、その人物はこの彫像にいたく感銘を受けた。折しも一九〇六年マルセイユでの植民地博覧会の展示に向けてダオメの産物、文化、製品を探し求めていた行政官は、ダオメ文化の実践者としてニャスヌゥをマルセイユへと派遣することに決めたという。上の聞き取りを行ったコードウェルは、マルセイユの博覧会場に設置されていたアフリカやアジア等の様々な地域のジオラマが人気を博しているのをニャスヌゥが目撃し、真鍮製彫像でダオメの日常的風景や儀礼的場面をジオラマ的に再現するという試みを思いつき、アボメイに戻ってからこうした主題を採り入れた彫像を製作しはじめたと分析している。つまり、アボメイの真鍮製の小像は技術的には失蝋法の導入とともに製作可能となったことは確かだが、小像の製作や展示機会の増加は植民地時代のダオメ文化に対する宗主国をはじめとした外部からの要望に被植民者の作り手が応じることで可能となったといえよう。

ニャスヌゥの小像を発見し彼をマルセイユ植民地博へと赴かせた行政官の名は不明であるが、当時、多くの植民地関係者らがアフリカの造形物に関心を寄せていたことは確かである。十九世紀後半から二十世紀初頭にかけ、ダオメ戦争の戦利品の獲得や「黒人芸術」の流行など、フランスにおいて少なからずアフリカの造形物への関心が高まり、民族誌博物館のみならず万国博覧会や美術ギャラリーでの彫像の展示、新聞・雑誌上でのアフリカ彫刻の展覧会報告などを通じ、大衆にも徐々にその流行が伝わっていた。芸術家や美術評論家といった狭い意味での美術界の住人だけでなく、植民地関係者らの多くにとっても、一般大衆に対して植民地への関心を高めるきっかけとしてアフリカの造形物の歴史的・文化的・美的側面は度々紹介されていた。一九二二年にマルセイユで再び植民地博が開催された折、ダオメの植民地行政官として一九〇九年以降当地にて「ダオメ美術」を収集していたE・メルワールは、自身のコレクションの展示を行っている。五百点ほどに及ぶその内容は、木彫、アップリケの付いた壁布、土器、そして「銅製」の彫像などであったが、「銅製」彫像の紹介にあたっては、ポルトガル系ブラジル人商人を介してダオメ王国へと真鍮がもたらされた経緯、こうした彫像は西洋の顧客らの評判がすこぶる良いが世俗的な用途の「現代工芸品」「即興的作品」「非宗教的模造品」であること、そしてアボメイでの彫像製作にあたってはフントンジ家界隈のニャスヌゥが後継者らの育成に秀でた腕前の良い人物であることなどが紹介されている。[12] メルワールは真鍮製彫像の主題を細かく説明しているが、そのなかには往時のダオメ王国を彷彿させる玉座に座る王の彫像、地面を耕す者の彫像、ヤシの木に登り油を採取する場面

図9　メルワールが収集した真鍮製彫像の一部（Emile Merwart, *L'art dahoméen, collection du gouverneur Merwart*, Exposition coloniale de Marseille, 1922, 裏表紙より）

図10　「ダオメ装飾美術展覧会」会場の様子［左端中段に真鍮製彫像が並んでいる］, 1927-28 年（*Déclics*, n° 11, Musée Albert-Kahn, 1997, p. 8 より）

図11　ランマンドゥセロ・アイシとその一家, 玉座に座る王の彫像, 1930 年頃, ケ・ブランリ美術館所蔵（ケ・ブランリ美術館コレクションサイトより：収蔵品番号 71.1936.21.79.1-2）

を模した彫像、またライオンや象、犬といった動物の彫像などが含まれていた。図版として掲載されている写真から分かるのは、幾つかの彫像はダオメの生活風景を再現すべくプレート上で群像表現を成すよう構成されていることで、ニャスヌゥがマルセイユの博覧会場にて感化された「ジオラマ」的な仕掛けをここに見て取ることもできる（図9）。

一九二〇年代のフランスにおける「ダオメ美術」への関心は、モダン・アート周辺の美術関係者よりも、メルワールのような植民地関係者や当地を訪れた経験のある宣教師らによって強く示されていたのは興味深い。とりわけ一九二七年から翌年にかけて、「アフリカ宣教会」所属の宣教師F・オピエによってパリをはじめフランス各地で行われた「ダオメ装飾美術展覧会」では、ダオメの仮面、テキスタイル、彫刻と並び、真鍮製彫像が多数展示されていた（図10）。展示物は主にオピエがダオメから持ち帰ったものであり、その多くはオピエの依頼に応じて当地の人々が製作したばかりのものであった。一九〇三年から二六年にかけ、第一次大戦時でのダカールへの動員を除いて主にダオメにて布教に携わっていたオピエ神父は、ダオメの展示物を通じアフリカ文化に対する正当な評価の獲得、さらに、アフリカ黒人全般に対する権利回復を目指していた。このときのオピエによる収集物を含む、歴代のアフリカ宣教会所属の宣教師らによるダオメでの彫像収集は、リヨンのアフリカ博物館の世界でも稀有の量を誇った真鍮製彫像コレクションを形成することになる。

こうしたオピエの活動とフランスでの真鍮製彫像の紹介は、彼の親友ともいえる植民地学者G・アルディによって植民地主義的文脈へと接続されることになる。アルディは「黒人芸術」について論じた書のなかで、アフリカの諸芸術の多くは宗教的・儀礼的用途に応じて製作されたものであるが、それは同時に表現や造形上の因習へと繋がることを指摘したうえで、植民地化による伝統的社会の解体を通じて因習から解放された新たなアフリカの造形表現が登場すると論じているが、

図12　アイサン・フントンジ《ラザロ》，1924年頃，アフリカ博物館旧蔵（*Afrique en résonance: collection du musée africain de Lyon*, 5 continents, 2014, p. 42 より）

その例証の一つとして彼はダオメの真鍮製彫像を挙げている[13]。アルディにとって、この新たに現れた彫像はフランスによる植民地化によって可能となった造形であり、植民地行政の管理のなかで保存されつつ刷新されていくアフリカ文化を体現するものであったのだ。

アルディは一九二五年から三三年にかけて植民地行政官育成機関であるパリの植民地学校の校長を務めていたが、同校へ通い植民地行政官として、また民族学者としてダオメの地を訪れたB・モポワルもまた、真鍮製彫像に魅了された人物である。現在ケ・ブランリ美術館に収められている一群の真鍮製彫像は、一九三〇年頃にモポワルがランマンドゥセロ・アイシ及びその親族に注文し作らせたものである。そのコレクションの一つである、ダオメ王国の伝統的な玉座に座りパイプを手にする王の彫像（図11）は、マルセイユで展示されたメルワールのコレクションにも認められた主題であるが、パイプの長さ、王の衣装など細かい差異が確認できる。製作者のランマンドゥセロ・アイシに関してはまだ不明なところがあるが、リヨンのアフリカ博物館所蔵の、新約聖書ルカ福音書に登場するラザロを主題とした真鍮製彫像（図12）の作者がアイサン・フントンジと記録されていることから、当地を訪れた西欧人の注文に応じて彫像を製作していた同一の作り手の可能性もないわけではない。

当時、少なからず支配的であった認識として、植民地化や西洋によるアフリカ進出にともないアフリカの伝統的な芸術が退廃していくというものがあった。しかし、上に挙げてきた植民地行政官、植民地学者、宣教師といった様々な植民地関係者らの活動や言動からは、彼らが現地にてまさに製作されつつある文化を積極的に収集、紹介、発注することで、その製作現場に少なからず関与していたことは確かであるといえる。

「推進者」らによる文化の振興

植民地において「失われつつ」ある文化に対し積極的に関与し、その「保存」や「刷新」を行おうとする宗主国側の人間らは、植民地をめぐる様々な場面で顔を出す存在ともいえる。人類学者のホーナーは、世界中に見られる芸術の再興現象の背後に認められる、「西洋による支配的かつ世界規模の芸術システムへと民族芸術とその芸術家たちを連れ出すような、そうした重要な触媒的人物」を「推進者（animateur）」と名付けている。ホーナーは、植民地状況下の西アフリカに「推進者」らの存在を多数認め、イギリスの植民地行政のイニシアティブによって結成されたカメルーンやナイジェリアの職工ギルドの存在や、そうした技術を体系的に伝えるための学校の設立などを具体例に、彼らの存在を説明している。またホーナーは、ガーナの分銅製作と失蝋法技術が二十世紀初頭にはすでに失われていたものの、イギリスの植民地行政官の采配によりナイジェリアから金細工の職工が派遣され、ガーナにて再び失蝋法による分銅製作が再開されたという逸話も推進者の例として紹介している[14]。

当然のことながら、推進者らの活動を、文化の保存と刷新に貢献した偉大な行為だと評するのは早計な判断であろう。むしろ彼らは植民地主義の真っ只中にいた人物らであり、同時代の植民地主義的なロジックや制度と彼らの思考や言動は密接に結びつき、文化の紹介や振興と植民地主義的体制の維持は同じコインの表裏を成している。真鍮製彫像の紹介といった場面においても、「フランスが彼らを導く必要がある」といった家父長主義的な思考が介在したり、作品の販売等においてダオメの作家らの「自由」はかなりの程度制限されていたりする可能性は高い。アルディは、因習から解放され脱宗教化を果たしつつある「黒人芸術（art nègre）」を「自由芸術（art libre）」と洒落混じりに紹介し、その一つとしてダオメの真鍮製彫像を含めていたが、そこで語られる「自由」とは当然宗主国側の人間が考える「自由」に他ならず、植民地化のなかで現れた新たな造形物とその作り手は必ずしも「自由」を享受していたわけではないだろう。

そうした「不自由」を示唆する記録が一九三七年パリ万博でのダオメの芸術文化紹介に関する資料に残されている。当時の資料を調べると、この展覧会に向けて植民地行政の拠点が置かれていたポルトノヴォの副総督からダオメの各地域に対し要請が出されていたようで、例えば「観光パヴィリオン」の壁面にアボメイ王宮のレリーフの再現が計画され、そのためにアボメイからジャン・ダドという名の彫刻家がパリにまで赴いたとの記録が残されている[15]。そのほかにも「現地の芸術」や「展覧会訪問客向けの現地の品々」の収集が求められ、前者には「現地の技法による民族誌的で代表的な本当の価値を示すような古い芸術作品」として、木彫をはじめ、椅子、仮面、「呪物」が具体的に挙げられているのに対し、後者には展覧会の訪問客向けに販売されるものが念頭に置かれていたようで、「ありきたりで容易に再供給できる品々」と説明され、その具体例として「青銅製品」「銅製品」の項目が記されている[16]。「容易に再供給できる」という文言からも、博覧会会場で訪問客を前にダオメの作り手らが製作していた「銅製品」のなかに、リサイクル可能な蜜蝋やフランスの地で容易に入手可能な真鍮を使用する失蝋法による真鍮製彫像が含まれていた可能性はかなり高い。とはいえ問題は、こうした彫像の製作・販売が「自由」になされていなかった実態にある。それは、現代では「人間動物園」とも語られる植民地地域の人々の屋外展示をめぐる「不自由」な環境や状況のなかでの製作という観点からの「不自由さ」だけでなく、販売そのものも決して「自由」ではなかったことにある。当時のポルトノヴォの植民地行政官宛の電報には、パリへと送り込むための「腕の良い職工と芸術家」らを求める文言に続き、パリでの彼らの行動が以下のように指示されている。「観客らに対して直接販売することは職工らに許可されていない。職工らの役割は訪問客らが注視するなかで作業を行うことに限られる」[17]。ダオメからパリへと連れてこられた数多くの職工らは、衆人監視のなか彫像等を製作することのみを求められ、その販売交渉の「自由」は認められていなかった。植民地状況下のダオメの文化は、いわば推進者によって監視・管理・制限されながら「刷新」された文化であり、真鍮製彫像もこうした植民地主義の成果の一つであったという側面は否定できない。

造形の新たなる可能性――祭壇「アサン」と真鍮製彫像

では、十九世紀末から二十世紀初頭にかけて登場したダオメの真鍮製彫像の行き着く先は、ダオメ王国の造形文化の名残りを残しつつも商業目的で製作されたツーリストアート、しかも宗主国出身の推進者に手助けされて「創出」された植民地主義の亡霊がつきまとうツーリストアートという未来だけであったのだろうか。この点について、ダオメの「アサン」と呼ばれるダオメの先祖崇拝に用いられる祭壇の造形とともに考えてみたい。

ツーリストアート研究の古典ともいえるグレイバーンの研究は、植民地化のように、異なった地域や国家との接触にともなって生じる「文化変容の芸術」の形式をいくつかのカテゴリーに分けて説明している。グレイバーンによれば、「遷移的なとか、商業的だとか、土産物、あるいはエアポートアートだとか、どこかしらの場所でレッテルを貼られることになる諸形式」がこうした「文化変容の芸術」に含まれるものの、「ある奇抜な非商業的な芸術形式」もまた文化接触に応じて生じてくる[18]。この見解を再解釈するならば、植民地状況下に生じた新たな造形表現は、「エアポートアート」や「ツーリストアート」になりうる可能性を多分に含みつつも、「非商業的な芸術形式」ともみなしうる可能性もまた胚胎しているといえよう。じっさい、ダオメの真鍮製彫像に関してもこうした見方は可能で、ダオメに広く見られる「アサン(asen, assen, assin)」と呼ばれる持ち運び可能な祭壇の造形表現への彫像の採用に、こうした「文化変容の芸術」の現れを認めることができる。

アサンは先祖の霊や伝統的宗教ヴォドゥンの神々に対する

崇拝のために製作される金属製の祭壇で、その形状は様々であるが、金属棒に逆円錐の形で支柱が付けられその上に装飾板が載せられているものが多く、装飾板には先祖や故人と関連する造形物が真鍮や銅、鉄といった金属を用いて再現されている（図13）。ダオメ王国が征服される以前、アサンは王国の先王らを祀るための祭具として、王族らのみがその製作や所持等が許されていた。しかし、フランスによる征服後の新たな統治体制のなかで勢力を増した首長らをはじめ、王国の主要構成民族であったフォン人らによって王宮文化を倣う流れが生じ、一九二〇年代から三〇年代にはアサンの使用は徐々に一般化していった（図14、15、16）。現代ではアサンを用いた先祖崇拝は減少傾向にあるが、今なお製作や使用は行われており、礼拝小屋に安置されたアサンに対し食べ物などが供えられ、人びとはアサンの前で先祖らに対する祈念を行う（図17）。先祖崇拝そのものは植民地化以前、さらにはダオメ王国以前に遡る慣習であることは言うまでもないが、アサンと呼ばれる祭壇、とりわけ先端に装飾板が載せられたタイプのそれは十九世紀以降に登場したものである。もっとも、装飾板とその上に鉄や真鍮、銀などの細工が施されたアサンは王族に関するものに限られていたし、彼らを祀るアサンはそれぞれに帰せられるシンボル、例えば王グレレ（在位一八五八―一八八九）を記念するあるアサンは、その権力を示すような馬、犬、コウモリ、傘といった主題が選ばれ、いくつかの主題が象徴的・言葉遊び的に組み合わされていた（図18）。またグレレを顕彰する別のアサンは家族や家系の連なりを意味する「紐」を象ったものが付されるなど、ダオメ王国に伝わる伝承をもとに図像学的に解釈すべき造形をアサンは備えていた。フランスの植民地化に抵抗した王として名高いベアンザンを称えるアサンにしても、卵を握る手を象り、「大地が望むところの卵を掴む手」、すなわち皆がその出現を待ちわびる存在としての王ベアンザンを象徴的に示しているとされる[19]（図19）。それぞれのアサンに仮託された象徴的なメッセージの解読は伝承に依るものも多く正確な読解はなかなか難しいが、ここで指摘すべきことは、読解そのものより装飾板上の造形表現の変化にある。

上に述べたように、動物などの象徴的図像を組み合わせ、祭壇が捧げられる対象を指示する図像学的伝統がかつては存在していたが、王国の崩壊以降、アサンの使用は徐々に大衆化し、往時の象徴的な主題や打ち出し技法等による金属製彫像にとって代わり、複数の人物像が織りなす群像表現が徐々に採用されるようになる。そして、二十世紀初頭から民衆のあいだで使用されはじめたアサンの装飾板、とりわけアボメイ周辺で製作されたアサンの装飾板に現れはじめたのが、他ならぬ失蝋法による彫像だった（図20、21、22）。真鍮とは異

図 15　作者不明，地方首長のためのアサン，1930 年頃（Edna G. Bay, *Iron Altars of the Fon People of Benin* [exh. cat.], Emory University, 1985, p. 44 より）

図 16　市場で販売されるアサン［1919-20 年頃の絵葉書］,（Suzanne Priceton-Blier, *Asen: Mémoires de fer forge*[exh. cat.], Musée Barbier-Mueller, 2019, p. 17 より）

図 13　アサン［特別展 “Frapper le fer”（鉄を打つ）にて］，ケ・ブランリ美術館，2020 年，筆者撮影

図 14　先祖への祈りの模様, アボメイ, 1930 年［壁に複数のアサンが立てかけられている］（*Pour une reconnaissance africaine: Dahomey 1930* [exh. cat.], Musée Albert-Kahn, 1996, p. 175 より）

なる銅合金や鉄などで製作されたものが多いが、商業的ないし観光客向けと見なされた真鍮製小像と同じく失蝋法で製作されたそれらの彫像は、細長い腕と脚、薄く平らに伸ばされた手、写実的な顔や衣服を備えている（図23）。ベイはアサンの造形表現の変遷をたどりつつ、こうした変化を、ダオメ王国の崩壊と植民地化、ダオメへの失蝋法の伝播とフントンジ家のより広い顧客層の開拓と結びつけ、さらにはその結果として生じた観光客向けの真鍮製彫像の製作とその応用として、装飾板の造形変化を捉えている。王国文化から観光客向けの文化へ、そして再びダオメの宗教的実践やフォン人の社会へと回帰する一連の流れをベイは次のように説明する。「伝統的なアフリカ美術は近代化及び西洋との接触によって退廃した、という一般的に受け入れられた知識をものともせず、アサンは二十世紀に開花したのだ。その開花は、フォン

図17 親族用礼拝所とそこでの祈念の様子，ウィダー，2010年（*Frapper le Fer*[exh. cat.], musée du quai Branly-Jacques Chirac/Actes Sud, 2019, p. 127より）

図18 作者不明，グレレ王のためのアサン，19世紀末―20世紀初頭（Paul Mercier, *Catalogues VII: Les Ase du musée d'Abomey*, IFAN, 1952, p. 86より）

図19 作者不明，ベアンザン王のためのアサン，19世紀末―20世紀初頭（Paul Mercier, *Catalogues VII: Les Ase du musée d'Abomey*, IFAN, 1952, p. 93より）

図22　作者不明，ウィダーで製作されたアサン［失蝋法による鋳造ではなく鍛造による彫像が装飾板に付されている］，20世紀初頭（Suzanne Priceton-Blier, *Asen: Mémoires de fer forge* [exh. cat.], Musée Barbier-Mueller, 2019, p. 99 より）

図20　葬儀の場のアサン［装飾板には失蝋法によるものと思われる彫像が付されている］，カンカンフエ［ベナン南西部の街］，1930年（*Pour une reconnaissance africaine: Dahomey 1930* [exh. cat.], Musée Albert-Kahn, 1996, p. 175 より）

図23　アロハ・アバコジ，アサン，1984年（Edna G. Bay, *Asen, Ancestors, and Vodun: Tracing Change in African Art*, University of Illinois Press, 2008, p. 130 より）

図21　作者不明（フントンジ家の一員と目されている），アサン，20世紀（Suzanne Priceton-Blier, *Asen: Mémoires de fer forge* [exh. cat.], Musée Barbier-Mueller, 2019, p. 119 より）

人芸術家たちが鋳造をツーリストアートから宗教芸術へと変質させ、王政によって独占されていた形態をフォン人社会のあらゆる階層にて礼拝される民主的な伝統へと変えてきたことと並行している」[20]。西洋との接触による「伝統的」「真正の」アフリカ文化の退廃というイメージは、古くから存在しいまだ根強く残るものだが、こうしたイメージでは捉えられない文化と歴史のダイナミックな流れ、そこに見いだされる造形表現の伝統と革新、そして植民地状況下で強いられる必ずしも自由でない商業的文脈のなかから現れてくる新たな創造的実践が、ダオメの真鍮製彫像の歴史を通じて垣間見えてくる。

結びにかえて

本章は「ツーリストアート」と見なされる造形物のうちに含まれる伝統と革新を、植民地状況下のダオメにおける真鍮製彫像の登場と受容の歴史から探ってきた。アボメイ王宮群の中庭で今なお販売されている失蝋法による真鍮製彫像に関して、その製作技法が植民地状況下に導入されはじめたものであること、さらに、日常的風景をはじめとした「ジオラマ」的主題が宗主国との接触のなかで見いだされたという事実は、「伝統的」「真正の」ダオメ文化イメージを思い描く人々にとっては否定的要素かもしれない。とはいえ、商業的・観光的な需要のなかで製作されはじめた真鍮製彫像は、その造形技法や表現の探求とともに、新たな形で既存の宗教的文化と結びついていく。もちろん、ここで植民地主義によってダオメの「アート」が刷新されたとか新たな可能性がもたらされたという歴史認識を示したいわけではない。重要なのは、植民地化の罪悪とその歴史をつねに意識しつつも、近代西洋との接触によるアフリカ文化の「退廃」や、「伝統的文化」「真正の文化」の喪失といった誘惑的な（帝国主義的）ノスタルジーに耽る前に、植民地支配を通じた文化変容の実態やそこから生じた様々な表現の内実により肉薄し考察する作業であろう。そのような作業を通じて、植民地的支配に翻弄される被支配者の姿が明らかになる一方で、植民地化の困難のなかでも自らの創造性を維持し、「伝統」を基盤としつつ自らの文化を主体的に「革新」する可能性を探ろうとする被支配者側の探究心もまた浮かび上がってくるだろう。ダオメのツーリストアートを通じて見えてくるのは、植民地状況に置かれたアフリカの造形文化の変遷であり、そこに巻き込まれた人々の錯綜する思惑、そして絶えず生き続ける創造的営みの痕跡にほかならない。

【註】

（1）　M. Mount, *African Art: The years since 1920*, Indiana University Press, 1976, p. 39, 61.

（2）　*Ethnic and Tourist Arts: Cultural Expressions from the Fourth World* (ed. N. H. H. Graburn), University of California Press, 1976. D. L. Hume, *Tourism Art and Souvenirs: The material culture of tourism*, Routledge, 2014. B. Jules-Rosette, *The Message of Tourist Art: An African Semiotic System in Comparative Perspective*, Springer Science+Business Media, 1984.

（3）　"Information pratique", http://www.epa-prema.net/abomey/infos.htm（最終閲覧日二〇二〇年七月二十日）イェマジェ家によるアップリケについてはS. P. Blier, *Royal Art of Africa*, Laurence King, 1998, pp. 118-119を参照のこと。フンド家による彫刻はS. P. Blier, *African Vodun*, University of Chicago Press, 1995にいくつかその図版（pl. 68, 83, 92）を確認することが可能である。またケ・ブランリ美術館にもフンド家が木彫部分を手掛けたレカド（収蔵品番号71.1934.104.1）や占術板（収蔵品番号71.1938.17.3）が保存されている。

（4）　Kjersmeier, *Centres de Style de la sculpture nègre africaine*, 2e vol., Albert Morancé, 1936, pp. 38-39.

（5）　*L'illustration*, 18 juin 1927.

（6）　M. Herskovits, "The Art of Dahomey I-Brass-Casting and Appliqué Cloths", *The American Magazine of Art*, vol. 27, n°2, 1934, pp. 67-76. M. Herskovits, *Dahomey, An Ancient West African Kingdom*, vol. II, Northwestern University Press, 1967, pp. 355-61.

（7）　Suzanne Preston Blier, "Melville J. Herskovits and the Arts of Ancient Dahomey", *RES: Anthoropology and Aesthetics*, No. 16(Autumn), 1988, pp. 124-142[p. 129].

（8）　失蝋法は世界各地で幅広く用いられている彫像技法の一つであり、その大まかな工程は次のとおりである。まず蜜蝋を用いて原型を塑像したのち、粘度及び耐火度をもたせた土で原型と湯道を覆う。このとき溶かした金属を流し込むために湯道の先だけを覆わずお猪口状に粘土で湯口を設ける。原型を包んだ土を焼き、溶けた蜜蝋を湯口から外へと排出することで鋳型ができあがる。鋳型を十分に焼成したのち、溶かした金属を湯口から流し込み、内部の金属が固まったのちに鋳型を壊し、中から鋳造品を取り出すと原型の形態を反映させた彫像が獲得できる。その後、湯道の切断痕や表面全体をヤスリやタガネを使い整えたうえで、タガネ等による装飾を行ったり、別に製作したパーツを取り付けたりして完成へと至る。なお、失蝋法を含め金属彫像の基本的な事柄について、谷岡靖則氏（東京藝術大学）から数多くのアドバイスを頂いた。この場を借りてお礼申し上げる。

（9）　ibid., pp. 128-9.

（10）　Edna G. Bay, *Iron Altars of the Fon People of Benin* [exh. cat.], Emory University Museum of Art and Archaeology, 1985, p. 27. E. G. Bay, *Asen, Ancestors, and Vodun: Tracing Change in African Art*, University of Illinois Press, 2008, pp. 60-77.

（11）　J. Cordwell, "Human Imponderables in the Study of African Art" in: *The Visual Arts, Plastic and Graphic* (ed. Justine M. Cordwell), Mouton, 1979, pp. 469-512.

（12）　Emile Merwart, *L'art dahoméen, collection du gouverneur Merwart*, Exposition coloniale de Marseille, 1922, p. 21.

（13）　詳しくは以下を参照されたい。柳沢史明『〈ニグロ芸術〉の思想文化史――フランス美術界からネグリチュードへ』水声社、二〇一八年、五章。

（14）　A. E. Horner, "Tourist Arts in Africa before Tourism", *Annals of Tourism Research*, vol. 20, 1993, pp. 52-63.

(15) Archives, "Dakar, le 4 Décembre 1936, le Gouverneur général de l'Afrique O. F. à Monsieur le lieutenant-Gouverneur du Dahomey", Archives nationales du Bénin, Série G 2G3.

(16) Archives, "Urgent Télégramme-Lettre-Officiel. Porto-Novo, le 10 mars 1937", Archives nationales du Bénin, Série G 2G3.

(17) Archives, "Porto-Novo, le 8 janvier 1937"(télégramme), Archives nationales du Bénin, Série G 2G3.

(18) Nelson H.H. Graburn, "Introduction", *Ethnic and Tourist Arts*, University of California Press, p. 5.

(19) E. G. Bay, *Iron Altars of the Fon People of Benin* [exh. cat.], Emory University Museum of Art and Archaeology, 1985, pp. 41-2; E. G. Bay, *Asen, Ancestors, and Vodun: Tracing Change in African Art*, University of Illinois Press, 2008, pp. 106-7.

(20) E.G. Bay, *Iron Altars of the Fon People of Benin* [exh. cat.], Emory University Museum of Art and Archaeology, 1985, p. 5.

＊ 本研究は、公益財団法人稲盛財団による稲盛研究助成（二〇一九年度）、及びＪＰＳＰ科研費 19K12977 の助成を受けたものである。

【さらに詳しく知りたい人へのガイド】

① 吉田憲司／ジョン・マック編『異文化へのまなざし——大英博物館と国立民族学博物館のコレクションから』（展覧会カタログ）、ＮＨＫサービスセンター、一九九七年。

② Christopher B. Steiner, *African Art in Transit*, Cambridge University Press, 1994.

異文化との接触のなかで造形物の主題・素材・形態等が変化する事例は、アフリカ諸地域のみならず広く世界中に見られる。①はアフリカを含め世界各国の様々な事例を介して造形表現に現れる異文化や「他者」の存在を炙り出している。近代以降の西洋による世界進出は植民地支配を含め様々な悲劇をもたらしたが、各地で既存の文化に新たな素材や技法をもたらす契機ともなっていたことを、これらの事例は示している。②の書は、コートジボワールのアビジャンでのフィールドワークにもとづき、「本物」を求める観光客の心理にあわせて彫刻・仮面等を製作・販売する当地の人びとの活動に迫っている。彫刻に古色を施したり、他の観光客の目に触れていない彫刻を求める西洋人の心理をつき売りたい彫刻をあえて隠したりと、販売用彫刻の作り手や売り手、トレーダーの活動や思惑、その種々のテクニック等を介してアフリカと「アート」との関係を分析する好著である。

5

ソープストーン彫刻に見る人びとの生活と関わり合い
——ケニア・グシイ地方の制作現場から

板久梓織

はじめに

ケニア西部に石の彫刻をつくる人びとがいる。滑らかな触り心地のこの石はソープストーンという石で、柔らかく彫刻しやすいのが特徴である。ケニアのソープストーン彫刻は国外にも輸出されていて、日本でも購入できる。採石場はキシイ県とニャミラ県にあたるグシイ地方に集中しており、グシイ地方の開発計画に関する政府刊行物はソープストーンを地域固有の資源と位置づける[1]。採石後の彫刻や装飾といった加工もグシイ地方で行われており、当該地方においてソープストーン彫刻産業は地域産業となっている。グシイのソープストーン産業の歴史的展開と産業が抱える問題を分析したオニャンブとアカマは、グシイ地方において製鉄やカゴ細工、革製品や織物などの産業が廃れていったなかで、本産業のみが植民地時代を経て生き残ったことを指摘する。そして、本産業が当該地域に暮らすグシイの人びとの生計を支え、経済的に重要な伝統産業であると述べる[2]。それと同時に、本産業の利益の多くがミドルマンによって搾取され、生産地が経済的に不利な状況にあることも指摘する[3]。ケニアの観光都市モンバサを中心に工芸品仲買に携わる人びとに注目したマホニーもまた、ソープストーン彫刻をはじめとしたケニアの手工芸品産業において、フェアトレードが仲介者による搾取の構造を不可視化すると危険視する。ただしマホニーは、生産地の制作者と同様に、ケニア国内の仲介者もまた、依然として経済的に不安定な状態にあると述べる[4]。

このように先行研究では、ソープストーン彫刻の生産・制作地域において産業に従事する人びとが経済的に恵まれていない状況にあることが指摘されてきた。しかし、本産業に携わる人びとの実際の仕事量と収入にまで触れられることはなく、産業の全体だけをみた表面的なもので具体性に欠けていた。そこで本章では、生産・制作地域において産業に携わる人びと[5]との具体的な収入状況に踏み込み、彼らの経済状況を明らかにする。そして、本産業で生計を立てる人びとが織り成す相互行為の一端を提示したい。なお、本章で扱うデータおよび事例は二〇一七年から二〇一九年の間に実施した計八カ月間の現地調査にもとづくものである[6]。

以下では、まずグシイ地方のソープストーン彫刻産業について紹介する。その後、商品制作の流れを概観し、各工程に携わる作業従事者[7]の一日の収入を提示する。そして、制作の一端を担う彫刻に装飾を施すデコレーターの一週間の家計簿と一日の過ごし方を手掛かりに、ソープストーン彫刻が生活の糧であることを論じる。さらに、ソープストーン彫刻産業に従事する人びとの間の関わり合いを記述していく。

ソープストーン彫刻産業とグシイ

ソープストーン彫刻は置物、ボウル、皿、トレイ、花瓶、小物入れ、コースター、花瓶、チェス、キャンドル立てなど種類が豊富である（図1）。例えば置物は動物像（図2）や家族像、ハート（図3）、天使像（図4）、恋人像（図5）などあり、皿や箱は円や四角形から、アフリカ大陸（図6）や動物の形をしたものまであり、形も大きさも多種多様である。

現在ではソープストーン彫刻産業はグシイの地域産業となっているが、グシイの人びとにとってソープストーンはもともと、粉状にしたものを儀礼の際に顔や体に塗ったり、盾を装飾したりするために使用されていた。一九一〇年代頃からの喫煙パイプなどの実用品制作に端を発し、一九三〇年代に訪問者向けに動物の像が作られ始めた[8]。一九五〇年代終わりには、ひろく東アフリカ内外で売買されるようになり[9]、その後ケニアのツーリズムの興隆と共に需要が高まっていった。オニャンブとアカマによれば、今日のソープストーン彫刻産業の圧倒的大部分が観光市場向け商品で占められている。しかしオニャンブとアカマが「エリート」[10]と呼ぶ、世界各地のギャラリーやアート市場で作品を制作するグシイのソープストーン・アーティストも登場して活躍するようになった[11]。

観光市場に加えて、フェアトレードのブームに乗じる形で、ソープストーン彫刻は、国内のツーリスト・アートから国際的な工芸品市場へと販売市場を広げていった[12]。ケニア国務省と産業貿易協同組合による「総合的な国家輸出開発および振興戦略（Integrated National Export Development and Promotion Strategy）」の輸出貿易の対象となる手工芸品の中に、革製品やビーズなどと並んでソープストーン彫刻も含まれている[13]。マホニーがアメリカ合衆国でソープストーン彫刻が売られているのを見つけたように[14]、日本においても、無印良品と国際協力機構（ＪＩＣＡ）との共同プロジェクトが二〇一〇年から開始し、無印良品で二〇一五年まで販売されたこともある。このプロジェクトでは日本の一村一品運動をモデルに、ソープストーン彫刻の商品（動物の置物やペンスタンドなど）を

図1　国内外の市場に出回るグシイのソープストーン彫刻（2017 年 9 月 11 日，筆者撮影）

図2　動物像（2019 年 10 月 2 日，筆者撮影）

図3　ハートのボウル（左）とオブジェ（右）。下にあるのは携帯電話（2019 年 10 月 30 日，筆者撮影）

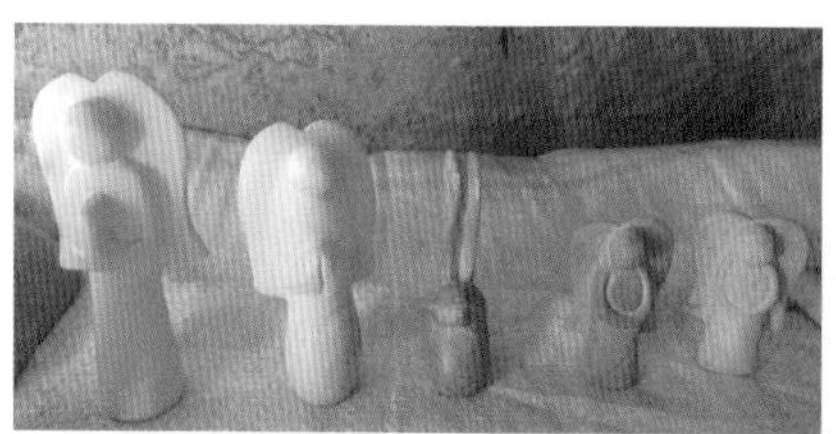

図4　装飾を施していないナチュラルな色の天使像（2019 年 9 月 18 日，筆者撮影）

図5　未装飾の石本来の色の恋人像（周囲の像も人物像）（2018 年 10 月 22 日，筆者撮影）

図6　アフリカの形の小物入れ。ケニア部分を取って蓋を開ける仕組み（2020 年 6 月 23 日，筆者撮影）

開発し、クリスマスギフトとして販売した[15]。

東アフリカのコンテンポラリー・アートに関する概説書において「キシイ・アート（Kisii Art）」と紹介されるように[16]、グシイのソープストーン彫刻は一定の知名度がある。その一方で、産地や制作地を強調しない東アフリカの代表的なアートのひとつとして、あるいは販売される国の土産物として、周辺国に輸出もされている（図7）。このように、今日のソープストーン彫刻はケニア内外で販売されており、さらにそこには生産地が認識されている／されていないという両側面が共存している。

図7　ザンジバルと書かれた小物も，グシイ地方で制作されている（2019年9月20日，筆者撮影）

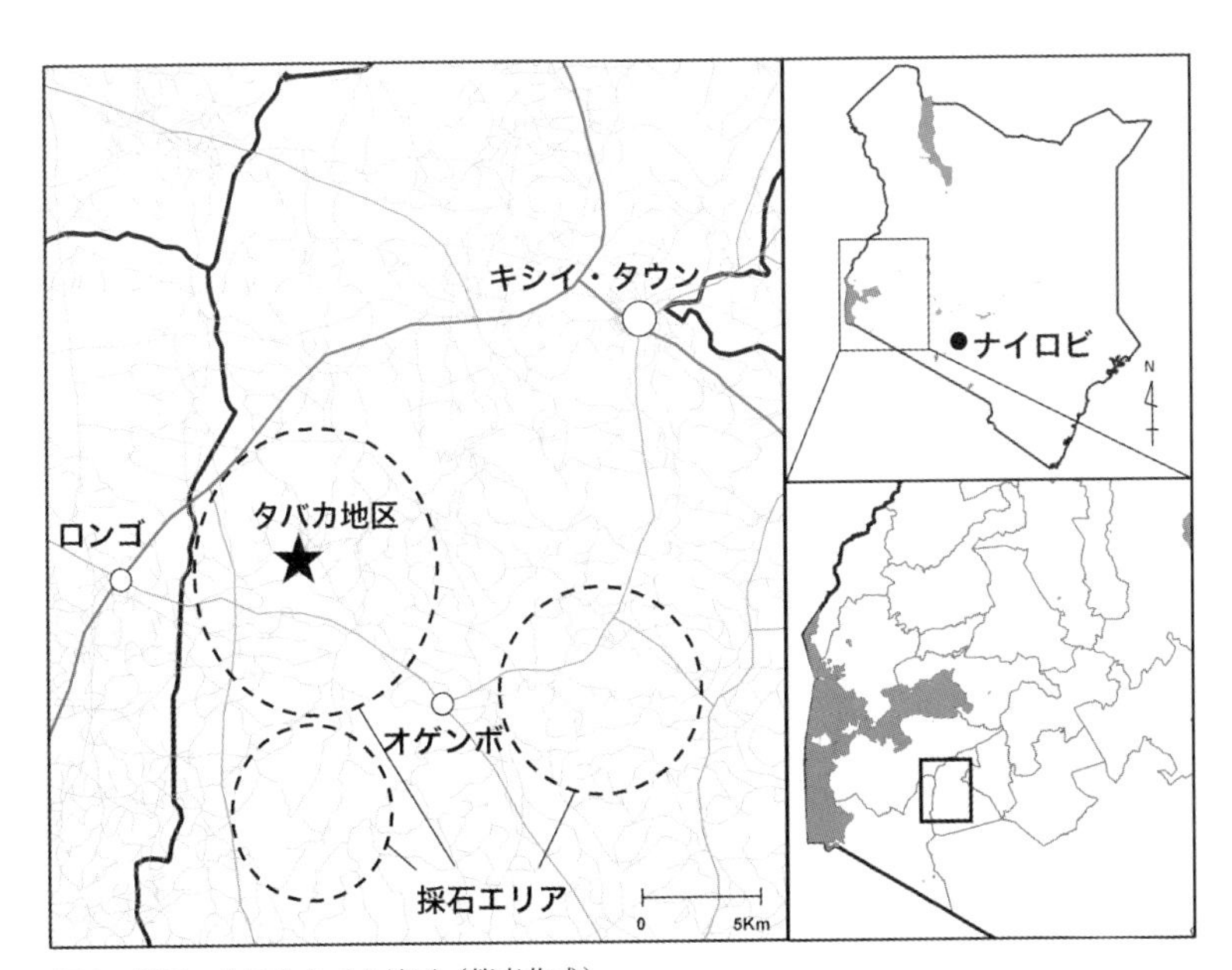

図8　採石エリアとタバカ地区（筆者作成）

図9　店の様子。中にはストックが多数ある（2017年9月14日，筆者撮影）

キシイ県内に位置するタバカ地区は国内外で販売されるソープストーン彫刻産業の中心地であり、取引の起点でもある。販売店や作業場はここに集中している（**図8**）。タバカ地区はキシイ県内で最も大きい町であるキシイタウンから二五キロほど離れた山に囲まれた丘陵地帯にあり、八四一九世帯・人口三万四六五〇人[17]である。タバカ地区の中でも二つの通りが交差する場を中心とした半径二五〇メートル内に販売店舗が最も集中している。中心地にはおよそ六十軒の店舗があり、わずかな企業を別にして個人商店である（**図9**）。これらの店では観光客の訪問も想定されているものの、観光地ではないため、また、交通の不便さも相まって観光客が訪れることは稀である。そのため、ナイロビやモンバサ、諸外国へ売るための卸売を主としている。この卸売に至るまでの制作工程を主体的に担っているのがグシイの人びとである。

制作の流れ

彫刻の制作は、採石・彫刻・研磨・装飾・艶出しの順で行われ、それぞれの作業は独立している。ここで商品制作の流れ[18]を彫刻以降の作業に注目して簡単に紹介しよう。彫刻師は、採石場の所有者に採石した分の石の代金を、そして採石者に作業代金を支払いソープストーンを手に入れる。キーホルダーのチェーンを通すための小さな穴を開ける場合や、箱など深さのあるものを彫る場合は機械を用いるが、基本的には手作業で彫る（**図10**）。その後、彫刻師は彫刻したものをタバカ地区の卸問屋に売る。彫刻師もデコレーターもケニア内外の市場で商いをする顧客を抱えていれば直接彼らに売るが、通常タバカ地区の卸問屋へ売りに行く。卸問屋の店主は彫刻

図 10　彫刻師たち（2018 年 10 月 2 日，筆者撮影）

図 11　店の軒先で研磨作業をする女性たち（2019 年 10 月 29 日，筆者撮影）

図 12　装飾作業をするデコレーター（2017 年 10 月 3 日，筆者撮影）

図 13　艶出しをする女性（2019 年 8 月 27 日，筆者撮影）

を購入後、やすりを用いて滑らかに仕上げる研磨作業を日雇いの研磨作業者に依頼する（図11）。その後店主は未装飾のままのものか、デコレーターに装飾してもらったものを売る。未装飾のものは購入者が装飾を施すか、石本来の自然な色のまま取引される。装飾の工程では、彫刻全体に色が塗られ、黒の油性マーカーペンとナイフで模様が描かれる（図12）。装飾と交互に作業が行われるのが、床磨きのワックスや靴墨を塗って、サイザル麻の紐をほぐしたもので磨く艶出し作業である（図13）。艶出し作業者は、デコレーターや店主に雇われる形で、艶出しのほか布でほこりを取る作業や彫刻の運搬など諸々の雑務をこなす。デコレーターがペンで動物や植物などをデザインした後、艶出し作業をし、その後再びデコレーターがナイフで模様を彫り、最後に艶出し兼ほこり取りの作業をする、というように、デコレーターと艶出し作業者は交互に作業するので同じ場所で作業することが多い。

　彫刻師やデコレーターは、注文者からの要望を受けて制作することが多々ある。また、自分でオリジナルな物を制作して顧客に売り込むこともある。彫刻や装飾には一定の技術が必要とされる反面、仕事を始めるのは驚くほど容易で、徒弟制のような技術習得のプロセスもみられていない。研磨作業や艶出し作業も敷居は低い。本産業に従事するきっかけを聞くと、概ね「家族や親族、友達、近所の人がやっていたから、よいビジネスになると思ったから」という回答が返ってくる。

一日の収入

作業従事者の大部分は企業に属さず個人で仕事をしている。各作業は基本的に日雇いの仕事である。日当価格が決まっている艶出しは例外として、その他の作業は彫刻の種類と作業した量に応じた額が支払われる。ソープストーン彫刻の作業価格は産業全体で規定されていないため、それぞれ取引する者同士の交渉によって決定される。一日の収入について私が聞き取りしたのは延べ十四人で、彫刻、研磨、装飾、艶出しの作業従事者が各三名、販売者が二名である（**表1**）。なお、グシイ地方ではキリスト教が広く信仰され、安息日以外の週六日働く。

十四名の一週間の収入を集計し、一日あたりの平均収入を算出すると、基本的に制作工程の作業（彫刻、研磨、装飾、艶出し）の収入の多くが一〇〇〇シリングに満たない結果となった[19]（**表2**）。なお、一ケニア・シリング（KES）はおよそ一円である（以下シリングとし、今後出てくる価格帯は全てシリングを単位とする）[20]。ケニアの国家統計局によると、二〇一九年のフォーマルセクターによる年間の平均給与は七七万八二四八シリングであり[21]。これは単純計算で一カ月六万四八五四シリング、一日約二四九四シリング（週六日働いた場合）となり、販売を除いた制作工程の従事者の平均収入はそれより大幅に低い結果となった。なお、二〇一四年にキシイ県で実施された世帯調査のレポートによれば、年間の平均給与は四八万七一〇〇シリングであり[22]、同年のケニアの国家統計局による年間の平均給与額約五五万三一三八シリング[23]と比べ、キシイ県の給与は低くなっている。キシイ県の年間の平均給与を単純計算すると、一カ月約四万五九二シリング、一日約一五六一シリングとなり、本産業による収入はキシイ県の中でも低い傾向にあるといえる。もちろん、農業などの別収入の有無や配偶者の収入状況の度合いによって、それぞれ家計状況は異なるだろう。聞き取りをした人の中には、別収入がある人もいる。しかし、そのような人も含めて聞き取りした人びとは皆生活費を捻出すべく本産業に従事しており、なおかつ誰もが経済的に安定した状況にはない。それは、制作工程の中で高い収入結果となった販売においても同様であ

	彫刻			研磨			装飾			艶出し			販売	
年齢	35	34	48	42	48	51	38	41	47	24	32	46	28	48
性別	男	男	男	女	女	女	男	男	男	男	女	女	男	女
パートナーと子供	有	有	有	有(子のみ)	有	有	有	有	有	無	有	有	有	有

＊　年齢は2019年8～11月当時のもの

表1　一日の収入についての聞き取り調査協力者一覧（出所：筆者が2019年8月から11月にかけて実施した調査による）

	彫刻	研磨	装飾	艶出し	販売＊
一日あたりの平均収入	514KES	117KES	882KES	289KES	4395KES

＊　販売者は収入が毎日あるわけではない。調査した一週間の間に，二名のうち一名は1回，もう一名は3回収入があった。一名が注文を受ける毎に彫刻を用意するのに対し，もう一名は在庫を十分に用意しているため，一週間単位でみると，彫刻の購入や研磨などにかかる費用が注文と呼応する形で表れていない。ここで提示した平均収入は，一週間の単位での金のやりとりに注目したもので，原価や作業費などのコストを引いた純利益ではなく，一週間の内の収入から支出を差し引いた売上高である。

表2　各作業の一日あたりの平均収入（出所：筆者が2019年8月から11月にかけて実施した調査をもとに作成）

る。注文数は毎週変わるため、販売に従事する人たちには週によって収入差があり、また、注文がない場合は無収入となってしまうこともある。各作業の中での収入の高低差はあれど、その多くが余裕のある暮らしを送っていないのが、収入面からみた本産業の状況である。

しかし、収入面だけでなく、実際の出費面や暮らしもみなければ、余裕のある暮らしをしているか否かは判断できないだろう。そこで次節では、デコレーターに注目して、実際に本産業に携わる人がどのように生活しているのかをみていく。

ソープストーン彫刻で生計を立てる
――デコレーターの事例から

ソープストーン彫刻産業に従事して生計を立てるということは具体的にどういうことだろうか。本節ではデコレーターUに焦点をあて、家族や仕事、収支状況について詳しくみていきたい。なお、デコレーターUに関する情報は二〇一九年八月―十一月当時のものである。

デコレーターUの基本情報と仕事

タバカ地区に暮らす二十八歳のデコレーターUは、彼の仕事を手伝う妻(二十四歳)と、四歳の娘と生後三カ月の双子の兄弟の五人家族である。Uはソープストーン彫刻にビジネスチャンスがあると考え、友人から装飾作業を学んだ後独立した。故郷は地区から約五キロ離れたところにあり、タバカ地区で作業用と居住用にアパートの隣接する二室を借りて暮らしている。本産業従事者は基本的に農耕と牧畜を仕事と両立して行っている。[24] しかし、Uはソープストーン彫刻で生計を立てると決心して故郷から離れたタバカ地区に部屋を借りて生活している。そのため、Uは現在自家消費用の畑や乳牛を持たない状況にある。妻は出産したばかりであり、Uの作業を手伝っている。妻が独立して得る収入はなく、U家の収入はUの稼ぎのみである。ソファと木製ベッドがある他の作業従事者の暮らしぶりと比較して判断すると、そのどちらもなく、床に直接マットを敷いて寝るU家は貧しいといえる。

アパートの大家もまた、ソープストーン彫刻の卸問屋を経営しており、その問屋裏のアパートでUは暮らしている。大家兼問屋店主は、数人のデコレーターに装飾の仕事を依頼しており、Uもその一人だ。Uはタバカ地区内だけでなく、ナイロビやモンバサ、諸外国などタバカ地区外にも顧客を抱えている。タバカ地区外から注文を受けると、Uは彫刻を購入し装飾を施して、商品を顧客に送る。このように、タバカ地区外からの注文を受けた際には装飾だけでなく仕入れも担うことになる。タバカ地区外の顧客からの取引は通常電話を介してなされ、代金は携帯電話を用いたモバイル送金・決済サービスであるエムペサ[25]（M-Pesa）を通じて支払われる。

Uは助手として日雇いのデコレーターを平均して二名から三名雇っている。彼らは基本的に土曜日か日曜日の安息日を除いて毎日仕事に来る。仕事がないときは呼ばない。というのも、Uの助手A、B、Cはナイフで模様を彫る作業（彼らはこれをオープニングと説明する）のみを行うため、その前の彫刻全体の色付けと黒の油性ペンによる模様付けの作業が終わっていないと、彼らの仕事はないからである。このほかに、もう一名Dを雇う。Dの仕事は艶出しのほか、彫刻全体の色付けをしたり、彫刻の運搬をしたり、その他おつかいをしたりと一日八時から十八時まで諸々の雑務をこなす。

一週間の家計簿

U家のある一週間の家計簿を切り取ってみると、日によって収支に差があることがわかる（表3）。例えば、一日に一万一二七〇シリング得られる日もあれば、収入がなく出費だけでマイナスになる日もある。また、少しでも金が余れば貯金に回すと話す。例えば月曜日、Uは収入から人件費や食費を差し引いた七七〇シリングのうち二〇〇シリングを貯金した。このように日々貯金に勤しむが、金曜日にザンジバルからの注文が入ったときのように、ときには牛肉を買うことも

曜日	収入	支出	差額
月	タバカ地区内の店主①からの注文 2,000KES ：3in ボウル 400 個× 5KES ＝ 2,000KES ▶ 計 2,000KES	**人件費：計 800KES** 助手 A, B　3in ボウル各 100 個× 3KES ＝ 300KES（計 600KES）， 助手 D　200KES **食費：計 430KES**（ケール 20KES，トマト 20KES，玉ねぎ 10KES，牛乳 200KES，卵 60KES，砂糖 1kg100KES，ケール 20KES）	＋ 770KES
火	ナイロビの顧客からの注文 5,000KES 分： 4in ボウル 100 個× 30KES ＝ 3,000KES （店主①から 18KES/ 個で購入） アフリカマグネット 100 個 × 20KES ＝ 2,000KES（←タバカの彫刻師から 12KES/ 個で購入） ▶ 彫刻購入費を引くと計 2,000KES	**人件費：計 1,200KES** 助手 A　4in ボウル　100 個× 3KES ＝ 300KES アフリカンマグネット　100 個× 3KES ＝ 300KES B　3in ボウル 200 個× 3KES ＝ 600KES **食費：計 440KES** （ドーナツ 70KES，牛乳 100KES，トマト 20KES，米 50KES，肉 200KES）	＋ 360KES
水	タバカ地区内の店主 2 名からの注文計 2,900KES 分： ①からの注文 1,700KES 分： 6in ボウル 100 個× 12KES ＝ 1,200KES 4in ボウル 100 個× 5KES ＝ 500KES ②からの注文： 4in ボウル 200 個× 6KES ＝ 1,200KES ▶ 計 2,900KES	**作業用物品購入費：計 740KES** 塗料：オレンジ 100KES，ライトブルー 100KES，赤 300KES，コットン 80KES，塗料用シンナー 2 個× 80KES ＝ 160KES **人件費：計 1,390KES** 助手 A, B 各　6in ボウル　30 個× 5KES ＝ 150KES 4in ボウル　100 個× 3KES ＝ 300KES（計 900KES） 助手 C　4in のボウル　30 個× 3KES ＝ 90KES 6in のボウル　40 個× 5KES ＝ 200KES 助手 D　200KES **食費：計 478KES**（チャパティ 80KES，牛乳 200KES，砂糖 1kg100KES，パン 50KES，卵 4 個× 12KES ＝ 48KES）	＋ 292KES
木	モンバサの顧客からの注文 5,800KES 分： アフリカマグネット 160 個 × 20KES ＝ 3,200KES（タバカの彫刻師から 12KES/ 個で購入） 4in ボウル 20 個× 30KES ＝ 600KES（店主①から 18KES/ 個で購入） 8in ボウル 20 個セット × 100KES ＝ 2,000KES（←店主①から 40KES で購入） ▶ 彫刻購入費を引くと 2,720KES	**人件費：590KES** 助手 A　アフリカンマグネット　50 個× 3KES ＝ 150KES 4in ボウル　10 個× 3KES ＝ 30KES 助手 B　アフリカンマグネット　50 個× 3KES ＝ 150KES 4in ボウル　20 個× 3KES ＝ 60KES, 助手 D 200KES **食費：計 520KES** （牛乳 150KES，チャパティ 70KES，魚とウガリ 300KES）	＋ 1,610KES
金	ザンジバルからの注文 12,200KES 分： 3in ボウル 650 個× 6KES ＝ 3,900KES 4in ボウル 500 個× 8KES ＝ 4,000KES コースター 50 個× 30KES ＝ 1,500KES アフリカマグネット 400 個 × 7KES ＝ 2,800KES ▶ 計 12,200KES	**人件費：計 200KES**　＊この日は一日下地の色つけで助手 D のみ **食費：計 730KES** （サツマイモ 100KES, 牛乳 200KES, レストランから豆 50KES，バナナ 20KES，米 1kg120KES，500g 牛肉 200KES，ケール 20KES，トマト 20KES）	＋ 11,270KES
土	安息日のため仕事せず ▶ 計 0KES	**食費：計 320KES** （ドーナツ 80KES，牛乳 200KES，ケール 20KES，トマト 20KES）	－ 320KES
日	木，金で受けた注文の作業を行う （助手不在。夫婦で一日下地の色つけ） ▶ 計 0KES	**食費：計 380KES**（ケール 20KES，バナナ 60KES，砂糖 1kg100KES，芋 50KES，牛乳 100KES，かぼちゃの葉 50KES）	－ 380KES

表 3　U の一週間の出入金（出所：筆者が 2019 年 10 月に実施した調査をもとに作成）

ある。肉は、ニワトリ、ウシ、ヤギなどがあるが、いずれも毎日食べるものではない。肉を食べるのは、冠婚葬祭や客人の訪問時、あるいは大金が手に入ったときなど、特別な日の食事に限られる。[26]なお、この週の一週間の総収支は一万三六〇二シリングのプラスであった。

タバカ地区の内と外では、装飾の単価は異なり、タバカ地区外からの顧客による依頼のほうが単価が高い。また、取引相手に応じて彫刻の価格帯も異なる。例えば四インチ（約一〇・二センチメートル[27]）のボウルを装飾して得られる額は、タバカ地区内の顧客による注文であれば五―六シリング、ザンジバルの顧客による注文であれば八シリング、ナイロビとモンバサの顧客による注文の場合は一二シリングである。タバカ地区内での取引では、互いに彫刻の金額の相場を熟知している。それに対して外からの注文は単価を高く交渉できるため、また、そこには素材となる彫刻の仕入れ代も入るため代金が高くなる傾向にある。デコレーターや彫刻師、または店主にとって、収入が安定するかどうかはタバカ地区外からの顧客の有無によるところが大きい。ただし、タバカ地区外からの顧客から常に定期的に注文が入るかはわからない。地区外からの注文頻度は月に数回という場合もあれば、一年に一度という場合もある。また、地区外からの顧客とのやりとりは携帯を通じた会話やメッセージが主であり、注文を受ける側は依頼が前触れもなく途絶え、取引が終了してしまうリスクを常に抱えている。もちろん突然取引が終了するリスクはタバカ地区内の顧客でも同様にある。タバカ地区外の顧客との取引とは対照的に、タバカ地区内の店主になら、懐が寂しいときに注文を入れてくれないかと直接頼むこともできる。また、タバカ地区内からの注文は日々コンスタントに得られるものであり、一回の注文が少額であっても、とりあえずはその日を過ごすことができる。

U家の支出は、人件費、食費などの生活費、物品購入の主に三種類に加えて、学費、貯蓄がある。なお、キリスト教の一宗派であるセブンスデー・アドベンチスト（Seventh-Day Adventist、現地ではSDA[28]と呼ぶ）に属するUは、酒もタバコも嗜まない。

人件費は平均すると一日あたりおよそ八四六シリングかかり、日常的にかかる費用のなかで最も高い。助手A、B、Cの仕事は土台の色付けやペンによる模様付けと比べると技術を要するナイフでの模様付けに特化している。例えば、四インチ（約一〇・二センチメートル）のボウルだと三シリング支払う。

U家では、毎日必要な分の野菜を購入している。食費は三〇〇―七三〇シリングの幅があり、一日あたり平均すると四七八シリングかかる。食費を差し引くと一日の収支が三〇〇シリング程度しか残らない日もある。このような場合や、さらに助手Dや研磨などの他の作業従事者に支払う賃金がある場合、ケールの二〇シリングや玉ねぎの一〇シリングは大きな出費となる。U家の子供はまだ幼いが、育ち盛りの子供がいれば尚更食費はかさむであろう。実際、聞き取りした内の一人は、本人も夫もソープストーン彫刻産業に従事しているが、家計の事情でウシを売り、牛乳も余裕のある日にしか買えなくなってしまった。U家も食費を抑えている。だからこそ、日々、食費の捻出に頭を悩ませるU家にとって、海外の顧客から報酬を受けたときの二〇〇シリングの肉はごちそうとなる。

ある日のUの一日

朝、六時。Uの一日は祈りから始まる。その後、子供たちに朝食を食べさせ、七時半頃から作業を開始する。普段は八時頃から仕事をするが、この日はモンバサからの注文分を片付けるため、早めに始める。土台の色付けから始める予定だったが、彫刻師から前日購入した動物像をチェックすると、いくつか自立しないようなので、まずはやすりをかけて底を平らにするところから始める。妻が用意した朝食（ミルクティーとドーナッツ）をとりながら作業する。八時頃、助手A、B、Dの三名が現れたので、Uはボウルの装飾をするよう指示する。やすりがけが終わると、入浴するため一時作業場を離れる。作業に戻る前に、近くの作業場で働くデコレーターVを訪ね、少し世間話をし、Vに一六インチ（約四〇・六センチメートル）の皿にマサイのイラスト（**図14**）を描いて欲しいと頼む。Uには人を描く技術がないためである。Vに午後、皿をもってくるよう言われ、Uは作業場へ戻る。そして、動物像の色付けの作業を始める。妻が洗濯物や食器の片付けなどの家事を終えたので、そのまま妻に色付けを代わってもらい、色付けの終わったコースターに黒の油性ペンで模様を描く作業を始める。午後二時に遅い昼食をとった後、作業をしているとタバカ地区の店主が三インチ（約七・六センチメートル）のボウル四百個分の装飾の依頼にきて、彫刻品はあとで店主の助手が持ってくると伝える。二人の談笑中、娘が学校から帰ってくる。店主は帰り際、話の最中に訪ねてきたピーナッツ売りからピーナッツを買ってUの娘に与える。Uは助手Dに妻と色付けの作業をするよう指示し、デコレーターVのもとへ皿を持っていく。Vは五枚の皿に黒の油性ペンでマサイのイラストを描く。この間、UがVの作業を手伝う。

「ほうら、上手だろ？　僕には人が描けないんだ。いずれ描けるようになるとは思うけどね」

「いとこも僕もVに装飾を教わったんだよ」

「Vは優れたアーティストだよ」

図 14　マサイのイラストが描かれた皿（2017 年 9 月 14 日，筆者撮影）

と、Uは作業をしながら私にVの技術の高さを教えてくれる。

皿が乾くのを待って、Vはペンで描いたマサイのイラストにナイフで輪郭を彫っていく。皿が完成するとUはVに礼を言い、作業場に戻って黒の油性ペンによる作業を再び始める。その作業が終わると、その続きのナイフによる作業を助手たちに引き継ぐ。次に、それまでに助手たちが終えた仕事をひとつひとつチェックしつつ、助手Dと艶出しとほこり取りの作業をする。終わったものから助手Dは段ボールに詰めて梱包をしていく。途中、野菜売りが作業場を訪れて妻が野菜を購入する。もう少し、もう少し足してと野菜売りと交渉して、ケールを二〇シリング分購入する。店主の助手が約束の彫刻を持ってくるが、今日は作業できないので部屋の隅に置いておく。夕方近くになると、三日前に注文していた動物像を彫刻師が持って来る。ひとつひとつ丹念にチェックし、不備があるものをはじいていき、彫刻師に代金を支払う。彫刻師とやりとりしている最中に、違う彫刻師が商品を売りに来る。少し談笑した後、今日は購入できないことを伝え、彫刻師は違う店へと移動する。夕方になり、Uが助手たちに明日賃金を払うと約束すると、助手たちは帰っていった。

「お金を貯めるのは簡単じゃない。だから、二〇〇シリングでも余ったら貯金に回さないといけない。明日にはモンバサの顧客からお金が入るはずだ。そしたら助手たちにも支払えるよ。待っているんだ。モンバサの顧客は、違う顧客が紹介してくれたんだ。なぜって僕が優れているからさ。（皿を見せながら）どう？　この色合い、素敵だろう？　これは木、動物……うまいだろう？」

話しているうちに日は暮れて辺りは真っ暗である。その後、ときに子供を叱りながら、商品をチェックする。それが終わるとUは二十時頃に夕食をとり、祈りを済ませて二十一時半頃消灯した。

Uは安息日である土曜日を別として、このような日々を基本的に毎日続ける。[29] 装飾作業を始めとした諸々の仕事、食事、近くの友人や家族との会話、睡眠、その合間に挟まれる祈りで一日が過ぎていく。一日の時間の大部分を占めるのは装飾の仕事である。

このように、デコレーターUの事例からは、ソープストーン彫刻が生活の基盤になっていることが指摘できる。そこには、収入よりも支出が上回ることがあったり、高い報酬を得たときのたまのぜいたくとして肉を購入したり、代金が支払われるまで困窮したりする作業従事者の生がある。そのようにして紡がれる日々のなかで、ソープストーン彫刻制作は生活の糧となっているのである。

産業に携わる人びとの関わり合い

前節のUの一日において、UがデコレーターVにマサイのイラストを頼む一幕があった。このことは、ツーリスト・アートにおいてデコレーター間で技術に差があることを示しており、Uは難しいモチーフを描く必要があるとき、Vのような技量のあるデコーレーターに頼るのである。実際にソープストーン彫刻の作業工程や取引工程の場にいると、産業に携わる人びとが関わり合う場面に出会うことがある。本節では、その人びとがどのように関わりあって仕事をしているのか、その日常の一部を紹介したい。

デコレーター同士の関わり合い

UがVにマサイのイラストを頼む際、私は両者に賃金の支払いは発生するのかどうかを尋ねた。それに対して二人とも「友達だよ。そういうの（支払い）はないよ」と笑って否定した。しかし、Vの作業中、UはVの作業を行っていた。おそらく、Uは金で支払う代わりにVの作業を手伝ったのだろう。ただし、Uが作業に取り掛かる際、Vの仕事を代わりに引き受けるといった会話はみられなかったし、結果的にUが作業した個数は七個だったが、個数も事前に決められていなかった。加えて、Uは自分の仕事道具を持っていなかった。傍から見ると、Uは待っている間、手元に装飾途中の彫刻と道具があったから作業をしているように見えた。Vが友人関係であることを手伝う理由に挙げたように、Uもまた友人であるVへ、ささやかなお礼として手伝ったと考えられる。

制作工程では、時折このような手助けが見られる。そのような行為がなされる要因には上述のような友人同士の他に、親族関係や古くからの付き合いである、などといった場合もある。例えばデコレーターである。UとWはイトコ同士であり、Wもまたデコレーターである。Uは自身の自宅兼作業場から徒歩一分ほどの距離にあるWの作業場やアパートを訪ねたり、W

もUの自宅兼作業場を訪ねたり、普段から親しくしている。両者は雑談をして終わることもあれば、ときにお互いの作業を手伝うこともある。手伝いは、話をしているときに何気なく彫刻に手を伸ばして始められる。また、Wが引き受けた注文量が多く、期日に間に合いそうにないときには、Uは自分の作業を終えたのち、Wの作業を手伝うこともある。このときに観察した範囲では支払いを確認できなかった。毎回UとWに金銭の授受について聞くが、二人とも笑って否定するか、あるいは大げさにUは「そうだな、支払ってもらわなきゃな、なぁ」といってWと笑い合うのだった。このように助け合いがお互いの仕事を手伝う形の場合もあれば、仕事を与える形の場合もある。これは、次節で取り上げる彫刻師と店主の事例にも当てはまる。

彫刻師と店主の関わり合い

彫刻師は夕方ごろ、その日彫刻したものを卸問屋へ売り歩く。しかし、金が必要なときには朝から店主のところへ行って、夕方彫刻を持ってくるから代金を先払いしてほしいと頼むこともある。交渉がうまくいけば、彫刻師は金を得て彫刻制作を始める。

ある日の午前中、金を必要としていた彫刻師Xはその日の夕方までに彫刻を制作するから、金を先払いして欲しいといくつか店を訪ね歩いていた。Xはタバカ地区のはずれにある同じ彫刻師の友人の自宅兼作業場で作業をしている。そこでは計七名ほどが作業しているが、誰かが大きな注文を得ない限り、それぞれ個人で制作して売っている。その日のXはどの卸問屋からも断られ、最終的に店主Yの店を訪れたのだった。YはXの要望を聞き入れ、その日の夕方彫刻を持ってくるようい い、前借りという形で金を払った。

「本当は今すぐは必要ないけど、彼がお金が必要だというから。助け合わないとね」

店主Yは私にこのように話した。YはXから彫刻を買うことは滅多にない。それは、Yには定期的に購入する彫刻師が他にいるため、そしてXが得意とする動物像がYの店では売れ筋商品ではないためである。[30] YはXのために注文したのである。その日、彼が請け負ったのは四インチ(約一〇・二センチメートル)のカバ二十個だった。店主Yのおかげで、Xは一個につき二〇シリング、計四〇〇シリングを得ることができた。この事例からは、金を支払う側も余裕があるときには、可能な範囲で仕事に困っている人がいればそれに応えようとすることがわかる。

デコレーターと顧客との関わり合い

前節で取り上げた店主と彫刻師は、仕事の依頼者と請負者の関係であった。本節で取り上げる事例も同様の関係だが、依頼者が定期的に注文を入れる顧客である点で異なる。彫刻制作に関わる人びとは顧客とどのような関係性にあるのか、デコレーターWの事例を中心にみていこう。

・タバカ地区内の顧客からの注文……Wには地区内に顧客が数名いる。そのうち店主Zとは古い知り合いで、Wがデコレーターとして駆け出しの頃から注文をくれている。いわばWにとって店主は恩人なのである。しかし、二〇一九年秋には、店主Zからの注文への取り組みに変化が生じ始めた。WはZからの注文を後回しにするようになったのである。その理由は、Wが海外の顧客を得たことによるところが大きい。海外からの注文を優先させ、それらの仕事が一区切りついた後で、店主Zの仕事に取りかかる。海外からの注文個数はタバカ地区内の注文個数よりも多く、彫刻の仕入れから始めないといけないので、時間と労力がかかる。したがって個数の少ない店主からの注文は後回しにする。また、海外からの注文は、タバカ地区内より高い相場で取引される。報酬の高いほうから仕事するのは一般的に理解できるところであろう。それでも遅くても三日以内には店主からの仕事を終わらせていた。そのような後回しが続くなか、一週間以上仕事に取り掛からないことがあった。

毎日Wの作業場を訪れる私は、部屋の隅に動物像の入ったたらいが置かれてから一週間以上経っていたことに気づいた。不思議に思いWにたらいの動物像の依頼主を確認した。すると、それは店主Zから受けたものであるという。手付かずの状態で良いのか尋ねると、今はZのほうの仕事をする余裕はないという。それでは、Zに仕事が遅れることは伝えているのか尋ねると、話をしていないという。Zと気まずくならないのか聞くと、だから会わないようにするよ、と答えた。Wの作業場からZの店まで一〇メートルほどの距離で、しかもタバカ地区の中心へ向かうには店の前を通る必要がある。店の前ではいつも店主が椅子に座っている。果たして会わずに済むのか、会ったら気まずくないのか、そもそも失礼ではないのか、私は不思議に感じながらも様子を見ることにした。

それから五日経ったある日、私は別の用事で店主Zのところへ行くことになった。Wはその日私に友人の見舞いに病院へ行こうと誘った。病院へ行く途中Zの店の前を通るので、道で落ち合うことにした。もし私が道にいなければ店主Zのところにいると伝えると、Zに会いたくないから店には行かないよ、とWは言った。その後、私はちょうどZの店を出たところでWと会った。店主は店の前で座っている。Wはどうするのだろうと思っていたら、Wは店主とは反対側を歩いて、挨拶しなかった。反対側といってもせいぜい三メートルほどである。その日は何事もなく終わった。

それから三日経って、私がWの作業場を訪ねると、Wは微笑みながら私に、さっき、Zが来たよと教えてくれた。私は驚いた。ZがWの作業場を訪れることは、これまで調査中に一度もなかったし、Zが業を煮やしたとしても電話してくると思っていたからだ。というのも、Wの作業場に行くには急な坂を上がる必要があり、所々落ちているソープストーンの破片で坂は非常に滑りやすく、手すりなしでは登れない。高齢のZには登るのも降りるのも一苦労である。私はWに店主Zの様子を尋ねた。Zは特に何も言わずに様子を見て、挨拶をして帰って行ったという。

注文を断ることもせず、納品が遅れる連絡もせずに後回しにするという態度は、二人が長年取引を続けている関係にあるからこそできるとも考えられるし、低賃金であることへのささやかな抵抗と捉えることもできる。あるいは単純に賃金のよい方を優先する合理的な選択をしているだけだとも考えられる。どのような思惑にせよ、注文をもらえなくなって困るのはWのほうである。得意先であるZに対して納品を待たせる姿勢で接するWだが、海外からの顧客の場合、その態度は一変する。

・制作現場の外からの注文……通常、ソープストーン彫刻産業では、地区外からの注文の場合、入金されるまで商品は発送しない。したがって、商品の用意ができても、入金されないため送れずにいることもある。中には代金が先に支払われる場合や、半額が前金として支払われる場合もあるが、基本的には入金されるまでは、自分たちで諸々の費用を立て替えなければならない。素材である彫刻を集める資金、雇ったデコレーターや艶出し作業者への支払い、塗料素材の費用は大きな出費となる。さらに、注文個数が多く、かなりの日数を要する場合には家計はより圧迫される。そのような場合でも、デコレーターは、支払ってもらえると信じ、期日どおりに仕事をする。

発注者と受注者の間に信頼関係があれば、多少の金額はツケにできる。ツケの金額がかさめば、入金されるまで次の取引は行わない。とりわけタバカ地区外の顧客には、支払いの催促も慎重に行わなければならない。私が確認したところでは、受注者から連絡することはなかった。

「よく注意しないと、注文がもらえなくなったら大変だ」

デコレーターや店主は口々にいう。デコレーターにとって、タバカ地区外の顧客は、間にタバカ地区内の卸売の店主を挟まない直接の顧客となる。店主を挟まない分、得られる金額も大きくなり、また、海外の顧客のほうが国内の顧客より商品単価をぐんと上げようと交渉もできる。したがってデコレーター側からすればタバカ地区内からの装飾の注文よりも、タバカ地区外からの注文のほうが魅力的である。しかし繰り返しになるが、その分、入金されるまでは困窮することも多々ある。例えばデコレーターWは、約束の日に海外からの顧客から支払いがされず、困窮する日々が一カ月続いたことがある。彼は金がないことにひどく困っていた。

「支払われないんだ、商品を取りにも来ない。連絡もない。でも彼ら（彫刻師や、デコレーター、艶出し作業者）に賃金を支払わないと。ないものをどうやって支払えばいいんだ。ここ最近はすごくストレスフルだ」

Wは妻と作業場の裏で金の相談をしていたし、親にも援助を求めて揉めることもあった。しかし、一カ月待っても、Wの方から顧客へ催促することはなかった。連絡がきたら入金について尋ねるか、支払われるまでは耐える日々となる。それでも、Wにとって、タバカ地区外からの注文は歓迎するものである。タバカ地区外の顧客からの継続した注文は、日々のタバカ地区内で受ける少額の注文のみの不安定な家計生活に安定をもたらすことにつながる。加えて、そうした注文を受けるということは、自分の仕事が顧客を満足させるものだと認識させ、彼にデコレーターとしての自信を持たせるのである。

「なぜ海外の顧客がまた注文をくれたかわかる？　それは、僕の仕事が素晴らしいからだよ」

Wは困窮状態にありながらも、時折私に装飾したソープストーン彫刻を見せながら得意気に話してくれるのだった。

ここまで、ソープストーン彫刻産業に携わる人びとの関わり合いについて述べてきた。デコレーター同士や彫刻師と店主の間には、手助けという形での関わり合いがみられた。手助けや助け合いが生じる際には、同業者同士であるだけでなく、友人同士、親族同士、地元の知り合いといった様々な要素が関係している。

デコレーターと顧客との関わり合いをみてみると、タバカ地区の内と外では発注者に対して受注者が異なる態度で対応していることがわかった。タバカ地区内の顧客に対しては仕事を後回しにし、連絡をおろそかにする一方、地区外の顧客に対しては期日通りに仕事を仕上げ、かつ困窮状態にあっても積極的な対応をとれずにいた。

おわりに

本章ではソープストーン彫刻産業に携わるグシイの人びとの経済状況や仕事をする中での関わり合いに注目してきた。まず、ソープストーン彫刻で生計を立てている人の実際の収支状況を示し、ソープストーン彫刻が人びとの生活の糧であることを論じた。もちろん、本章で提示した事例やデータはあくまで一例であり、本産業で裕福な暮らしをする人や、一日中本産業に従事しつつも農業で本産業以上の収入を得ている人も確かに存在する。ただし、本産業において個人の手でビッグビジネスを築いた人はあくまで一握りである、というのが現在までの調査で得られた所感である。そのような人はタバカ地区内でもある程度有名であるし、店の規模、在庫の量をみれば推察することも可能である。そして、そのような人びとは地区内に数えるほどしかいない。私が日々現地で調査するなかで出会った人びとの多くは、今回聞き取りした人びとと同様に、別収入があってもソープストーン産業の仕事で生活費を稼いでいる状況にあった。調査中、人びとの口から漏れるのは学費の支払い[31]についてであったし、学費の支払いが遅れたことを謝罪しに学校へ赴くのに私が帯同したこともある。このような人びとにとって、ソープストーン彫刻産業の仕事は生命線となっている。

さらに、彫刻産業に携わる人びとの相互行為に注目すると、ソープストーン彫刻で生計を立てる人びとの微細な関係が明らかとなった。興味深いのは、デコレーターとタバカ地区内の店主との関係である。デコレーターと店主は受注者と発注者の関係であるが、この関係は時と場合に応じて逆転する。店主から彫刻を受け取って装飾するタバカ地区内での注文とは異なり、ナイロビなどの都市や諸外国といったタバカ地区外の顧客から注文が入れば、デコレーターは素材となる彫刻を集めるところから始めなければならない。そのため、彫刻師から買うほか、普段注文を入れる店主から彫刻を買うこともあり、買い手と売り手の関係が逆転することになる。彫刻師も同じく、店主を介さずにタバカ地区外からの顧客を抱えていれば、彫刻師がデコレーターに装飾を依頼することもある。このように、賃金の支払いの方向は状況に応じて変化する。

本章では紙幅の関係から、一部の作業従事者のみを取り上げたが、作業に従事する人びとの間、そしてタバカ地区を離れた外部との間のそれぞれに関係性がある。ソープストーン彫刻は、そういった人間関係を介してできあがっている。グシイの彫刻制作に携わる人びとは、自分たちが制作する彫刻が、ケニア内外に出回っていることを知っている。ソープストーン彫刻そのものだけではなく、産業に携わる無数の人びとに思いを馳せてみることで、私たちは、また別の世界を知ることができるかもしれない。

【註】

（1）　Republic of Kenya, *KISII DISTRICT DEVELOPMENT PLAN 1997-2001*, Office of the Vice-President and Ministry of Planning and National Development, The Government Printer, 2001, p. 21, 30.

（2）　二〇一九年の国勢調査によれば、グシイの人口は約二七〇万人（Republic of Kenya, *2019 Kenya Population and Housing Census*, Vol. IV, Kenya National Bureau of Statistics, 2019, p. 423.）で、総人口約四七五六万人のケニアにおいて七番目に多いバントゥー系の農牧民である。

（3）　Mallion K. Onyambu and John S. Akama, *Gusii Soapstone Industry: Critical Issues, Opportunities, Challenges & Future Alternatives*, Nsemia Inc, 2018.

（4）　Dillon Mahoney, *The art in Connection: Risk, Mobility, and the Crafting of Transparency in Coastal Kenya*, University of California Press, 2017. なお、観光客と現地の人びととの間の仲介者に中抜きされ、観光客の訪問を受け入れる人びとに収入が還元されていない状況については、タンザニアの狩猟採集民ハッザの観光実践に注目した八塚の論文（八塚春名「タンザニアにおける狩猟採集民ハッザの観光実践――民族間関係、個人の移動、収入の個人差に着目して」『アフリカ研究』No. 92、日本アフリカ学会、二〇一八年、二七―四一頁）においても同様の報告がなされている。このほか、制作現場のみならず、制作現場と外国企業をつなぐ仲買人に注目し、そこで生じる取引関係の諸相や仲買人が担う役割を明らかにしたものに牛久の著書（牛久晴香『かごバッグの村――ガーナの地場産業と世界とのつながり』、昭和堂、二〇二〇年）がある。ソープストーン彫刻産業においても、仲買人と外国企業のそれぞれに注目し、実際の取引を観察する必要がある。

（5）　ここでは、市場で土産物や工芸品として売られる彫刻制作に携わっている人びとを指す。オニャンブとアカマによれば、ソープストーン彫刻には高額で作品が売買されるような彫刻（後述の「エリート」による作品）と、ツーリスト・アートや工芸品として市場で売られる彫刻とがある。また、後者においては、ソープストーン彫刻がアートと捉えられるか工芸品と捉えられるかは購入者によって変わる（Onyambu and Akama, op. cit.）。

（6）　現地調査では、産業の中心地であるタバカ地区内のソープストーン産業従事者の家に滞在しながら、採石場およびタバカ地区周辺において、参与観察と聞き取り調査を実施した。

（7）　グシイ語での彫刻制作の各工程に従事する人の呼び名は存在する。それぞれ、単数形で採石者（*omoiyi*）、彫刻師（*omobachi*）、研磨作業者（*omoseni*）、デコレーター（*omosati*）、艶出し作業者（*omomesi*）、販売者（*omooni*）である。調査は英語を主に使用しており、グシイ語での呼び名の認識については今後の課題としたい。英語での自称では、制作に携わる人びとのなかには自らをアーティストだと名乗る人もいる。例えば装飾作業者は英語でデコレーター、アーティスト、ペインター、デザイナーなど、彫刻作業者はカーバー（carver、彫刻師、彫刻職人）、アーティストなどと自称する。本章ではアーティストという表現は彫刻作業者なのか装飾作業者なのかわかりにくく混乱を招くと判断したため用いていない。また、これまでの調査ではartisanやcraftman（職人）と名乗るのは聞いたことがない。しかし、職人を「自分の技能によって物を作ることを職業とする人」（『デジタル大辞泉』、小学館）とするならば、彫刻作業も装飾作業も職人であるといえる。ただし、本産業では技術習得を目的とした徒弟制のようなプロセスはみられない。以上の理由から本章では装飾作業をする人をデコレーター、彫刻作業を行う人を彫刻師、その他は研磨作業者、艶出し作業者と呼ぶこととする。これらの呼び名は便宜的なもので、今後その他の作業従事者がどのように認識しているのかということと併せて調査を要するものである。

（8） Thomas O. Eisemon, Lynn M. Hart, and Elkana Ong'esa, *Stories in Stone: Soapstone Sculptures from Northern Quebec and Kenya*, La Fédération des Coopératives du Nouveau-Québec and The Canadian Museum of Civilization, 1988, pp. 14-15.

（9） Judith von Daler Miller, *Art in East Africa: A Guide to Contemporary Art*, Frederick Muller Ltd, 1975, pp. 30-31.

（10） 「エリート」とされる人びとについては、現在調査中である。

（11） Onyambu and Akama, op. cit., pp. 49-56.

（12） Mahoney, op. cit.

（13） Republic of Kenya, *Integrated National Export Development and Promotion Strategy*, State Department for Trade, Ministry of Industry, Trade and Cooperatives, 2018, p. 10.

（14） Mahoney, op. cit., pp. 174-175.

（15） くらしの良品研究所 Found MUJI MUJI × JICA プロジェクトケニア編ホームページ（https://www.muji.net/lab/found/kenya/index.html、最終閲覧日二〇二〇年六月十日）、Found MUJI #197 ソープストーンホームページ（https://www.muji.net/foundmuji/2015/08/197.html、最終閲覧日二〇二〇年六月十日）を参照。プロジェクト期間中、「#01 ケニアの自然や歴史（https://www.muji.net/lab/found/kenya/01.html、最終閲覧日二〇二〇年六月十日）」、「#02 ケニアにおける取り組み（https://www.muji.net/lab/found/kenya/02.html、最終閲覧日 2020/6/10）」、「#03 ケニアのソープストーン生産者リーダーへのインタビュー（https://www.muji.net/lab/found/kenya/03.html、最終閲覧日二〇二〇年六月十日）」、「#04 ケニアのソープストーン生産者（https://www.muji.net/lab/found/kenya/04.html、最終閲覧日二〇二〇年六月十日）」、「#05 三年目となる生産現場を訪問しました（https://www.muji.net/lab/found/kenya/05.html、最終閲覧日二〇二〇年六月十日）」、「#06 三年目となる生産現場を訪問しました2（https://www.muji.net/lab/found/kenya/06.html、最終閲覧日二〇二〇年六月十日）」のタイトルで、どのような人びとがつくっているのかを伝えるウェブ記事が発表されている。これらの記事は無印良品のプロジェクトメンバーによるものである。

（16） Miller, loc. cit.

（17） Republic of Kenya, *2019 Kenya Population and Housing Census*, Vol. II, Kenya National Bureau of Statistics, 2019, p. 228.

（18） 各工程の具体的な作業については、拙稿（板久梓織「ケニア・グシイ地方のソープストーン彫刻産業——居住地を拠点にした総合的地場産業の発達」『アフリカ研究』No. 98、日本アフリカ学会、二〇二〇年、一—九頁）を参照されたい。

（19） 一四名の中に採石者は含まれていない。現在までの聞き取り調査では、大きさや石の質によるが、一回採石するのに五〇シリング、採石場から石を運び出すのに五〇—一五〇シリングほどで、一日の収入は一〇〇—三〇〇〇シリングほどであるという回答を得ているが、実際の収入と仕事量に関しては今後の課題としたい。

（20） 調査期間中の換算レートによると、一・〇〇〇〇 Ksh（ケニア・シリング）＝一・〇二六五円である（「Kawase365.jp ホームページ」、https://www.kawase365.jp/ ケニア - シリング /2019、最終閲覧日二〇二〇年八月二十三日、レートは二〇一九年九月二日を参考に記載）。

（21） Republic of Kenya, *Economic Survey 2020*, Kenya National Bureau of Statistics, 2020, p. 52.

（22） Republic of Kenya, *Kisii County Household Baseline Survey Report*, Vol. 1, Agricultural Sector Development Support Programme (ASDSP), 2014, p. 32.

（23） Republic of Kenya, *Economic Survey 2016*, Kenya National Bureau of

Statistics, 2016, p. 78.

(24) 主な作物には、自家消費や市場で売るためのトウモロコシやシコクビエ、ソルガムといった穀物や、ケールやかぼちゃの葉などの野菜のほか、換金作物としてコーヒーや茶がある。主な家畜はニワトリやウシ、ヤギである。

(25) 日本でいうところのラインペイ（LINE Pay）などの先駆け的存在で、ケニアでは二〇〇七年に通信企業であるサファリコム（Safaricom）によって始められた。現在はタンザニアや南アフリカなど続々と利用可能地域を拡げている。二〇一六年の年次報告ではエムペサのサービス登録者数は二四〇〇万人である（Safaricom. *SAFARICOM LIMITED Annual Report 2016*, 2016, p. 25）。

(26) 二〇一九年の三カ月の調査時に、私が肉を食べたのは四回である。二回が葬式時（ヤギ）、ステイ先の家に少し贅沢が許されるほどの収入が入ったとき（ウシ）、家のニワトリが怪我して死んだとき、である。

(27) 一インチ（in）は二・五四センチメートル（cm）である。

(28) グシイ地方では大きなキリスト教の宗派はＳＤＡのほかにカソリックがある。日本のＳＤＡのウェブサイトによれば、ＳＤＡとは「聖書主義に立つキリスト教・プロテスタント」（セブンスデー・アドベンチスト教会ホームページ、https://adventist.jp、最終閲覧日二〇二〇年六月十日）であり、土曜日を安息日とする。グシイ地方でのＳＤＡ教会では、一夫多妻を認めない、酒やタバコなどの嗜好品や華美な装飾は避ける、といった特徴がある。

(29) 仕事の合間に、葬式や、近所やキシイタウンのマーケットへ買い出しに出かけたりする。

(30) 産業全体からみれば動物像は一番といっても過言ではないほど人気商品である。タバカ地区の店の多くが動物像を取り扱っているなかで店主Ｙは少数派にあたるが、それは顧客の注文傾向によるものである。その代わり、Ｙの店は皿やボウルを多く取り扱っている。

(31) 学費は、初等、中等、高等教育（二〇二〇年にこれまでの八―四―四制から二―六―三―三―三制へと学校教育制度が移行した）によって、また公立か私立か、寮住まいかどうかによっても異なる。私の聞き取り調査においても、子供の学費は年間四〇〇〇―四万六〇〇〇シリングと開きがある。参考までに、二〇一五年のガイドラインでは、国立の中等学校の学費は通学の場合年間九三七四シリング、寮の場合五万三五五三シリングである（Ministry of Education, Science and Technology, *Fee Guidelines for Public Secondary Schools in Kenya*, Government Press Statement, 2015）。

＊ 本論文は、ＪＳＰＳ特別研究員奨励費（19J12441）および科研費（16H05690）の助成を受けたものです。また、編者の方々による大変示唆深いご指摘は、改稿にあたって非常に貴重なものでした。

【さらに詳しく知りたい人へのガイド】

① 緒方しらべ『アフリカ美術の人類学――ナイジェリアで生きるアーティストとアートのありかた』、清水弘文堂書房、二〇一七年。

② Dillon Mahoney, *The art in Connection: Risk, Mobility, and the Crafting of Transparency in Coastal*

Kenya, University of California Press, 2017.

③ 牛久晴香『かごバッグの村――ガーナの地場産業と世界とのつながり』、昭和堂、二〇二〇年。

アフリカン・アートの民族誌に興味がある方や、地域のローカルなアートを知りたいという方には本書の編者である緒方氏の著書①が有用である。①はナイジェリアの地方都市で暮らす人びとによるアートのありかたを考察した民族誌である。同書を読むと既存の語りにないアートを目の当たりにすることができるだろう。

本論考で扱ったソープストーン彫刻に、あるいは制作者と購入者の間をつなぐ人びとに関心を持つ方には、洋書になるが②の民族誌をおすすめする。同書ではケニアの観光都市を中心に、デジタル技術の拡まりに併せて国内の観光市場から国際市場に展開していく土産物屋やトレーダーといった人びとの姿が描かれている。

アフリカの手工芸品に興味がある方には③をおすすめする。同書は諸外国にひろく流通しているかごバッグがガーナの一地方で作られることに注目し、長期のフィールドワークをもとに本産業がいかにして国際市場へとつながっているのかを明らかにする。アフリカの農村の開発援助に関心がある方にも、同書は有用である。

6 アートに価値を見出すということ
――アフリカの生活世界におけるアートから考える

緒方しらべ

本章は、アフリカで暮らす人たちにとってのアートの価値に関する一考察である。これまで、アフリカのアートは様々な場で展示され、販売されてきた。しかし、そこで展示・販売しきれなかったもの、あるいは、そこでは展示・販売する価値があると判断されなかったものも、アートとして現地で親しまれている。アフリカで暮らす人びとはどのようなアートに囲まれて暮らしているのだろうか。それらはどのような需要のもと制作され、販売されているのだろうか。そのようなアートは、これまで「アフリカンアート」として知られてきたものとどのように類似し、また、異なるのだろうか。本章はこの点に焦点をあて、ナイジェリア連邦共和国（以下、ナイジェリア）の地方都市イレ・イフェで暮らす人びとにとって最も身近なアートを事例に、私たちがアフリカンアートに見出す価値を再考したい。

ヨーロッパが「発見」したアフリカンアート

「アフリカンアート」や「アフリカ美術」という言葉を使う際、私たちは、どのようなものをそう呼んでいるのだろうか。ナイジェリアの地方都市のアートについて検討する前に、まず、アフリカでつくられた、あるいはアフリカにルーツをもつ造形が、アフリカンアートとしてどのように注目されてきたのかを概観しよう。近年、日本においてもアフリカンアートへの関心は高まりつつあるとはいえ、収集や研究、展示や販売の中心はもっぱら欧米である。なぜ欧米なのか。その歴史は、十六世紀から十七世紀にかけてのヨーロッパ王侯貴族のコレクションまで遡ることができる。十五世紀以降の大航海時代を通じて非ヨーロッパからもたらされた器物を含め、世界に存在する珍奇でエキゾチックなものは「珍品陳列室＝驚異の部屋」に寄せ集められた[1]。これらは十九世紀後半にヨーロッパ各地で設立された民族学博物館に受け継がれていったのだが、それまでの間、十九世紀半ば以降ヨーロッパで万国博覧会が開催されるようになったことも、アフリカンアートの収集や展示の歴史の軌跡を成している。そこに通底していたのは、西洋と非西洋、「文明」と「野蛮」を峻別する乱暴な二分法に基づく「他者」の情報の収集や異文化蔑視という、帝国主義における支配的イデオロギーであった[2]。

こうしたなか、十九世紀後半から二十世紀半ばにかけてアフリカがヨーロッパの植民地支配を受けたことは、アフリカンアートというジャンルが欧米の美術市場で発展し、また、学問分野として展開していったことに最も顕著な影響を与えてきた。植民地期には、アフリカの造形はそれまでの珍品やエキゾチックな器物ではなく「芸術／美術」として解釈されるようになっていった。二十世紀初頭、ピカソやマティス、ドラン、ブラック、ブラマンクら当時のヨーロッパの前衛アーティストがアフリカの彫像に「美」を見出し、それらに触発されて作品を制作したことは良く知られている。美術商や美術批評家を含め、当時のパリを中心とした「アール・ネーグル（黒人美術）」という美術界のアクターたちは、現在の我々の言うアフリカンアートというジャンルと価値観の礎を築いた。さらに、アール・ネーグルの美術商は活動の範囲をアメリカ合衆国へも広げ、一九三〇年代にはニューヨークの近代美術館で「黒人美術」として初めてのアフリカの造形の展示が行われている。その後、合衆国では、アフリカの造形はオセアニアやアメリカ先住民の「美術」も含めた「プリミティヴアート（未開美術）」や「トライバルアート（部族美術）」として認知されるようになっていった[3]。

宗主国の美術界と並行し、また時に連動し、アフリカ大陸内では、駐在していたヨーロッパ人が植民地の文化や風習を尊重しようとする姿勢も見られた[4]。例えば、十九世紀半ばにリヨンに設立されたアフリカ宣教会のヨーロッパ人宣教師らは、一九二〇年代にダオメ（現ベナン共和国）の造形をフランス各地で展示したり[5]、一九三〇年代にはすでに需要の減少していたナイジェリアの木彫を復興させたりした[6]。同じく二十世紀前半、植民地行政官や植民地知識人によっても、美術教育を通じたアフリカの造形の保護や刷新が進められた[7]。

アフリカでつくられていたアート

こうして二十世紀前半までのアフリカンアートの軌跡を駆け足で辿ることで気が付くのは、対象がアフリカの造形であるにもかかわらず、その担い手はつねにヨーロッパの人びとであったということである。しかしこのことは、アフリカの人びとが造形の創造に主体的に関与しなかったことを示すものではない。現在の南アフリカ共和国で見つかった、模様の刻まれた黄土色のクレヨンが七万七〇〇〇年前のものだと推定されるように、ヨーロッパでアートとしての価値が見出される数万年前から、アフリカでは造形がつくられていた[8]。その後もアフリカでは、各地域の土着の技術によって、あるいはサハラ交易や大西洋奴隷貿易などを通じて入ってきた技術や材料によって、様々な造形がつくられていった[9]。また、先述のように、アフリカの造形がアート（美術／芸術）として捉えられるようになった経緯にヨーロッパが決定的な役割を果たしてきたことに間違いはないが、そうかといって、アフリカの人びとがヨーロッパによって一方的に語られるだけであったわけではない。それどころか、アフリカの造形にアートとしての価値が見出されるようになった二十世紀前半に、すでにアフリカの声はあがっていた。

パブロ・ピカソ（一八八一―一九七三）と同じ時代を生きたアイナ・オナボル（Aina Onabolu、一八八二―一九六三）は、現在のナイジェリア連邦共和国のラゴスで暮らしていた画家である。オナボルは一九二〇年代にロンドンとパリの美術学校に留学するまで、ナイジェリアの雑誌や新聞、広告やパンフレット、商品のパッケージデザインや写真を模写しながら、素描や絵画といった西洋美術の基礎を独学で学んだ[10]。専門的に描いてきたのは写実的な肖像画であった[11]（**図1**）。一九〇六年には、当時二十四歳だったオナボルは肖像画に画家として初めてサインを残している[12]。ピカソらが「黒人美術」を収集し、それらからインスピレーションを得て前衛的な作品を創出していたその時、アフリカで暮らしていた「黒人」のオナボルは、当時のヨーロッパの「前衛」ではなかったものの、西洋美術と何ら変わりないスタイルの作品をつくっていたのだ。さらにオナボルは、中等教育レベルでの美術教育の導入に尽力し、その結果、一九二〇年代には植民地政府初のイギリス人美術教育者もナイジェリアに招聘された。上述のように、二十世紀前半は、植民地行政官や植民地知識人によって美術教育を通じたアフリカの「伝統的」造形の保護や刷新が進められていた。他方、ナイジェリアでは、そうした美術教育の一部であった西洋美術の技法の教育が若きアーティストたちに大きな影響を与え、それは二十世紀半ば以降の高等教育機関での美術学部・美術学科の開設へと繫がった[13]。

図1　アイナ・オナボルの作品「Portrait of a Lawyer（弁護士の肖像）」。油彩・画布。サイズ, 制作年不詳（Nicodemus 1995: 31）。Courtesy of Abdullahi Muku

このように、ヨーロッパではアフリカの造形のプリミティヴな美に注目が集まっていた一方で、同じ時代のアフリカでは西洋美術教育の影響を多分に受けたアートが芽生えていたのだった。

多様で広範なアフリカンアートへの注目

アフリカで宗主国からの独立の動きが活発となった二十世紀半ば以降は、それまで中心となっていた欧米におけるアフリカの造形美やその価値への注目だけではなく、アフリカのアートの社会的背景、個々のアーティストや彼らの美意識などについても、欧米の人類学者や美術史家らによって記述されるようになっていった[14]。一九六七年には、カリフォルニア大学のアフリカ研究センターによって、学術雑誌『アフリカンアーツ（*African Arts*）』の第一号が刊行された。一九七〇年代後半からは、大西洋奴隷貿易と植民地化によって離散した人びとの子孫や、職を求めて大陸を出た人びと（アフリカン・ディアスポラ）によるアートについても、ハーレムルネサンスやアフリカ系アメリカ人アーティストの研究の積み上げのなかで紹介されるようになった[15]。日本においては、一九八〇年代後半の「エスニック・ブーム」の到来もあいまって、一九八五年には、プリミティヴなものに都市的ないし近代的要素の溶け込んだタンザニアのティンガティンガ・アートの展覧会が開催された[16]。それまでは、日本でも、アフリカンアートの展覧会はプリミティヴアートに特化したものに限られていた[17]。

人類学や美術批評ほか関連する領域においては、一九八〇年代後半より、西洋近代に端を発するアートという概念やそれを支えている制度に対する批判的検討に基づく議論が活発に行われ、西洋と非西洋の不均衡な力関係に基づく展示という行為も問い直されるようになった[18]。こうした動向と連動し、アフリカンアートの展示については、一九八九年にパリのポンピドゥーセンターで開催された「マジシャン・ドゥ・ラ・テール（大地の魔術師）」展で現存するアフリカのアーティストの作品が展示されて以来、それまでほとんど注目されてこなかったアフリカンアートのモダニティや同時代性にも光があてられるようになった。看板絵や風刺画に肖像写真や写真館の撮影背景画、ブリキや針金製のオブジェや装飾ラジオなど、土や木でできていない土産物も揃えたアフリカの都市生活の感じられる展示は、それまでのアールネーグルやプリミティヴアートというアフリカのイメージを一変させた。ビール瓶や飛行機を模した装飾棺桶（**図2**）、「伝統的」な仮面パフォーマンスを金属彫刻で表現した作品、説明書きがなければ西洋美術とも思えるような抽象画や彫刻など様々な造形は、アフリカンアートの多様なありようとして欧米の美術界を中心に注目を浴びるようになった[19]。

このような同時代のアフリカンアートの展覧会は一九九〇年代に活況を呈したのだが、加えて特筆すべきは、そうした展覧会は、単にアフリカの造形の多様性を投影するだけのものではなかったという点である。上述のように、それまで欧米の側がアフリカンアートを収集し、展示し、アフリカについて語る権力を握っていたことは、一九八〇年代から問い直されるようになった。これに呼応し、一九九〇年代以降の同時代のアフリカンアートの展覧会の多くで、アフリカのアーティストや美術史家によるテクストを図録に掲載したり、企画の段階からアフリカのキュレーターと協働するなど、表象の権力を偏らせまいとする試みや努力が見られるようになっていた[20]。同時代のアフリカンアートを日本でつよく印象づけた「インサイド・ストーリー——同時代のアフリカ美術」展（一九九五年、世田谷美術館）も、こうした思想に基づいていた[21]。

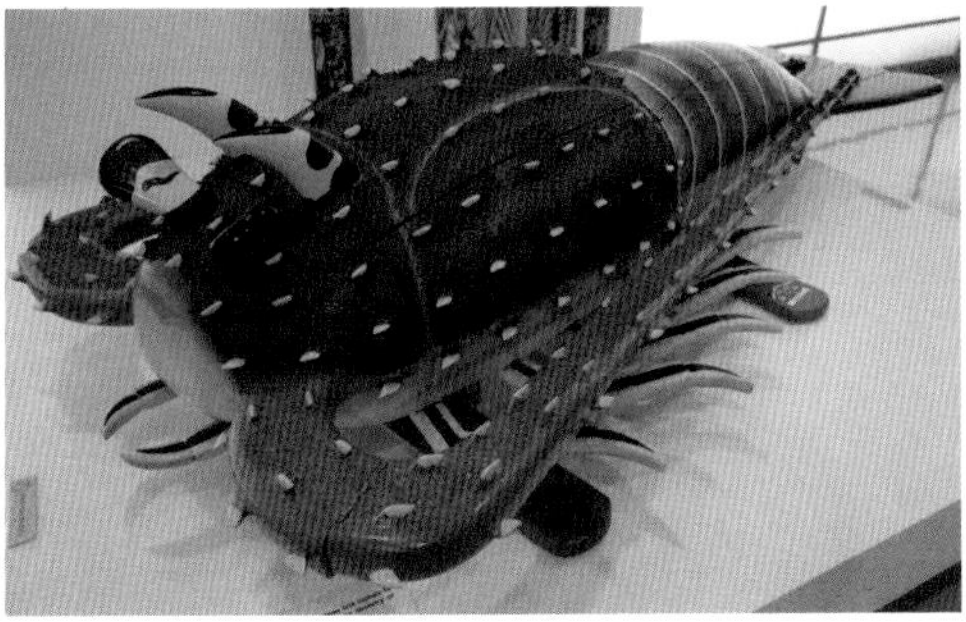

図2　国立民族学博物館に展示してあるエビを模した装飾棺桶。2003年，パー・ジョー（Paa Joe）作。ガーナ南部の一部の地域では，このエビのほか車や飛行機，ライオンやビール瓶など，死者の職業や趣味，希望などにちなんだ形の棺桶を遺族が発注する。2015年4月14日，筆者撮影

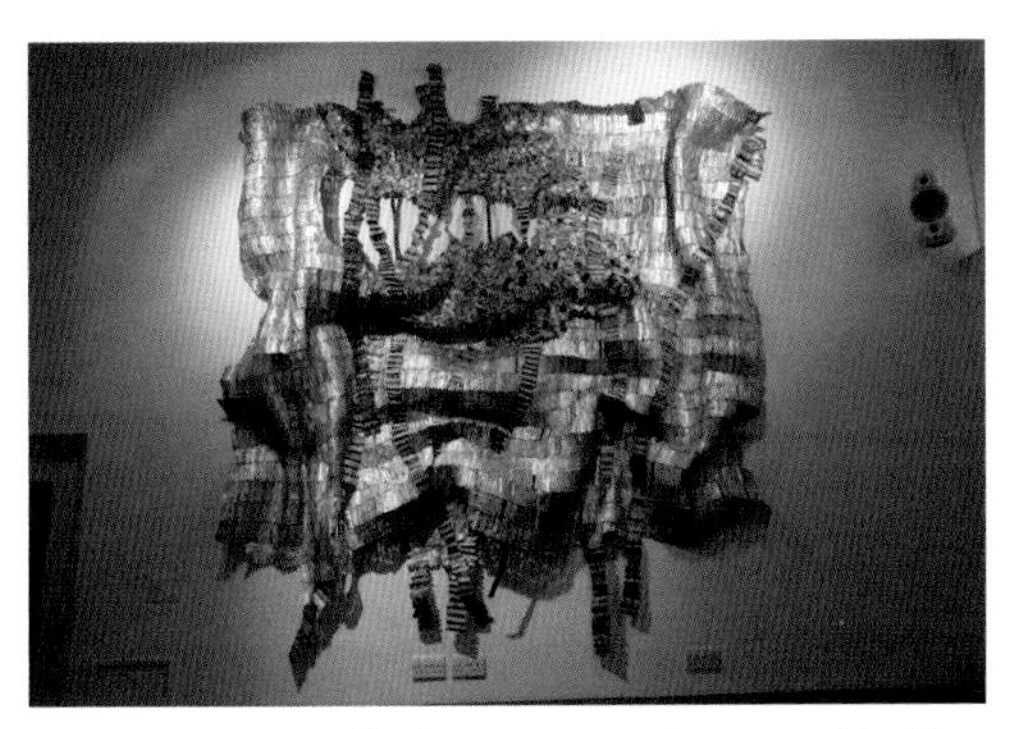

図3　ロンドンの画廊（October Gallery）で2015年2月12日から3月28日まで展示されていたエル・アナツイの作品（《Strained Roots》，アルミニウム・銅線，2014年）。2015年3月13日，筆者撮影

二〇〇〇年代に入ると、展示される作品にはインスタレーションやビデオインスタレーション、写真も増え、九〇年代以上にアフリカのモダニティないし同時代のアフリカのアートに光があてられるようになった[22]。大陸内の大都市では、同時代のアフリカンアートを専門とするコマーシャルギャラリーやNPO・財団などによる展示、フェア、コンペティション、SNSやメールマガジンを通じた情報の発信も盛ん

になってきた。アフリカンアートの研究においては、アフリカ社会の特殊性を映し出しつつも、アフリカに限定されないスタイルや技術・メディアを用いて大陸内外で発信されるマンガやアニメーションにも注目が集まっている[23]。二〇一五年にはナイジェリア在住のガーナ人アーティスト、エル・アナツイ（El Anatsui）が第五十六回ヴェネチア・ビエンナーレで栄誉金獅子賞を受賞したように、もはやアフリカンアートは欧米の美術界の一端を担う存在となっている（図3）。

大陸から一国へ、一国から一都市へ

ここまで、現在私たちがアフリカンアートと呼んでいるものがどのようなものであるのかについて、その軌跡と変遷を概観した。ここで、大陸単位の呼称である「アフリカンアート」から、ナイジェリアという一つの国のアートにフォーカスを合わせてみよう。アフリカは世界で二番目に大きい大陸にもかかわらず、あたかも一国であるかのように同質的なものとして捉えられがちである。上記で軌跡を辿ったアフリカンアートは、多くの場合サブサハラ・アフリカ（アラブ圏の北アフリカを含まない、サハラ砂漠以南のアフリカ）と結びついており、確かに、サブサハラ・アフリカに共通する歴史やアイデンティティ、慣習や実践もある。一八八〇年代にヨーロッパの列強がアフリカ争奪のために大陸を「切り取る」までは、国という単位も存在していなかった。しかし当然ながら、地域や共同体ごとの、あるいは植民地支配が始まる以前の王国ごとの、さらには現在の国ごとの多様性もある。

アフリカンアートのなかでも、ナイジェリアのアートとしてこれまで展示や販売の場で広く認知されてきたのは、まず、十二世紀ごろから十六世紀ごろにかけてつくられた青銅（ブロンズ）や真鍮、象牙でつくられた彫刻などの考古資料や骨董品である。これまで最も頻繁に、あるいは長く展示されてきたものとして、南西部のイフェ王国（現イレ・イフェ）の真鍮製や青銅製の彫刻がある[24]。独特の目鼻顔立ちに様式化された等身大の頭像や仮面は、この地を二十世紀初めに訪れたドイツの民族学者、レオ・フロベニウスが、「（アフリカに土着の技術によるものではなく）優れたヨーロッパ文明が伝播してつくられたものである」と解釈したほど極めてリアリスティックな顔貌をもつ[25]。一八九七年のイギリス軍のベニン討伐によりイギリスへと持ち帰られた、南部のベニン王国（現ベニンシティ）の青銅製の頭像や人物像、レリーフや器なども、プリミティヴアートのなかでもナイジェリアを代表するアートとして世界に知られている[26]（図4）。このほか、染織やプリント布に加え、「オショボアート」と呼ばれる、一九五〇年代ごろから七〇年代ごろにかけてヨーロッパの画家や

図4　大英博物館のアフリカ展示場で展示されているベニン王国の青銅製のレリーフ（飾り板）。16世紀半ばから17世紀半ばに製造され，王宮の柱などに連ねて掲げられていたとされる。ベニン王や兵士，交易していたポルトガル人，豹や鯰，鉄砲などベニン王国の象徴的な人や動物・物が彫られている。2015年3月12日，筆者撮影

図5　オショボ派の著名アーティストの一人，ルーファス・オグンデレ（Rufus Ogundele）の作品「Oba Koso」。1964年，リノカット。サイズ不詳（Beier 1991: 67）。劇作家デュロ・ラディポ（Duro Ladipo）による戯曲「Oba Koso（王は死せず）」のワンシーンを描いたもの。Rufus Ogundele. Courtesy of Bayo Ogundele

知識人らが南西部の地方都市オショボで開いた画塾出身者や、その教え子たちによる絵画や版画なども研究や展示・販売の対象となってきた[27]（図5）。先述のオナボルの尽力により植民地下のナイジェリアで実現した正規の美術教育を受けたアーティストの作品を含め、ナイジェリアのいわゆる近代美術や同時代のアートも同様である[28]。

日本においても、ナイジェリアのアートに関する展示・販売が行われている[29]。ごく近年の例を挙げると、二〇一九年三月に、アフリカの伝統染織ブランド「SOLOLA」による「西アフリカのテキスタイル〜今に残る伝統布〜」展が、大阪府箕面市のギャラリースペース「けんちくの種」で開催された。ここでは、日本人のオーナーとナイジェリアの染め師らの共同作業でつくられた藍染布や、北部で着用された細やかな刺繍のある織りの伝統服などが展示され、販売された。二〇一八年十一月には、大阪梅田の阪急百貨店（阪急うめだギャラリー）で開催された「魂のアフリカ」展で、山梨県のアフリカンアートミュージアム[30]が所蔵するプリミティヴアートが多数展示された。上述の頭像や人物像を含め複数のナイジェリアのアートも並んだ。展示場の一部では、国内でアフリカのプリミティヴアートや布などを取り扱う老舗「ギャラリーかんかん」をはじめ、複数の企業が並べるアフリカのアートや雑貨が会場を彩っていた[31]。

二〇一八年十一月から二〇一九年四月にかけて開催された世田谷美術館での「アフリカ現代美術コレクションのすべて」展では、ナイジェリア出身・ロンドン在住のソカリ・ダグラス・キャンプ（Sokari Douglas Camp）による金属彫刻や、ガーナ出身・ナイジェリア在住のエル・アナツイによるインスタレーションが、ほか七名のアフリカのアーティストの作品と共に展示された。二〇一九年三月から五月には、福岡市美術館で、ナイジェリア出身・ロンドン在住のインカ・ショニバレCBE（Yinka Shonibare CBE）の個展「Flower Power（フラワーパワー）」展も行われた。ショニバレは、アフリカで最も親しまれている布といえるプリント布やそのモチーフを作品に取り入れ、アフリカとヨーロッパの関係性を一貫してテーマにしているアーティストである。

このように、ナイジェリアのアートは、先に見てきたアフリカンアートもそうであるように、美術界や研究界で価値を見出されている[32]。ところが、現代ナイジェリアで制作され、販売されているアートのなかには、ナイジェリアあるいはアフリカのアートとして国内外での展示・販売という表舞台に姿を現さないものがある。にもかかわらず、それらは、そこで暮らす人びとに「アート」として最も親しまれている。二〇〇〇年代前半、学部生としてロンドンでアフリカンアートの歴史を学んでいた筆者は、九〇年代以降急速に国際的な美

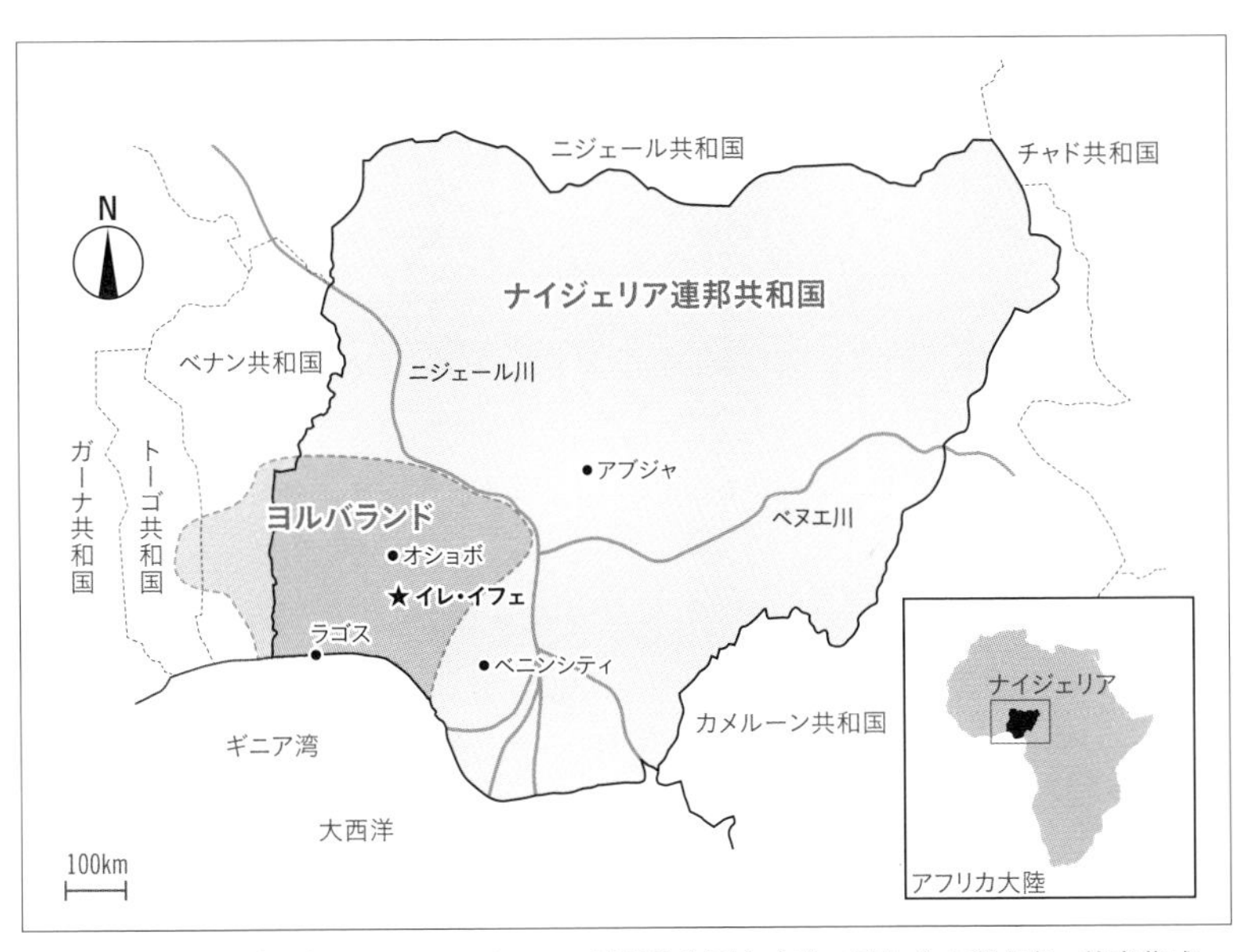

図6　アフリカ大陸西部にあるナイジェリア連邦共和国と本書で言及する都市名。筆者作成

術界で注目されるようになっていったアフリカンアートの展示の数々をリアルタイムで鑑賞し、「これがアフリカンアートの今だ」と胸を高ぶらせていた。そうして初めて、二〇〇三年にナイジェリア南西部の地方都市イレ・イフェを訪れた際、目の前に現れた「アート」が授業で学んできたものやロンドンのギャラリー、美術館・博物館で見てきたものと違っていたことに困惑した。この差異をどのように理解したらいいのだろうか。

ここからはナイジェリアの地方都市イレ・イフェに舞台を移し、そこで暮らしている人びとの生活世界におけるアートを見ていこう。

現代ナイジェリアの地方都市イレ・イフェのアート

以下に見ていくのは、二〇〇三年から二〇一五年にかけて行った総計約二五カ月間の現地調査と、その後二〇一六年から二〇二〇年までのあいだに電話やイーメール、SNSなど通信を利用した調査に基づいている。

人口約四〇万人の都市イレ・イフェは、ナイジェリアの南西部のヨルバランドに位置する[33]（図6）。ヨルバという民族の発祥地として知られる十世紀ごろからの古都であり、一九六〇年代に設立された国内屈指の国立総合大学のある現代地方都市でもある。現在のイレ・イフェでは様々なアートがつくられている。大学の美術学科の教員や学生による絵画、彫刻、染織、陶芸、グラフィックデザインなどいわゆる近代美術もあるし（図7）、オショボアートもある（図8）。これらを部分的に参照しつつ、独自に絵画や版画、コラージュなどを制作するアーティストもいる（図9）。国際的な美術市場における評価の高低は様々であろうが、彼らの作品は、上に見てきたようなアフリカンアートの展示や販売の対象となりうるようなものである。なお、美術学科の学生と給料の支払われる大学教員を除くと、イレ・イフェで「アーティスト」と自称する人たち、また、そのようなアーティストから「アーティスト」とみなされる人たちは、皆、アートを制作することによって現金収入を得て暮らしている。[34]

観光地ではないイレ・イフェにおいて、アーティストたちは、外国人研究者、そして大学教授など国内富裕層の訪問が期待できる大学の会議場に作品を並べたり、富裕層の自宅や下宿に訪問販売に行ったりする。国内最大の商業都市ラゴスや首都アブジャに販売に出かけることもある。同じく、アフリカンアートの展示や販売の対象となる木彫やビーズ細工については、国内外の富裕層が購入することもあるが、基本的には、伝統首長たちが購入する（図10、11）。伝統首長は、ナイジェリアがイギリスの植民地支配を受ける以前よりヨルバランドで存続しているローカルな統治体制におけるリーダーであり、その象徴としてビーズ細工を身に着け、伝統政治や伝統宗教にかかわる儀礼に木彫を用いる。しかしこのような国内外富裕層や伝統首長を主な対象とするアートは、イレ・イフェで暮らす多くの人たちにとっては身近なものではない。

「現代イレ・イフェのアートについて卒論を書きたいんです」と、イレ・イフェを初めて訪れた筆者が大学の美術学科の教授に相談したとき、教授は「伝統的」なアートを紹介してくれた。なかでも一押しだと勧めてくれたのは、伝統宗教の祠に描かれる絵であった。「シュライン・ペインティング（shrine painting）」と呼ばれ、ヨルバの伝統宗教の祠に女性たちが描く幾何学模様や抽象的なモチーフの描かれた壁画である。あまりにも未熟であった筆者は祠の管理者の年配女性と交渉ができるわけもなく、その調査は断念した。[35] 次に、同じ下宿で暮らしていた（大学進学を目指す）浪人生たちが紹介してくれたアーティストを訪ねてみた。彼らが図画工作を習っていたその人は、アフリカの農村風景や伝統を主題に絵画を描き、ラゴスを中継地として国内外の富裕層に販売している気鋭の若手アーティストだった。[36]「この街のアーティストたちについて調べたいのですが」と伝えると、彼は「いいよ。街のアーティストね」と言って、繁華街にあるアーティスト

図9　筆者に作品（画布と油彩・服飾用布・糊）を見せるシェグン・アグンソイェ（Segun Agunsoye）。作品は自宅で制作し，販売は主にアブジャやラゴスなど大都市で行っている。2012年2月24日，筆者撮影

図7　イレ・イフェの大学の美術学科教員スティーブン・フォラランミ（Stephen Folaranmi）の作品「Unity」。2003年，油彩・画布，約70㎝×45㎝。2008年11月7日，筆者撮影

図8　筆者に作品（油彩・画布）を見せるイレ・イフェ在住のオショボ派のアーティストの一人，タジュ・マヤキリ（Taju Mayakiri）。作品は自宅で制作し，大学教授など国内富裕層や外国人訪問者の来訪が期待できる大学キャンパス内の会議場に作品を並べて販売している。2012年2月24日，筆者撮影

図 10　ガブリエル・アフォラヤン（Gabriel Afolayan）の木彫作品。約 150㎝× 60㎝。室内の装飾用として，国内富裕層や外国人が購入する。このほか柱や椅子，ヨルバの伝統宗教の儀礼にも使用される立像や器なども制作される。2009 年 10 月 28 日，筆者撮影

図 11　アジャオ・アデトイ (Ajao Adetoyi) によるビーズ細工の作品（麻，ビーズ，糊）。伝統首長がかぶる帽子や王冠。オーダーを受けて制作したもので，注文者が受け取りに来るまでこのような一室で保管している。2009 年 6 月 19 日，筆者撮影

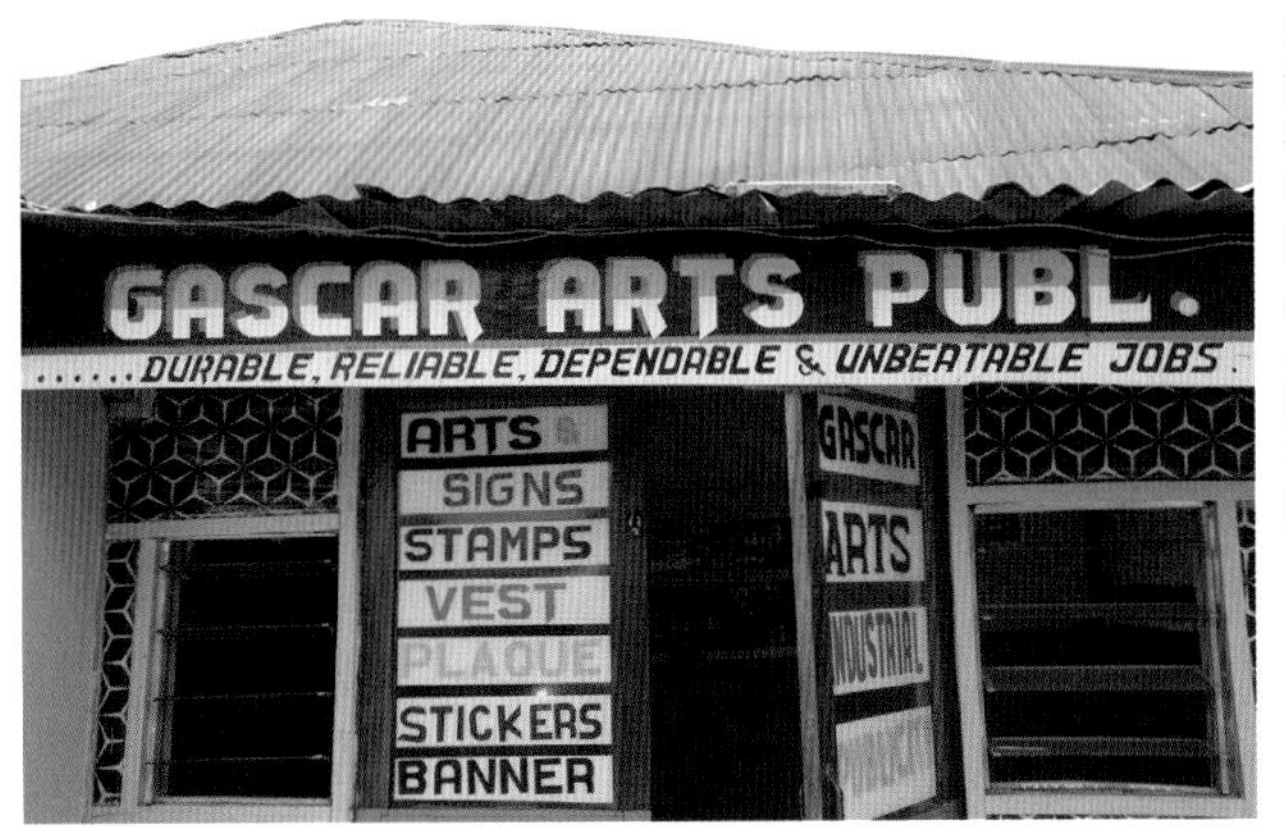

図 12　アート王国(店)。入り口のドアには請け負う仕事内容が列挙してある。(この写真を撮影した 2008 年には，軒先や看板は「ガスカル・アート・パブリシティ」になっていたが，会社名はアート王国のままである)。2008 年 8 月 5 日，筆者撮影

図 13　アート王国の店内の壁に貼られたステッカーのサンプル。誕生日，葬式，卒業などの記念日のメッセージ，パーティや儀式の行われる日時と会場名，ステッカー(ステッカーの貼られた贈り物)を準備した人(発注者)の名前が記されている。2008 年 8 月 5 日，筆者撮影

図 14　アート王国店内の奥のほうでメッセージ板を制作中の弟子。周囲にはステッカーのサンプルが貼られ，記念額のサンプルも掲げられている。2003 年 9 月，筆者撮影

の店に連れて行ってくれた。

「アート王国(ARTS KINGDOM)」の店名が書かれた看板のあるその店は、食料品店、電器店、洋服店、携帯電話店、日用雑貨店の並ぶ大通り沿いにあった。看板や軒先に掲げられた横断幕には、「看板、横断幕、ゴム印、シルクスリーン印刷、記念額、メッセージカード……」など、請け負う仕事内容が列挙してある(図12)。四畳半ほどの店内には、記念額やトロフィーのサンプルや、人名や「お誕生日おめでとう」などのメッセージが印字されたステッカーのサンプルがずらりと並んでいる(図13)。店の奥の一畳ほどのスペースに、店主の弟子と思われる若い男性が作業している姿が見える(図14)。素朴な工作に見えるようなメッセージ板をつくっている。「ちょっと(筆者がイメージしていたアフリカンアートと)違うんだけど……」というのが正直な気持ちであった。ところが、引き続きアーティストや彼らの顧客、近所の住人など現地の人びとに案内されるがままにアーティストを訪ねていって明らかになったのは、「アート王国」のような店を構えるアーティストこそが、イレ・イフェの人びとにとって最も身近であるという事実だった。

日常生活、ビジネス、ライフイベントに欠かせないアート

「アート王国」以外にも、イレ・イフェの繁華街や一部の住宅地には、アート(ART)やアーティスト(ARTIST)、アートパブリシティ(ART PUBLICITY)といった看板を出した店が、生活に必要な様々な商品やサービスを提供する店舗と軒を連ねている(図15)。そのような「アート」の店は、アーティストの組合のメンバーによるとイレ・イフェに百二十から二百二十軒あるとされ、上述の国内外富裕層や伝統首長を主な対象とするアーティストの数と比べて少なくとも三倍以上と圧倒的に多い[37]。そこでアーティストが制作しているものは、広告・宣伝のための看板、横断幕、ポスター、チラシ、ゴム印、レジ袋・記念品へのシルクスクリーン印刷、記念額、トロフィー、メッセージカード、肖像画、家屋・店舗の壁塗り、レリーフなど教会の装飾、バイクの装飾、病院やロータリー交差点などに置かれる公共彫刻など、イレ・イフェで暮らす人びとの日常生活、ビジネス、ライフイベントにおいて、人びとにとって身近で欠かせないものである(図16、17)。

ナイジェリアでは、結婚式だけでなく、葬式、命名式、誕生日などの記念行事やキリスト教徒やムスリムによる宗教イベントなど、社交的な会合としての様々なパーティーを盛大

図 16 「Amako Arts」の店の軒先に掲げられた横断幕。「アートワークとギフトアイテム」と書かれ，請け負う仕事内容の詳細が絵でも示されている。中央の人物像は店主の肖像。2010 年 6 月 30 日，筆者撮影

図 15 冷凍食品店，不動産屋，印刷店と軒を連ねるアーティストの店（「Yinka Arts」）。2014 年 2 月 18 日，筆者撮影

図 18 葬式の会場の外壁に貼られた，葬式を告知するポスター（カラー印刷された紙）。2009 年 3 月 17 日，筆者撮影

図 17 「Auric Arts Visuals」の店の軒先に掲げられた横断幕。請け負う仕事内容が，上から順に，「肖像画，花瓶，布のロウケツ染めや絞り染め，メッセージカード，彫り（硬いものに名前や番号などを彫るサービス），インターロッキングブロック，プラスターオブパリス製の彫刻，写真のラミネート加工，額装，横断幕，（手作りの）土産物，ギフトアイテム，タイル，室内装飾」と書かれている。2015 年 6 月 8 日，筆者撮影

図19　結婚式でホストからゲストに配られた贈り物のボール。記念日などが記されたステッカー（図13）が貼られている。このような記念ステッカーの貼られたボール，タッパー，マグカップ，皿，バケツは家庭でよく見られる。2003年7月，筆者撮影

に行うことが多い。こうしたパーティーでホスト側が準備するもののなかに、まず、告知用のポスターや横断幕がある。例えば、結婚式であれば新郎新婦の、葬式であれば死者の顔写真入りのポスターや横断幕を近所や会場（多くの場合、自宅）に掲げることは珍しくない（図18）。ポスターはアーティストがグラフィックデザイン用のソフトウェアを用いてデザインし、印刷専門店で印刷をして、依頼主であるホスト側に納品する。横断幕も同様だが、耐久性のより優れている手塗りで制作されることも多い[38]。また、日本でいう引き出物や香典返しにあたるような、ゲストに配る贈り物もホストは準備する。各パーティーのホスト側の選択によって、メモ帳、カレンダー、ハンカチ、マグカップなど様々だが、いずれにも新郎新婦や死者の名前、パーティーの年月日、パーティーの名称（「結婚式」や「葬式」）、一言のメッセージ（「末永くお幸せに！」や「安らかにお眠りください」）などが印字されている。

通常、これらの贈り物の手配をするのはホスト側のなかでも新郎新婦や死者の親兄弟／子供や近しい親戚である。彼らは贈り物を持ってアーティストの店を訪ね、印字する内容の詳細を伝える。メモ帳やカレンダーなど印刷機で簡単に印字できるものでなければ、アーティストは印字する内容のデザインに加えてシルクスクリーン印刷を行う。ハンカチや布製

の袋であれば表面に直接刷るが、例えば、結婚式の贈り物の定番であるマグカップやタッパー、ボールなどの食器やキッチン用品といった立体的なものの場合は印字したステッカーを刷る。ホスト側はこれをアーティストから受け取ると、大量に購入した立体的な商品ひとつひとつにステッカーを貼り、オリジナルの贈り物にする（図19）。

アーティストがデザインやシルクスクリーン印刷を請け負うのは、パーティーの贈り物に限らない。選挙運動、キリスト教徒やムスリムのイベント、伝統宗教の祭、学校や組合といった政治・宗教・社会組織のメンバーに必要とされるロゴの入ったTシャツやバッグなど様々なアイテムもそうである。店舗をもつビジネスを立ち上げれば誰もが必ず必要とする看板や横断幕の制作もアーティストが請け負う。このように、イレ・イフェのアーティストは、人びとの日常生活やビジネス、ライフイベントにおいて重要な役割を陰で担っている。

アートが身近であるということ

アーティストのこうした仕事は、特定の個人ではなく、多数の参加者への贈り物、または不特定多数の人びとへの広告・宣伝のためのデザインである。これについては、日本や欧米ではグラフィックデザイナー並びに看板制作会社・印刷会社が請け負う仕事と重なる部分がある。したがって、グラフィックデザイナーや機械が担う仕事をイレ・イフェではアートと呼んでいるだけではないか、という見方もあるだろう。しかし、イレ・イフェのケースがユニークであるのは、このほかにも上述のような記念額、メッセージカード、肖像画の制作など彼らの仕事はいわゆるグラフィックデザインに限られないこと、さらに、それらがアートやアーティストの存在を市民にとっていっそう身近なものにしているということである。

イレ・イフェでは、居間やオフィスなどに肖像画が掲げてあるのをよく目にする（図20）。ヨルバランドでは、他の多くのアフリカ諸地域と同様に、特に植民地期以前までは生きている人の肖像はつくられない傾向にあり[39]、故人のみ、土器製や金属製、木製の肖像がつくられていた。しかし一九三〇年代以降、プロの写真家に（写真館で）一般の人びとが撮影を依頼するようになると、生きている人の肖像写真が次第に増え、アーティストが肖像写真を見ながら描く肖像画も増えていった（図21）。ナイジェリア南西部で二十世紀中頃以降、一般の人びとのあいだで注文されるようになったと考えられる。

加えて、居間やオフィスには、メッセージカードやメッセージ板も見られる。イレ・イフェで「ギフトアイテム」と呼

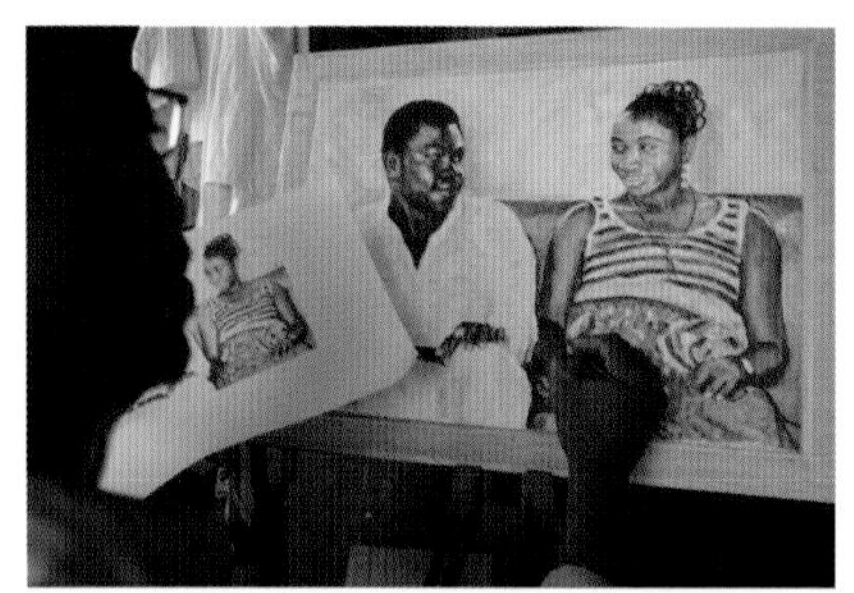

図 21　依頼を受けて夫婦の肖像画（画用紙・油彩）を描くアーティスト，コラウォレ･オラインカ。左手に夫婦の肖像写真を，右手に絵筆を持っている。木の枠（板）もオラインカが彫った。2010 年 7 月 22 日，筆者撮影

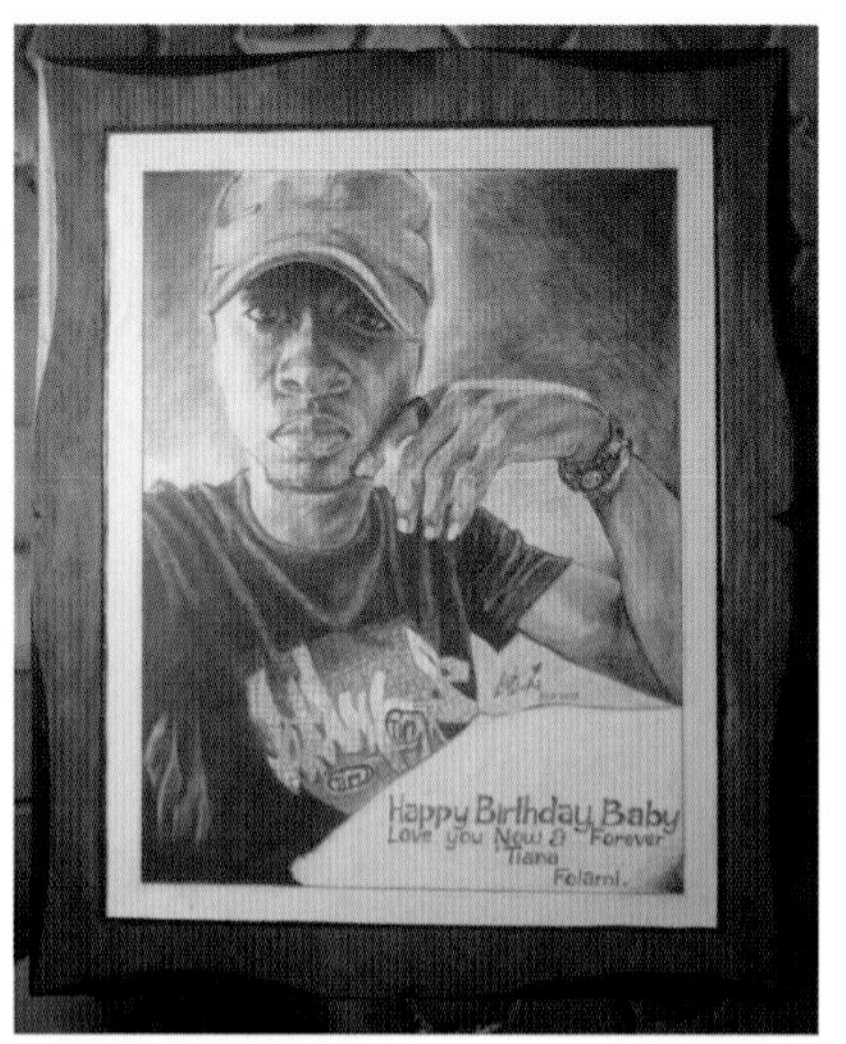

図 20　コラウォレ・オラインカ（Kolawole Olayinka）による男性の肖像画。画用紙･鉛筆，約 50㎝× 45㎝。男性のガールフレンドが，男性の誕生日の贈り物としてオラインカに依頼した。2018 年 12 月，オラインカ撮影

図 22 「Amako Arts」（店）の軒下に掲げられたメッセージ板（ギフトアイテム）の前に立つ，店主でアーティストのアキン・オジョ（Akin Ojo）（左）と店を手伝う息子で同じくアーティストのアデモラ・オジョ（Ademola Ojo）（右）。誕生日を祝うものや，宗教的なメッセージを入れたものがある。これらをこのまま買うこともできるし，特定の名前や日付，メッセージなどを入れてもらうようオーダーすることもできる。2014 年 2 月 18 日，筆者撮影

ばれるものの代表で、厚紙やベニヤ板でできているものがある。誕生日祝い、結婚祝い、昇格・卒業祝い、感謝状などとして依頼され、購入され、贈られる。聖書からの引用など宗教的なメッセージの入ったカード・板もあり、個人的に贈ることもあれば、教会が依頼して教会内の壁に掲げることもある。また、贈り物としてではなく、依頼者が依頼者自身のリビングルームに飾るためにアーティストに依頼することもある。これらのカードの裏にはアーティストのビジネス名、または個人名と電話番号が書いてあり、カードを受け取った人や、それを見て気に入った人が新たにカードをそのアーティストに依頼することができるようになっている（図22）。

　また、アーティストが手掛けるのは冠婚葬祭の贈り物や「ギフトアイテム」、肖像画といった、各家庭や屋内で楽しまれるものに限らない。舗装の装飾としてのインターロッキングブロック、コンクリート製のレリーフや立像など家庭や公共施設の庭や塀の装飾、教会のレリーフ、バイクのボディや泥除けの表面に施すワンポイント装飾なども請け負う。全てのアーティストが全ての制作を得意とするわけではないので、アーティストによっては、請け負ったものを得意とする知人アーティストに連絡をとる。そのまま知人アーティストが彼自身の仕事として引き受けることもあれば、窓口および作品の名義は最初に問い合わせのあったアーティストのままとし、知人アーティストは制作の報酬を受け取るだけの場合もある。このように、アーティストはアーティスト同士の横の繋がりも維持しながら、人びととの日常生活で見られ、触れることのできるアートの制作の担い手として、街で「アーティスト」の看板を掲げている。

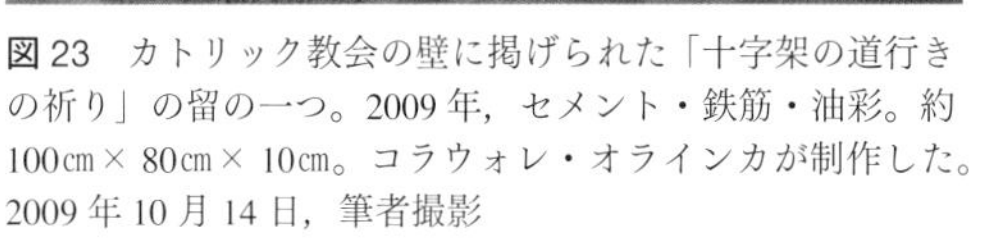

図23　カトリック教会の壁に掲げられた「十字架の道行きの祈り」の留の一つ。2009年，セメント・鉄筋・油彩。約100㎝×80㎝×10㎝。コラウォレ・オラインカが制作した。2009年10月14日，筆者撮影

　毎週日曜日の教会の礼拝では、レリーフ彫刻に囲まれた空間で信者たちが祈る（図23）。住宅地を歩く子

図24　バイクに装飾をしている「Amako Arts」のアデモラ・オジョ。バイクの運転手に注文されたように，「PIN CODE ＊＊＊＊」と描き入れている。2015年6月12日，筆者撮影

供たちが、裕福な家の塀にぷっくりと浮き上がったブドウの房のレリーフを触っていく。バイクタクシーの運転手がふらっとアーティストの店に寄ると、アーティストは運転手のリクエストに応じてバイクのボディに絵や文字を入れる（図24、25）。唯一無二のバイクにまたがった運転手は得意げにエンジンを吹かし、客の待つ交差点へ向かった。靴の修理に勤しむ女性の店の三軒隣で、アーティストが「ギフトアイテム」の制作に励む。動く絵筆を傍らでじっと見つめているのは、学校帰りに母を訪ねた靴屋の娘だ（図26）。人びとの日常生活に登場するアートとその制作を担うアーティストの存在を前に、「アフリカンアート」を求めてイレ・イフェで調査を始めた当初の筆者の困惑は、「アフリカンアート」を、ひいてはアートというものを固定的かつ限定的にしか捉えてこなかった筆者自身に対する困惑へと変わっていった。

アフリカンアートに価値を見出すということ

こうした、アフリカの人びとの日常生活や冠婚葬祭といったライフイベントとかかわるものがアートとして価値を見出され、つくり手も個人名で知られた例がある。ガーナ南部でつくられているユニークな装飾棺桶は、一九七〇年代から九

図 25　アデモラ・オジョ（**図 24**）がバイクに装飾しているところ（右手前）を見つめる運転手（右），アキン・オジョ（左）とアキン・オジョの弟子（中央）。2015 年 6 月 12 日，筆者撮影

図 26　注文を受けたメッセージ板を「Ife Creative Centre for Arts and Designs」（店）で制作するアーティストのマシュー・アデイェニ（Mathew Adeyeni）と，その様子を横でじっと見ている近所の靴屋の娘。2008 年 8 月 7 日，筆者撮影

〇年前後にかけて注目されて以来、欧米や日本でも展示されてきた[40]。それはおそらく、棺桶のユニークなデザインやそれが棺桶であるという意外性など、外部の人にとって非常に斬新で興味深いものであったからであろう（図2）。これに対して、本章で見てきたナイジェリアの地方都市のアートは、私たちの一般的な価値観に基づくと、いずれも、技術的に優れて高度なものではないし、デザインが特にユニークで魅力的なものでもない。しかしこういったアートこそ、ナイジェリアの地方都市で暮らす人びとのあいだで最も親しまれている。

街のアーティストの店を訪ねるイレ・イフェの人びとが作品の良し悪しにこだわり、より技術の高い、よりユニークな作品を求めることはほとんどない。作品によっては文字が曲がっていたり、糊がはみ出ていたり、下書きが見えていたり、私たちの価値観から判断すると雑と言わざるを得ないものもある。しかしそんなことは気にしない。それよりも、近所のアーティストを訪ね、作品について希望を伝え、値段や納品日を交渉したりするというオーダーメイドのプロセスが重要である。日々の生活や人生における冠婚葬祭や社交、ビジネスといった欠かせないコトにおいて必要とされるモノを、遠い大都市の美術館や博物館、コマーシャルギャラリーやアートフェアではなく市内の商店街や近所で揃えられることは、利便性においても、コストの面においても優れている。そうして手に入れた作品や贈り物が、葬式や結婚式、誕生日や記念日に揃うこと、それによって、相手や来客に喜んでもらうこと、彼らを満足させることによって人間関係を築いていくことに、イレ・イフェの人びとは価値を見出している。

先述のガーナの装飾棺桶は、作品としてインパクトがあり、ユニークであり、世界的に知られるようになった。しかしながら、葬儀という、ある人のライフイベントのクライマックスにアーティストが欠かせない仕事をしている、それだけ、人生においてアーティストは欠かせない、近い存在であるということ自体に目が向けられ、そのようなアートのあり方が日本や欧米で参照されるまでには至っていない。ここで、ガーナの装飾棺桶のつくり手が自身をアーティストと認識しているかどうか、あるいは、上に見てきたようなナイジェリアの自称アーティストの作品は果たして日本人や欧米人にとってアートといえるものなのかという点は、問題ではない。肝心なのは、川口[41]が指摘するように、対象がアートであるか否かにかかわらず、それらが当該地域で目的をもって使われるものであるということを、それらが持つ豊かなユーモアも含めて私たちは素直に掬い取ることができているのかという点である。

本章の前半で軌跡と変遷を辿ったアフリカンアートは、当初はヨーロッパに発見され、プリミティヴな美に価値が見出された。その後、次第に多様で広範なアフリカのアートも注目されるようになると、それまでの欧米による一方向的な語りだけではなく、アフリカ大陸の人びとによる語りに基づく実践も増えていった。そうして二十一世紀前半の今、アフリカンアートは欧米の美術界の一端を担うまでになった。しかしながら、同じアフリカのアートでも、本章の後半で見てきたイレ・イフェの人びとに最も身近なアートはずいぶんと様子が異なっている。これらが美術館やアートフェアで展示されたり販売されたりするだろうかといえば、されないだろう。この差異が示唆するのは、私たちが、西洋近代のアートという制度の価値基準に従ってアートを見続けているということである。初めてイレ・イフェのアートを目の当たりにした筆者が困惑したのは、アフリカンアートについて学んでいながらも、西洋近代のアートの価値観にがんじがらめになっていたからにほかならない。

とはいえ、本章はそのような制度を否定するものではない。すでに見てきたように、アフリカンアートは西洋近代のアートの制度と切っても切り離せない関係にある。イレ・イフェで最も人びとに親しまれているアートすら、一見すると街の外のアートの世界とは無縁のように見えるが、つくり手であるアーティストそれぞれの経歴や展望には美術教育や国際的なアートマーケットがほぼ必ず関与している。[42] 仮に欧米のアートやグローバリゼーションと無縁の造形を探そうとするならば、十六世紀の珍品陳列室や二十世紀前半当初のアールーグルやプリミティヴアートに戻りかねない。私たちがなすべきは、アフリカンアートに理想を追い求めることではなく、むしろそのような私たち自身の姿に目を向けることではないだろうか。

私たちにとってはアートとはいえないけれど、イレ・イフェの人たちにとっては、グラフィックデザインや図画工作的なものもひっくるめてアートらしい。それらはデフォルメしたアブストラクトなフォルムでもなければ斬新でユニークな作品でもない。でもアートはそれぞれの文化で違っていていいじゃないか——そのような「いいかげんな文化相対主義」の解釈[43]で完結するならば、これからもヘゲモニックな美術界で価値を見出されたものだけがアフリカンアートとなっていくだろう。そうではなくて、その「私たちにとってのアート」というものはそもそも何であるのかという問いから始めることができるならば、アフリカのアートのあり方を通して、私たちの価値観は今よりももっと柔軟なものになっていくかもしれない。一七年前イレ・イフェの生活世界のアートに困惑した筆者は、今、そう考えている。

結びに

本章は、アフリカンアートの軌跡と変遷を概観したうえで、ナイジェリアの地方都市イレ・イフェのアートが人びとの生活と密接に関わる様子や、アーティストとアーティストではない人たちの距離が近い様子を見てきた。これによって浮かび上がったアフリカンアートとイレ・イフェの生活世界のアートとの差異は、私たちが西洋近代の美術界の価値基準に基づいてアートを固定的に捉えてきたことを示唆するものであった。

「アフリカからアートを売り込む」際に、作品の良し悪し、つまり作品への価値づけというものも確かに大切である。筆者自身、十代のころからギャラリーかんかんのアジアやアフリカの布が好きだったことがきっかけとなり、大学でアフリカ美術史を学んだ。「エスニック」な布やアフリカの「プリミティヴアート」を提供する東京かんかんのような企業がなければ、遠いアフリカに辿り着くことなどできなかっただろう[44]。人を惹きつける作品そのものの魅力もなくてはならない。

しかし、この書籍のタイトルが掲げているように、今後、アフリカのアートをより多くの人びとへとアピールすることをめざすのであれば、作品そのもののアピールに加え、こうした、アフリカにおけるアートのあり方に目を向けることも必要になってくるはずである。アフリカにおけるアートのあり方を「売り込んでいく」ことは、アフリカだけでなく、ほかの地域のアートを日本の既存のアートのあり方に対して売り込んでいくことにも繋がるであろうし、私たちがアートと認識しているものを変えていく、あるいは広げていくことにも繋がるかもしれない。それを実現していくために、まず、日本で暮らす私たち自身がアートの価値をどう判断しているのかを問い直し、価値観を柔軟に変化させていく姿勢が、今後必要になってくるのではないだろうか。

【註】

(1) 吉田憲司『文化の発見——驚異の部屋からヴァーチャル・ミュージアムまで』、岩波書店、一九九〇年、一二一—一九頁。

(2) 竹沢尚一郎『表象の植民地帝国——近代フランスと人文諸科学』、世界思想社、二〇〇一年、四一—一二三頁。

(3) 「プリミティヴアート」または「トライバルアート」という名称の字義通りの意味は「未開」や「部族」のアートであり、作品のつくり手やその社会に対する偏見を助長しうる。このため、本章でこのあと述べるように、一九八〇年代後半から西洋と非西洋の不均衡な力関係が批判的に検討されるようになると、美術や骨董業界を除きほとんど使用されなくなった。今日では、このあと本章で概観するように、より多様で広範な作品を含めた「アフリカンアート」や「アフリカ美術」という呼称が一般的である。

（4）　柳沢が、アフリカ宣教会の神父による一九二七年のダオメ芸術展の事例を通して指摘するように、アフリカ大陸内に駐在していたヨーロッパ人による植民地の文化や風習の尊重は、必ずしも宗主国の美術界の風潮や植民地主義政策と一致し、連動するものではなかった。柳沢史明「フランス人宣教師らが見たアフリカの〈呪物〉と〈芸術〉——アフリカ宣教会とダオメ」『民族藝術』三三巻、民族藝術学会、二〇一七年、三九—四五頁。

（5）　本書の第四章（柳沢氏の論考）も参照されたい。

（6）　Kevin Carroll, *Yoruba Religious Carving: Pagan and Christian Sculpture in Nigeria and Dahomey*, Praeger, 1967; 柳沢前掲論文、四二頁。

（7）　Janet Stanley (ed.), *Nigerian Artists: A Who's Who and Bibliography*. London and New York: Hanz Zell Publishers, 1993, p. 13; Rose A. Nkom, "Professional Competencies and Implementation of the Curriculum of Art Education", in: *Contemporary Issues in Nigerian Art: Its History and Education* (ed. P. S. O. Aremu and Babasehinde Ademuleya), Portion Consult Publications, 2005, pp. 176-181 [p. 176]; 柳沢史明『〈ニグロ芸術〉の思想文化史——フランス美術界からネグリチュードへ』、水声社、二〇一八年、一三七—一五四頁。

（8）　John Picton, "Made in Africa", in: *Africa Remix: Contemporary Art of a Continent* (exh. cat.) (ed. Simon Njami), Hayward Gallery, 2005, pp. 47-49 [p. 47].

（9）　Frank Willett, *African Art: Its Introduction*, Thames and Hudson, 1971; Peter Garlake, *Early Art and Architecture of Africa*, Oxford University Press, 2002.

（10）　Simon O. Ikpakronyi, "Modern Nigerian Art: its Development and Characteristics", in: *Modern Nigeran Art: Art Expo Las Vegas*, *National Gallery of Art, Nigeria*, 2008, pp. 1-17 [p. 4]; Evelyn Nicodemus, "Inside. Outside", in: *Seven Stories about Modern Art in Africa* (ed. C. Deliss), Flammarion, 1995, pp. 29-36.

（11）　図1は、アブドゥライ・ムク（Abdullahi Muku）氏の許可を得て下記の文献より転載した。Evelyn Nicodemus, "Inside. Outside", in: *Seven Stories about Modern Art in Africa* (ed. C. Deliss.), Flammarion, 1995, pp. 29-36, [p. 31].

（12）　Stanley (ed.), op. cit.; Nicodemus, op. cit.

（13）　緒方しらべ『アフリカ美術の人類学——ナイジェリアで生きるアーティストとアートのありかた』、清水弘文堂書房、二〇一七年、六七—七八頁。

（14）　Marian Smith (ed.), *The Artist in Tribal Society: Proceedings of a Symposium Held at the Royal Anthropological Institute*, Routledge and Kegan Paul, 1961; Anthony Forge (ed.), *Primitive Art and Society*, Oxford University Press, 1973; Robert Layton, *The Anthropology of Art*, Elek, 1981.

（15）　J. M. Vlach, *The Afro-American Tradition in Decorative Arts*, Cleveland Museum of Arts, 1978; Sharon. F. Patton, *African-American Art*, Oxford University Press, 1998.

（16）　Kazumi Oguro 編『Urban Primitivism: S. G. Mpata』、角川書店、一九八五年。

（17）　川口幸也「戦後日本におけるアフリカ美術の受容——その歴史的概観」『アフリカ・リミックス——多様化するアフリカの現代美術』（展覧会カタログ）、森美術館、二〇〇六年、二〇七—二一八［二一〇

―二一二」頁。

(18) James Clifford, *The Predicament of Culture: Twenty-Century Ethnography, Literature, and Art*, Harvard University Press, 1988; 吉田憲司「『事件』としての展示と出版――『二十世紀美術におけるプリミティヴィズム』」『二十世紀美術におけるプリミティヴィズム――「部族的」なるものと「モダン」なるものとの親縁性』補遺、淡交社、一九九五年、四―七頁。

(19) Jean-Hubert Martin and Centre Georges Pompidou, *Magiciens de la terre* (exh.cat.). Editions du Centre Pompidou, 1989; Suzan Vogel, *Africa Explores: 20th Century African Art* (exh.cat.), The Center for African Art and Prestel Publications, 1991; 川口幸也編『インサイド・ストーリー――同時代のアフリカ美術』(展覧会カタログ)、読売新聞社・美術館連絡協議会、一九九五年。

(20) Clementine Deliss (ed.), *Seven Stories about Modern Art in Africa* (exh. cat.), Flammarion, 1995; John Picton(ed.), 1997 *Image and form: Prints, Drawings and Sculpture from Southern Africa and Nigeria*, The Brunei Gallery, School of Oriental and African Studies, University of London, 1997.

(21) 川口幸也「序論」「インサイド・ストーリーあるいはオーセンティシティの神話」、川口幸也編『インサイド・ストーリー――同時代のアフリカ美術』(展覧会カタログ)、読売新聞社・美術館連絡協議会、一九九五年、八―一〇、一六〇―一六一頁。また、本書の第三章(川口氏の論考)も参照されたい。

(22) Okuwi Enwezor (ed.), *The Short Century: Independence and Liberation Movements in Africa 1945-1994* (exh. cat), Prestel, 2001; Simon Njami (ed.), *Africa Remix: Contemporary Art of a Continent* (exh. cat), Hayward Gallery, 2005; Chris Spring, *Angaza Afrika: African Art Now*, Laurence King, 2008.

(23) Paula Callus, Animating African History: Digital and Visual Trends. *Oxford Research Encyclopedia of African History*, 2018. イギリスの研究者とナイジェリアの研究者の協働によるプロジェクト「ARTOP (The Visual Articulations of Politics in Nigeria)」は、ナイジェリアのマンガやアニメーションほかデジタルメディアを使ったアートの調査とアーカイブ化を二〇一九年から行っている。https://artop.bmth.ac.uk/ (最終閲覧日二〇二〇年十月二十九日)

(24) これらは一九六〇年代以降多くの研究者によって研究され、様々な場で展示されてきた。例として、ここでは下記を挙げる。W. Fagg, *Nigerian Images* (exh. cat), National Commission for Museums and Monuments, and Lund Humphries, 1963; F. Willett, *Ife: in The History of West African Sculpture*, Thames and Hudson, 1967; T. Shaw, *Nigeria: Its Archaeology and Early History*, Thames and Hudson, 1978; H. J. Drewal, J. Pemberton III and R. Abiodun (eds.), *Yoruba: Nine Centuries of African Art and Thought* (exh. cat), The Center for African Art, 1989; J. Phillips, *Africa: The Art of a Continent* (exh. cat), Royal Academy of Arts, 1996; H. J. Drewal and E. Schildkrout, *Kingdom of Ife: Sculptures from West Africa* (exh. cat), The British Museum, 2010.

(25) Leo Frobenius, *African Genesis*, Faber and Faber, 1938; *The Voice of Africa: Being An Account of the Travels of the German Inner African Exploration Expedition in the Years 1910-1912*, Arno Press, 1980.

(26) イフェ王国やベニン王国の彫刻については、本書の第一章(小川氏のエッセイ)も参照されたい。

(27) 図5は、バヨ・オグンデレ(Bayo Ogundele)氏の許可を得て下記の書籍より転載した。Ulli Beier, *Thirty Years of Oshogbo Art* (exh. cat.), Iwalewa-Haus, 1991, p. 67.

(28) 川口幸也『アフリカの同時代美術――複数の「かたり」の共存

は可能か』、明石書店、二〇一一年。緒方前掲書。

(29) 戦後の日本におけるアフリカのアートの受容については下記を参照されたい。川口幸也「戦後日本におけるアフリカ美術の受容——その歴史的概観」『アフリカ・リミックス——多様化するアフリカの現代美術』(展覧会カタログ)、森美術館、二〇〇六年、二〇七—二一八頁。

(30) アフリカンアートミュージアムについては、本書の第一章(小川氏のエッセイおよびガイド)も参照されたい。

(31) ギャラリーかんかんのほか、アフリカンスクエアー、ルイズビィ、SAAトラベラーズマーケット(african-marche tRibES、ContaT+kollere、DAR YASMINE、Petiie africaine、SAWASAWA)などが展示場内の「アフリカンアート&クラフトマーケット」のスペースに出店し、買い物客でにぎわっていた(二〇一八年十一月一二日の現地調査と阪急うめだ本店による同展のA4版フライヤーによる)。また、通路を隔てた向かいの「アートステージ」では、バラカによる「バオバブの木の下で生まれた原色のアフリカンアート——ティンガティンガ・アート誕生五十年アーカイブ」展も同時開催されており、原画や雑貨に加え、タンザニアから来日したアーティストによる制作の実演に子供連れの客も注目していた。ギャラリーかんかん、バラカについては、本書の第一部(小川氏と安齋氏によるエッセイ)も参照されたい。

(32) 二〇一七年十月には、上述のエル・アナツイが高松宮杯記念世界文化賞(彫刻部門)を受賞したことにもふれておきたい。二〇一〇年から二〇一一年にかけて国内四つの博物館・美術館を巡回した「彫刻家エル・アナツイのアフリカ」展によって日本でも広く認知されるようになったガーナ人のアナツイは、ナイジェリアの大学の美術学部で彫刻を教え、四〇年以上ナイジェリアで作品制作を続けている。

(33) 「Osun State Population Figure 2006, Ife Development Board, City Hall」(イフェ中央地方政府に置かれた市役所による資料)に記載の人口と、オバフェミ・アウォロウォ大学のおおよその学生数・教員数の総計は約四〇万人である。なお、二〇一一年の「Black Past」の記事「ILE-IFE, NIGERIA CA. 500B.C.A-」によると、イレ・イフェの人口は五〇万一〇〇〇人となっているため、二〇二〇年現在の人口は五〇万人以上であることも予想される。「Black Past」の二〇一一年三月十五日の記事「ILE-IFE, NIGERIA CA. 500B.C.A-」。https://www.blackpast.org/global-african-history/ile-ife-ca-500-b-c-e/#:~:text=Ile%20Ife%2C%20also%20known%20as,estimated%20population%20of%20501%2C000%20people.(最終閲覧日二〇二〇年九月三十日)

(34) 緒方前掲書、八六—一〇四頁。

(35) のちにわかったのは、海外でのアフリカンアートの研究・展示から知見を得るイレ・イフェの大学の美術学科の教員らがアーティストとみなすシュライン・ペインティングの描き手の女性たちは、イレ・イフェの街のアーティストのネットワーク上には現れないということであった。すでに述べたように、給料の支払われる大学教員と学生を除くと、イレ・イフェで「アーティスト」と自称する人たち、また、そのようなアーティストから「アーティスト」とみなされる人たちは、皆、アートを制作することによって現金収入を得て暮らしている。彼らアーティストのなかに、アーティストを紹介してほしいと筆者が言ってシュライン・ペインティングの描き手に言及した人はひとりもいなかった。

(36) ボラデ・オミディラン(Gbolade Omidiran)というアーティストである。彼については、下記を参照されたい。緒方前掲書、四八、一五〇—一五三、一八三—一八五頁。

(37) 詳細については下記を参照されたい。緒方前掲書、四九、一五

八、一八〇頁。

(38) アーティストの多くは、グラフィックデザイン用のソフトウェア「コーレル・ドロー（CorelDRAW）」を用いる。また、熱転写機や業務用プリンターはイレ・イフェにはほとんど流通しておらず、家庭用プリンターについても個人での所有は少なく、印刷店での利用が一般的である。このため、Tシャツやバッグなどの布製品へのロゴの印刷や、マグカップやタッパーなど立体的なものに貼るステッカーの印刷は、多くの場合、アーティストがシルクスクリーン印刷によってすべて手作業で行う。

(39) Olu Oguibe, "The Photographic Experience: Toward an Understanding of Photography in Africa", in: *Flash Afrique: Photography from West Africa.* (ed. K. Wien), Steidl, 2002, pp. 9-15 [p. 14].

(40) 川口幸也『アフリカの同時代美術――複数の「かたり」の共存は可能か』、明石書店、二〇一一年、二二―四七頁。

(41) 前掲書、四七頁。

(42) 緒方前掲書。

(43) 浜本は、自己の相対化を伴わずに他者との差異を絶対化する文化相対主義を、自文化の自明性を全く疑いにさらさない楽観主義という点で「いいかげんな文化相対主義」とする。また、同じく自己の相対化を伴わない普遍主義を、自文化のカテゴリーを普遍的なカテゴリーだとする傲慢さにおいて「いいかげんな普遍主義」とする。文化相対主義は普遍主義に抗するようでいて、「いいかげんな文化相対主義」にとどまる限りは、他者を自己のカテゴリーによって捉える自文化中心主義という点において普遍主義と変わらない、というのが浜本の指摘である。浜本満「差異のとらえかた――相対主義と普遍主義」、清水昭俊編『思想化される周辺世界』、岩波書店、一九九六年、六九―九六［七九―八〇］頁。

(44) 筆者の母親と東京かんかんの小川弘氏は、島根県大田市の高校の美術部に所属する同級生であった。これをきっかけに、同じく東京かんかんの小川圭氏（小川弘氏の妻）が筆者の母親にたびたび商品を送って下さっていた。高校生だった筆者は、圭氏が詰めて下さった品々のなかでも特にアジアやアフリカの布に魅せられ、母親の手助けのもと、それらの布でスカートをつくって着るのが楽しみだった。これがきっかけとなり、大学でアフリカンアートを学ぶこととなった。

＊ 本稿に関わる調査・研究は、ＪＳＰＳ科研費 211523、15J05758、20J40017 の助成を受けたものです。

【さらに詳しく知りたい人へのガイド】

① 吉田憲司『文化の発見――驚異の部屋からヴァーチャル・ミュージアムまで』、岩波書店、一九九九年。

② 川口幸也『アフリカの同時代美術――複数の「かたり」の共存は可能か』、明石書店、二〇一一年。

③ Polly Savage (ed.), *Making Art in Africa 1960-2010*, Lund Humphries, 2014.

アフリカのアートの歴史が体系的に記されたもので、日本語で読めるものは残念ながらまだない。しかし①と②は、アフリカとヨーロッパの二者関係から逸脱し、第三者として俯瞰的に、あるいは複数の視座を取り入れながら、アフリカのアートの歴史を記述している。①では、アフリカの造形が一六―一七世紀の「珍品陳列室」から十九世紀の民族学博物館を経て二十世紀に美術館で展示されるようになるまでの歴史を学ぶことができる。②では、二十世紀から二十一世紀初頭にかけてのアフリカのアートの歴史を学ぶことができる。本稿では記述できなかった、国際的に活躍するアーティストを含めた様々なアーティストの作品や語りに関心がある人には③もお勧めしたい。③には、エジプトとマダガスカルを含むアフリカの東西南北各地のアーティストおよそ七十人による作品が全てカラーで掲載され、各作品についての各々の語りが収録されている。

第3部

Promoting Arts from Africa: Prospects for Intersection between Business and Research

企業と研究の視点から

【座談会1】

7 「アフリカからアートを売り込む」
――その遍歴をたどり経路をさぐる

小川弘
川口幸也
柳沢史明
緒方しらべ

岐路に立つ《プリミティヴアート》

柳沢　二〇一九年の十二月にシンポジウム《アフリカからアートを売り込む》を開催してもうそろそろ一年くらい経つかと思います。正直言うとシンポジウムにそこまで来聴者はいないだろうと勝手に予想していたのですが、当日は累計で百人くらいは来て頂いたみたいです。東京かんかんさんやバラカさんの呼びかけのおかげという側面もあるかと思いますが、それとは別にビジネスを手掛けている方々もネットを通じてシンポジウムのことを知ってくれたようで、アフリカとアートをめぐる潜在的な関心はそれなりに大きいと感じました。そのときはコロナウイルスの流行といった状況になるとはさすがに予想していなかったわけですが、今思うとあの時期にシンポジウムができたことを幸運に思います。小川さん個人のお話でも、東京かんかんさんのお話でもいいのですが、シンポジウムから一年のあいだに感じた変化やコロナの影響といったものをお話いただけますか?

小川　このコロナ禍で悪い影響を受けていない人は少ないと思いますが、一番打撃を受けたのは店舗営業が出来なくなった事、海外に仕入れに行けなくなった事ですね。当社のお客さんは本当に限られた数の顧客さんですので、定期的に新しいものが入荷しないと、古い在庫だけで販売するのは難しいですね。最近はネットで海外の業者から画像を送ってもらえるのである程度仕入れは可能ですが、やはり高額な商品は現物に触れて見てみなければ購入できません。画像だけだとその物の古さが見抜けないんですね。すでに何度か失敗もしていますし。もうすでに一年近く仕入れに行っていないので、僕自身ストレスもたまるし売り上げにも影響が出ています。コロナ前に開催されたこの「アフリカからアートを売り込む」というシンポジウムのタイトルは、非常に面白いと思っています。アフリカには、古い時代から現代まで素晴らしい造形がたくさんありますし、現代のものでは新しい作品で面白いものがたくさん出てきています。川口さんや緒方さんの分野がそうなんですけど、最近、現代アフリカンアートの分野では非常に有名になって、そっちの分野が現実的にはアフリカ美術を注目させているのかな、と思いますが、年に一度、パリで《パルクール・デ・モンド Parcours des mondes》っていう、全世界から、プリミティヴアートの業者が集まる展示販売会もあって、まあそこは盛況ですね。しかし多くの展示作品が、普通の個人が買えるような価格じゃなくなっているんですね。ですから、本格的なプリミティヴアートを日本で広めるのはここ十数年くらい難しい状況です。そこで、今回の企画のように、「アフリカからアートを売り込む」っていう切り口を設けられるのはとても心強いです。実際、僕が公的な美術館などでアフリカの仮面などの展覧会をしたからといって、このジャンルに興味を持つ人が増えてきているという感じはしないですしね。伝統的、古典的なアフリカの文化や造形を伝達してゆくには新しい視点が必要かなと思っています。

柳沢 《パルクール・デ・モンド》のような美術商やギャラリー経営者の方々が集まるイベントはなかなか日本の研究では紹介されないトピックなので興味深いのですが、こうしたイベントを含めて、ヨーロッパの諸都市であったり、あるいはアフリカの各都市でもいいのですが、他の同業者の方と意見交換や情報交換など具体的に接点や交流はあったりするのですか？

小川 今でも？

柳沢 今でも昔でも。

小川 かなり昔にさかのぼりますが、それこそ三十年くらい前はフランス人の知り合いやアメリカ人の業者とはアフリカのいろいろな場所で出会い情報交換も含めて食事を一緒にしたりしたんですが、現在ではほとんどの知り合いの業者はリタイアしていて、まずアフリカで会うことはないですね。それともう一つには現地で古い商品が見つけられなくなった為に、アフリカに収集に来る業者が非常に少なくなっています。そんな状況なので、現地の業者も新しく作られた商品を扱うようになったり、仕事自体を辞める業者も増えてきています。しかし、テキスタイルの分野では、彼らの日常生活の必需品だということもあり、新しい面白いデザインがたくさん出ていますね。うちでも今はそういったものを少しずつ開拓したいと思っています。

柳沢 アフリカにおける日常生活の必需品を開拓するというのは、いわゆる「プリミティヴアート」に代わる現代のアフリカのアートを売るということと結びついたりするんですか？

小川 ええ、十分。アフリカのデザインというのはなかなか面白いものが多いので、うちも洋服とか、それこそ今のコロナ対策のフェイスマスクとか、それらにアフリカンデザインを取り入れていますね。アフリカンデザインは、最近、結構関心が高くなっていて人気があるんですよ。だからそういったものの開発をこれから考えていかなくちゃいけないかなと思っています。

柳沢　現代ではアフリカ諸地域の古い彫刻だとか、神像だとか、仮面だとか、そうしたものが見つけられないし、少なくとも小川さんの眼に適うものが無いので、もう少し視野を幅広く持ち、アフリカの製品や日用品を含めてアピールしていくと考えてよろしいですか？

小川　そうですね。もう少し視点を変えて開拓していかないといけないと思っています。今まで通りの本格志向で、アフリカの古い力のあるものを扱いたいと思っても市場がないのでやっていけませんし、年齢的にも昔のようにアフリカの奥地まで四輪駆動の車を走らせ仮面舞踏を取材したり、その村で毎日使われていた扉などを譲ってもらって車のルーフトップに縛って運ぶなどはとてもできない。もし若い人でこの面白さに関心を持つ人がいれば、是非とも伝達はしたいと思っています。

柳沢　若い人っていうのは一般のお客さんのことですか、それとも東京かんかんさんの従業員の方ですか？

小川　まあ、従業員でもフリーの方でもどなたでも関係ないですが、ものが分かるようになるには時間がかかるので若い方がいいかなと思いますがね。修行の時間が必要なんです。ある程度の美術的センスを鍛えるためにも。一時、アフリカ美術が日本でもかなり注目を集めた頃は、都内でも業者の方が十人近くいたんですよ。しかし今そうしたものを扱う人たちはほとんどいなくなっちゃったし、とくに若い人で関心を持っている人がほとんどいないっていうのが非常に寂しいなと思っています。

柳沢　原因は何だと思います？

小川　やはり、本当にいいものっていうのが分かる人が仮にいたとしてもですね、価格的にあまりに高額になりすぎているっていうところが一番でしょうね。そして日本には市場がないということがあると思いますね。自分のお小遣いというか、給料で買えるような額じゃなくなってきている。だからアフリカ美術を扱う視野を広げて、古いアフリカの力のある作品も扱うが、新しいものでも面白いデザインのものもたくさんあるので、そういったところも開拓していきたいなと思っています。今うちに勤めている社員たちは、アフリカのこういったものが好きな人が多いので、その中で誰か将来的に独立してやってくれる人がいればいいなって思っています。すでに何人かが独立してアフリカのものを少しずつ扱ってきてはいますけど。

美術品と日用品――ネット社会のアフリカ美術

緒方　今、小川さんは企業の経営者という立場からプロの若い人が出てきたらいいなとおっしゃってたんですけど、一般のお客さんからすると、かんかんのオンラインショップのメールマガジンがプリミティヴアートへの入り口になっているかもしれません。若い人向けの洋服やアクセサリーと並べて数千円から数万円のプリミティヴアートも紹介されていますよね。

小川　もちろん今はインターネット販売にも力を入れていますが、ネットでは高額の物は全く売れない。ただ画像を見せるだけでは販売に繋がりません。どうしようもないんで、もっと気軽に買えるものをと考えています。仮面にしてもオリジナルの古い物ではなくても、形態的にはきれいなものというか、リーズナブルなもの、数万円で買えるもの。それから道具類に関しては本当に日常使われていたものが結構手軽な値段で出せるので、ネットにはそういうものを載せています。それらは少しずつ動くようになっています。商売繁盛するほどじゃないですけど、それも続けてもっと広げていきたいと思っています。

緒方　一昨日届いたメールマガジンにはインドの古い鍵と錠が載ってて、数千円でした。服やアクセサリーと並べて紹介されてて面白いなと思いました。

小川　あのインドの鍵はだいたい百五十年とか二百年くらい前のものなんですけど、ほとんどが一点一点手作りで、写真だと形やその表面のパティーナ（鉄味）しか見えないけれど、実際その鍵を開けようとすると、なかなか複雑なパズルになっていて全然開かないんですよ。今でも開かないのが何点かあるんです。中目黒に鍵専門の個人ミュージアムをやっていらっしゃる方がいて、十年近く前にインドの鍵の展覧会をやったときに非常に興味を持たれていろいろと購入して下さったんですけど、伝統的に培われた鍵工芸品の面白さを評価して頂けて嬉しかったですね。その意味ではベースはインドでもネパールでも造形の持つ美しさや力があるものはどこのものでも同じなんで、アフリカだけに限って収集しているわけではなくて、インドでもネパールでもタイでもアジア各地から面白いものがあれば買ってきますね。ここ一年はもちろん海外に出られないんで、しょうがないですけど。

緒方　ネットの写真ではよく見えないんですけど、インドの鍵にしても、細かい彫りがあるじゃないですか。その彫りについて説明が四、五行くらい載っていて。ああいうちょっとの説明から関心を持てると思います。

小川　いまうちで働いているギャラリーのスタッフたちはこ

小川弘，緒方しらべ

ういうものが好きです。中でも一番若いスタッフがいろいろなテーマを設定して企画展を毎月組んでくれて、非常に助かっています。ブログやインスタグラムもスタッフたちが更新していて、自分たちの興味や愛着がよく伝わる発信になっていると思います。昔、うちで働いていたスタッフが始めた「かんかんプレス」というのもあって、プリミティヴアートの解説が分かりやすく書かれています。イラストも別のスタッフが描いていて楽しい読み物だと思います。これを始めた彼女は独立して今も活躍中です。

売るために、何が必要か

柳沢　さきほど小川さんは若い人が育っていないということを懸念されていましたが、たとえば小川さんがこなされているような仕事を志す人には何が必要だと思いますか？　例えば商才であったり、言語・語学能力であったり、もちろん造形をみる眼が必要であったりするとは思うんですけど。小川さんがギャラリーやお店の経営を四十数年続けられてくる中で必要と感じた要素というか能力にはどのようなものがありますか？

小川　まあ、言われたほとんどすべてが大切な条件なんですけど。もちろん一番重要なことは、やはりこういう造形物に関心があり、それらを見ることが好きであることですかね。そして、そういう自分の感性に合ったものを所有したいと感じる人ですね。よくお客さんから聞かれるんですけど、「これは三万円と付いていて、こっちは一五〇万だ、三〇〇万と付いていているけど何が違うんだね、どこが違うんだね」って。それはですね、簡単に言わせてもらえば、高校生の描いた絵とピカソの描いた絵の違いがわかるかという質問と同じようなものです。もちろん古さの違いによることも大きな要因になりますが、形態的に美しいかということがわかるかということが非常に大切ですが、次にその造形の持つ内在的な力みたいなものを感じられるかということが大きいと思います。対象物をぱっと見たとき、「あ、これはすごいな」っていうのを直感的に感じる力です。それはもちろん経験にも拠るんですけど、その感じる能力っていうのはどうしても必要になってきます。それと海外で仕入れをする時には、語学力も必須ですね。特に骨董や美術作品などについては経験を積み、そのレベルの作品の妥当な価格を認識しておくことは一番大切な事ですが、それらの価格交渉に語学力は必須になります。アフリカで売られている骨董品などには妥当価格などなく、日常的に交渉力が必要になってきます。経験の浅い頃は僕も随分高く買わされたことは何度もあります。数十メートル離れた業者が同じものを半額で売っていたことなど日常的にあります。日本の場合、英語を話す人はある程度いますし、ほとんどの人が片言での会話は出来ます。うちもデザイン関係のスタッフはしょっちゅうインドに連れていきますが、片言の英語でもある程度は通じるんでそんなには支障は感じませんが、アフリカなどに行きフランス語圏になると全く会話にならず困ってしまいます。

柳沢　語学力と交渉力というところで思い出すのは、川口さんの論考の中のエピソードです。お二人がアフリカに行かれていざ作品購入のための交渉を行うとき、川口さんは自分だと相手のアーティストと親しい間柄でビジネスライクな話をしにくい、要は値切りにくいので、小川さんに助けてもらったという話が紹介されていました。作品購入にあたって、アーティストとのやり取りにはもちろん語学力と交渉力が必要で、いかに相手の作品を安く買い叩かずに、またあまりにも高値で購入しないようにするバランス感は、研究者が掴みづらい要素かなと思いました。

小川　まあそれが現代作家の作品を購入するときの一番大変な点になると思いますね。僕も美大を出ているので作家の持つプライドについては分かっていました。アフリカで通常付き合っている骨董業者に対するようにすぐに半額に値切ったりする訳にはいかないのは十分承知していました。アフリカでの現代作家の作品を購入するときは事前に合計予算から一人一人の作家の作品の購入予定価格を決めて交渉しました。僕にとってはすべての作家が初めての出会いなんで、あまりしがらみのようなものはなく、それなりに交渉はできるんですけど、美術館では展示作品の購入予算が決められているので、その中でアフリカの現代美術を見ごたえある展示会にできるように購入しなければいけません。しかも日本におけるアフリカの現代美術に対する認識は非常に薄く、購入予算も限られたものでした。そのうえ輸送費用もすべて購入予算に入っていてその中でやりくりしなければいけないのが更に大変な問題でした。例えばセネガルのムスタファ・ディメ(Moustapha Dimé)などの二メートルを超す大きな重い木彫作品などを輸送するのは本当に大変でしたね。彼の住んでいたゴレ島からダカールまで小さなフェリーのようなボートを使って作家本人と弟子が数人がかりで運び、それを川口さんと佐々木達雄さんという友人と僕がダカールの港で引き受けました。佐々木さんはアフリカでの生活を二十年以上経て一時期僕の会社で働いてくれた人で、現在はアフリカに戻ってベナンのコトヌーのプランテーションで現地の人たちの自立支援をしている素晴らしい方なんですが、英語もフランス語も達者で、彼のようなアフリカ経験が豊富な人が輸送を手伝ってくれたおかげで現地から輸送の難しい作品をうまく運ぶことができたんですね。それと、緒方さんも(僕のエッセイへの応答文の中で)ちょっと触れておられたけど、作品を購入するお金を現金で持ち歩かなければならないのもまた大変なことです。アフリカの作家にしても初対面である日本の美術ディーラーの僕に後で送金するから作品はすぐ日本に送ると言われても信用しませんからね。まず、現金で支払って作品を購入し、その後シッピングという段取りになります。そのためには絶対に現金を持って行かなければならない訳です。そんな大金を持って国境を越えるっていうことは大冒険です。川口さん、あのナイジェリアの国境で、トーゴのロメからラゴスに行くときに、大変怖い思いをした事、覚えてますか?僕がいつも取引しているロメの業者が、自分はしょっちゅう行き来していて顔パスで通るからラゴスまで自分の車で送ってあげるよ、飛行機で行くとラゴスの飛行場で絶対調べられるから、俺の車で行こうっていう誘いに乗ったとき。

柳沢 それはどなたが?

小川 それは向こうの現地の、僕の取引先の業者。まあ彼とは長い、結構大きな取引をしていたんで。

川口 だから、ガーナからナイジェリアまで(陸路で)行ったんです。そのあいだトーゴともうひとつの国を挟んで。どこでしたっけ、ほら、あの……

小川 ベナン。

川口 そう、トーゴとベナンを挟んで。そのたびに国境を車で通らなきゃいけないわけです。やっぱり最後のナイジェリアの入国管理というのはもう、他と比べたら断然厳しいんですよ。

小川　いや〜、それで、顔パスで通過どころか、税関の四人が同じ質問を順番にやるんですね。「それでお前、いくら持ってる？」って。僕はほんとに少ない金額とトラベラーズチェックを事前に財布に入れておいて、二〇〇〇ドルか三〇〇〇ドルくらい出してですね、これが持ち金全部だと言ったら、「わかった」って言って、またご丁寧に四人一人一人が順番に現金を数えていく。他にスーツケースには何が入っている？　とまた順番に一人一人が同じ質問をし。僕は顔パスで通るなんていうロメの業者の言葉を信じてたんで、自分の肩に掛けていた、ショルダーバッグの中に、ほんとに無造作にね、封筒に入れて、確か四万ドルくらいだったかな、現金を持っていた。もう「えっ？」って感じで急に不安になってきた。もしこのバッグの中身を調べられたら最悪だと。三〇〇〇ドルしかないって言ったのに、「お前何だ、実は四万ドル持ってるんじゃないか」なんて言われたらですね、もう大変なことになります。ほんとヒヤヒヤして。スーツケースの薬とか、みんな開けられて、一時間くらいいろいろと調べたんですよ。それで業者の彼に、一〇〇ドルでも二〇〇ドルでもいいからとにかく渡して通過しようって耳打ちした。で、二〇〇ドルを渡して何とか放免された。結局ショルダーバックの中だけは調べられずに済んでトラブルにはならなかった。

川口　いつもは小川さんは余裕があってね、小川さんの顔を見ると同行者は安心するんですが、あのときばかりは小川さんが張りつめた表情で。

小川　いや〜、ナイジェリアでは今まで何度も嫌な思いをしてるんで。

川口　みんなそうです。あそこはそういうのが多いですよね。だいたいは空港での出国のときに二〇ドルぐらいやられますから。

小川　でもあのときは結構危なかった。あの時現金が見つかっていたら罰金かなんか知らないけど、結構取られるか数日足止めを食らったと思うんだよね。

柳沢　そのときお二人が一緒に行かれたのは、川口さんが世田谷美術館にいて展覧会を……

川口　あれは国立民族学博物館にいたときですね。

小川　そうですね。あのときはアフリカの現代作家作品の収集と搬送するってことで頼まれて。今もあのときのことよく覚えています。ナイジェリアのラゴスのブルース・オノブラクペヤ（Bruce Onobrakpeya）、彼の作品ってめちゃくちゃ重いし、大きい。折りたたむわけにいかないですよ。それで大きなベニヤで箱作って、それを飛行場まで持って行って税関

川口幸也

手続きなども自分でやって送りだした。ほんとにああいうことは若くないとできないですよね。

ビジネスとミュージアムの協調

柳沢　小川さんはソンゲの仮面に魅了されて以来四十年以上にわたってアフリカ由来のアートを扱ってきて、その過程で今お話されたようなアフリカでの経験をされたり、作品の収集・購入・運搬などもなされてきたかと思いますが、川口さんは小川さんのこのような活動をいつ頃知られたのでしょうか？

川口　私が小川さんと初めてお会いしたのは一九八五年ごろだったと思います。駒場の日本民藝館で小川さんの講演会があって、それを聴きに伺いました。それがきっかけになって、青山のギャラリーを拠点にして、こういうお仕事をされているということを知りました。

小川　あのときはちょうど日本民藝館の柳宗理館長ともうひとり、杉野孝典さんと言うカメラマンを案内して、ドゴンと西アフリカのガイドをするっていうことで行ったんですけど。結局、僕は自分の仕入れが忙しすぎちゃって、ブルキナファソはカセナの村など案内できたんだけど、バマコでは、先生たちはもうほとんどやることないんで三日もブラブラしてると退屈してしまって、それじゃあ僕らだけで行くわって、カメラマンとガイド、ドライバーの四人でドゴンの村まで行かれたんです。柳先生はいろいろなものに関心がおありで、物がすごく好きだから、いろんな物を買われていて、それを民藝館に展示されていました。そのあと、報告会みたいな形で講演会があり、講演が終わってから川口さんが話しかけてこられ、そのときが初めての出会いでしたね。それからずっと、結構長いお付き合いになりますよね。

川口　もう四十年近くになりますかね。三十五年くらいですか。

小川　一緒にもう何回アフリカに行きました?

川口　西アフリカを中心に数回行きましたね。

柳沢　それは川口さんが世田谷美術館で民族美術の部門に配属されたあとのことでしょうか?

川口　配属というより担当ですよね。

柳沢　アフリカ等の地域に行って収集を行うといったことも民族美術部門における担当の主要な関心事だったのですか?

川口　主要というと、展覧会を実現するということの方が先で、収集はそれほど意識はしていませんでした。あらためて思い返してみると、大学院の修士課程を卒えて、美術館の開設準備室に入ったわけです。しかし、その時点では開館記念展のプロジェクトはもう動いていたんですね。学校出たての新人だから、とりあえず民族美術でも担当してくれというようなことだったと思いますよ。私自身はとくに何も思わずに、仕事だからと関わっただけなんですが、実際に仮面や神像を見てみたらすごく面白く感じたわけです。小川さんのギャラリーなんかでけっこう見せてもらいましたね。それで小川さんに話を伺っていくうちに、これは今回の小川さんの文章にも出ていますが、芹沢銈介旧蔵の仮面のコレクションが静岡の芹沢銈介美術館にもあり、仙台の東北福祉大学にもあり、という具合いに結構まとまって揃っているということが分かってきたんですね。しかも質が高い。こういうのを借りれば展覧会としては何とか形になりそうだという流れが見えてきました。ただもうひとつ別の事情もありました。一九八五年から八六年にかけて、あの時分はちょうどバブル経済がこれから盛り上がっていこうという時期に当たっていて、日本ではエスニック・ブームという一種の流行があったんです。要するに、ちょっと自意識の強い人たちの中に、インドやネパールに行ったり、バリ島に行ったりして、帰ってくると何やら深遠な哲学の煙を吐く、というような人が出てきたんですね。

柳沢　音楽も流行りましたね。

川口　そうそう。ほかにもオセアニアのどこかの島に行ってきたりとか、アフリカに行く人もたまにいましたが。要はそういう地域の料理、ファッション、音楽、そういったものが東京を中心にもてはやされた時期というのがあったんですね。これは、途上国のエスニックな文化を通して、日本社会全体が戦後の過程で達成した成果を、みずから確かめようとしていたということだったと思うんです。そういう世の中の全般的な気分が背景にあって、展覧会の一部分として民族美術っていうものに関わったということですね。

官と民の協力

柳沢　アフリカの現地での活動経験や交渉力、造形を見る力といった理由から、小川さんの名前が様々なアフリカ関係者によって構成されるネットワークの中に出てくるというのはわかる気がします。同じように、川口さんの論考にも様々な分野の人が登場してきて、外務省関係の人とのやり取りが描かれるのは、歴史研究やテキスト研究が多い人文系の自分にとっては驚きでした。少し前まで僕自身がアフリカとアートという主題について、外務省関係者の人を含めたより広いネットワークと関連づけて考えてこなかったのがその要因かと思いますが。視点を変えれば、外務省関係者や小川さんのような民間企業の方々との関わりの中で、かなりの程度アフリカからアートが日本へと売り込まれてきたという側面も見えてくるということかもしれません。じっさい、外務省が世田谷美術館に声をかけて展覧会を後押ししたといった記述が川口さんの論考の中に出てきます。もちろん先ほど川口さんがおっしゃられたエスニック・ブームがあったことも一因でしょうが、外務省によるこうした売り込みの背景には何か背景があったのでしょうか？

川口　一九八〇年代の半ばごろ、当時の外務省のアフリカ関連の部署の人に聞いたことがあるんですが、日本人にアフリカへの関心を持ってもらうために何をやるかとなった場合、とりあえず手を付けやすく、効果が見込めるのは文化だというんですね。音楽や映画、ファッション、料理などです。九〇年代に入ると、ルワンダ難民保護で自衛隊がザイールに派遣されたりして、にわかに新聞、テレビが、ライオンや飢餓ではなく政治面からアフリカを取り上げるようになりますが、ザイールへの派遣はたしか九四年ですから、少し後のことです。また、今と違ってアフリカからの移民を街で見かけたり、ということもほとんどなかった。そんな中、日本におけるアフリカのプレゼンスを高めるために、外務省が旗を振って文化交流を進めたということは大きかったと思います。アフリカの食べ物やファッション、音楽などを紹介する「アフリカン・フェスタ」というイベントはもう二十年以上にわたって毎年行われていますが、これも最初の仕掛けは外務省だった

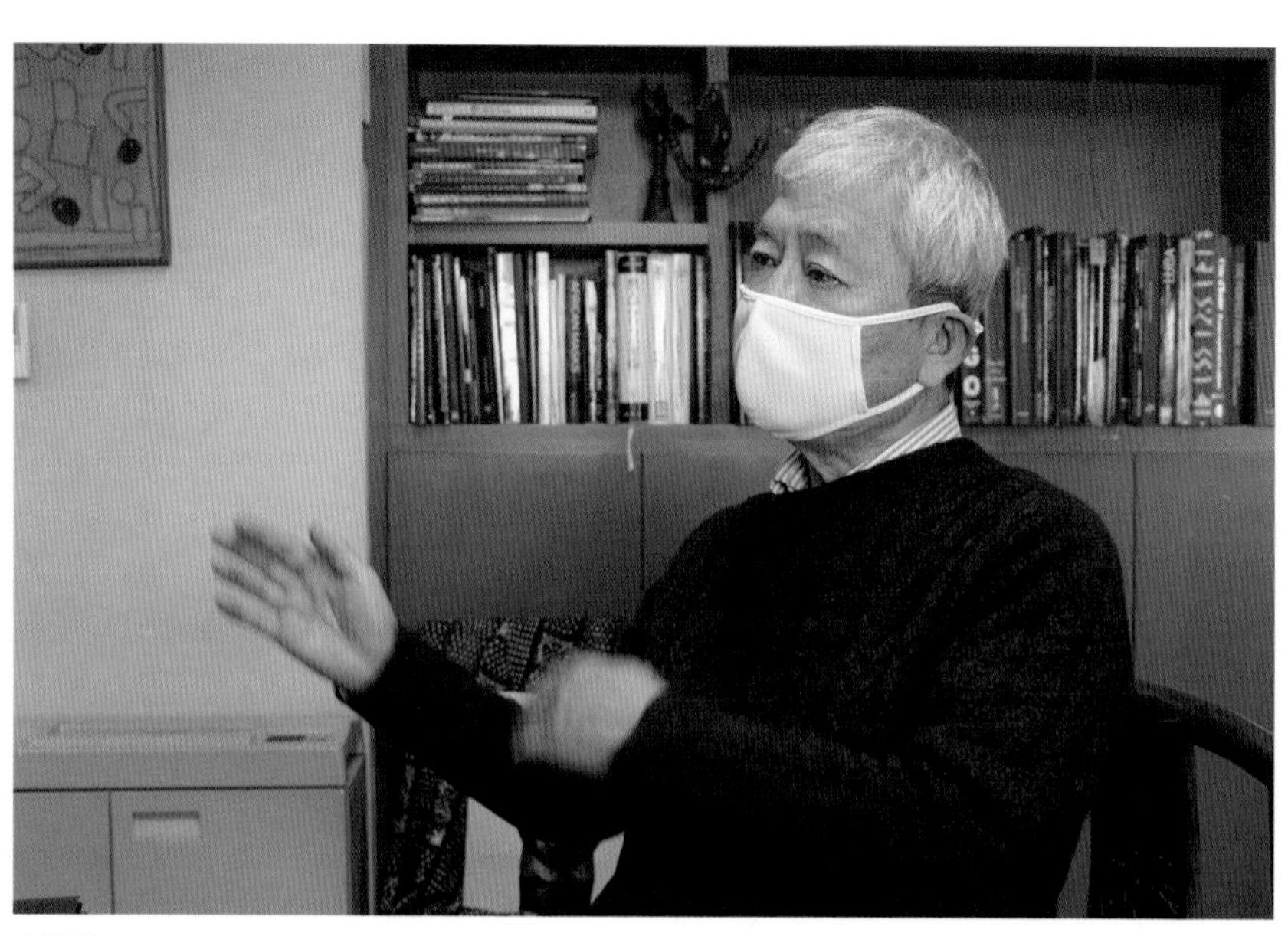

小川弘

と思います。

小川　一九八四年頃まで日本はアフリカ諸国との関係が疎遠で未知の大陸と考えられがちだったんですが、アフリカの飢餓支援だけではなく、アフリカの文化なども紹介して行かねばならないという気運が生まれて、安倍晋太郎外務大臣のときに、「アフリカ月間」がこの年の九月から十月に実施されたんです。そしてアフリカ諸国との友好が増進して、その翌年に「アフリカウィーク」が企画され、川田順造先生から僕に依頼がありアフリカ美術展が開催されました。その時は、様々な分野で各種の催しが実施されましたね。

川口　「アフリカウィーク」、一九八五年十一月に有楽町そごうで行われた展示ですね。たしかNHKの九時のニュースでも紹介されました。その中でかの岡本太郎さんが「芸術は爆発だ」と話しておられました。

小川　そのアフリカウィークの時に「イメージの冒険――アフリカ美術」展っていうかなり大きな展覧会を、外務省の後援で開催しましたね。監修は川田先生がされたんですけど。その時、先生と初めて仕事をさせてもらい、その後随分長くお付き合いさせて頂いています。アフリカでもシッピングだとか色々頼まれて繋がったのと、夫人で陶芸家の小川待子さんが私の東京芸大の先輩でもあって。

柳沢　有楽町そごうの「イメージの冒険」のときもそうなん

ですけど、新聞社がアフリカに限らず美術展を古くからバックアップしてきましたよね。アフリカに関するアートの場合、新聞社に加えて外務省やアフリカ協会が展覧会を主催したり後援したりしてきた歴史があります。広くアフリカとのネットワークを築こうとするこうした機関がアフリカからアートを売り込むための経路も準備してきた部分があって、川口さんの論考でもエル・アナツイの数次査証発行の際に外務省勤務経験者の黒河内康さんの名前が出てきたりしますよね。小川さんも展覧会等で黒河内さんと繋がりがあったのですか？

小川　黒河内さんとは、ＴＩＣＡＤの時、美術展の打ち合わせなどで何度かお会いしています。アフリカ協会とも随分一緒に協力させてもらって、展覧会など何度かやってるんですけど。やはりどうしても文化予算って出にくいんですよね。で、そごうの展覧会の時もそうでしたが、その頃はまだ文化人類学とか、アフリカなどの文化の紹介には、なかなかお金が出てこなかったですね。ヨーロッパの印象派絵画などの文化展示会はそれなりの予算が付くんですけど、「アフリカに美術などあるのか？」っていう先入観があって、ほとんど予算がつかない。でも徐々に援助や文化交流などが盛んになり、美術では、川口さんが色々企画された世田谷美術館などのアフリカ現代美術展や国立民族学博物館でのアフリカ展、また、音楽、映画、写真展、シンポジウムなどの分野でアフリカの紹介が多くなってきましたね。そういう意味では一九八四年頃と比べると随分アフリカ文化は浸透してきたと思います。更に昔はほとんど見かけなかったアフリカの人たちも日常的に街で見かけるようになりましたね。ほんの三十年くらい前まではアフリカは遠い国で赤道近くに位置する国の名前などほとんど知られていなかったけれど、ＩＴの発達やスポーツを通じてこの三十年でアフリカとの交流はかなり盛んになったと思います。今、中国がアフリカに巨額の投資をして昔の西欧の植民地政策とも思えるような動きをしていることには、非常に危機感を感じざるを得ません。日本は別のかたちでアフリカとの関係を築いていくことを期待したいです。

川口　皆さんご存知のように、中国のアフリカ援助っていうのは事実上中国のアフリカ進出ですよね。現地では甚だ評判が悪い。なぜかというと、中国から人もモノも全部もち込むから、現地では雇用が増えない。しかも場所によってはミニ・チャイナタウンのような形で自分たちだけのコミュニティを作ってしまうので、周りのアフリカ人との交流があるようで、あまりない。したがって、アフリカ人から見たら、中国人にいいように利用されているという印象が強いんですね。だから新しい植民地主義とまで言われている。その点、日本の関わり方は、問題がないわけではないのでしょうが、中国の露骨なやり方とは違っている。でも日本もかつて、たしか七〇年代に田中角栄首相がインドネシアを訪問した時でしたか、現地で暴動が起きたことがありますよね、反日暴動が。七四年頃かな。それで日本は経済関係だけではなく、文化交流もやらなければということになり、国際交流基金が東南アジアを重視し始めたという経緯があるんですね。ただ、国際交流基金の主たる守備範囲はやっぱり欧米とアジアなんです。アフリカにまではなかなか手が届かない。その後、職員をセネガルの大使館に送るなど、少しずつアフリカにも関心を示してくれるようにはなっていますけどね。また、別の問題になりますが、日本の、特にアフリカとの関わりを見ると、横の繋がりがあまり見られないということがあると思うんですね。これは、誰が悪いとか、どこに責任があるという話ではなく、日本人の特性かなと思うんですが。同じホテルや街なかのレストランで食事をしていても、日本人同士で言葉を交わそうとしない。つまりこっちは漁業関係者で、向こうは農業関係者で、あっちは文化関係者と固まっていて、お互いに「あ、日本人だな」って分かってはいるんだけど、みんな奥ゆかしいから声をかけないんです。アフリカとの交流という同じようなことをやっているにもかかわらず、横の繋がりが出てこないから、日本としてのアフリカとの関係が断片的な感じがするんですよ。それに比べると、良し悪しは別にして、イギリス、フランス、ドイツを始めとするヨーロッパ勢は、政治、経済、文化の多彩な分野をたがいに絡ませながら展開してくるから、アフリカとの関係がすごく分厚いんですよね。もちろん過去の歴史的な経緯がベースになっているという要素が大きいのですが。これについてはずっと前からいろんな人が言及しており、実はその辺を外務省とかアフリカ協会は心得ていて、日本の対アフリカ交流の扇の要の役割をかなり意識的に果たしてきたんだろうと思うんですが。

人的ネットワークこそ最大の財産

川口　小川さん、これまで銀座にギャラリーを開いたり、ビジネスを結構広く展開してこられたじゃないですか。小川さんとたまに会うと、「きつい」とか「厳しい」とかいう言葉をよく口にしておられたけど、その割にはこうして元気でやっていらっしゃる。ばかりか、事業はどんどん大きく成長している。でも、ときにはほんとにちょっと厳しいなと思ったときもおありになったんだろうと思うんですが、一番きつかったのはいつごろでした?

小川　いや〜、いつもきついことは本当ですけどね。

川口　今もコロナできついかもしれないけど（笑）。

小川　今が一番きついかもしれないですね、もちろんコロナで。今回の補助金、雇用助成金、更に、政府系の政策金融公庫とか保証協会などの融資、あれがなかったら完全に潰れてた。

川口 じゃあ、あの制度はそれなりに効果あるんですね。

小川 効果あります。今も雇用助成金は出てますが。いつまで援助が続くのかが気になりますが。コロナで一番ひどかったのは三、四、五月で、四、五月は店舗が全部クローズしたんで全然売上なくて経費だけが出ていく。政策金融公庫とか、保証協会の融資が本当に頼みの綱のようでしたね。その援助があって、何とか今もやってこれてるんですけど。アフリカ美術っていうのはビジネスとしては非常に難しいとつくづく感じています。九〇パーセントは洋服や雑貨をやって、何とか会社を維持してるところですね。

川口 アフリカ以外にもインドとか中国とかも扱っておられるじゃないですか。やっぱりアフリカよりもそっちのほうがビジネスとしてはチャンスが大きいですか？

小川 ビジネスとしてはインドが七五パーセントで中国が一〇パーセント、あと東南アジアで、アフリカはもう五パーセント以下ですね。今この一階でアフリカ美術を扱っていますが、売上は会社の総売上からしたらすごく少ないです。ただ自分の精神的な核として守っている感じです。

川口 ということは年間の買付けに行く回数もインドなんかのほうが全然多いと。

小川 もう圧倒的にインドです。昔はアフリカへ年二回行ってました。その都度一カ月とか一カ月半滞在して、色々な国を回って収集してたんですけど、今は年に一回、それも二週間行くぐらいです。でも向こうに行っても何もないですし、航空券も非常に高くてアフリカ行ってちょっと回って帰ってくるとすぐ一〇〇万以上かかっちゃいますし。それに比べてインドは近いから航空券も安くて、最近はしょっちゅう社員を仕入れに行かせています。

川口 何の分野でも同じですが、やっぱり重要なのは、現地での人脈をどうやって作り、それをどう繋いでいくかっていうところだと思うんです。車借りるにしても、何をするにしても、それこそ晩ごはんを食べるにしても。

小川 だからそれが人脈っていうか、アフリカで築いた事ですね……

川口 ネットワークですよね。

小川 そう、ネットワーク。いきなり行っても、信頼できる人間を探すだけで大変ですよ。だから僕は何十年かやってきて、もう今は電話とメールでやり取りして、すぐ送ってくる。お金を振り込んだら問題なく必ず送ってくれる人が各国にいるんで助かっています。まあ引き継いでもらいたいと思っているのはこういう関係ですね。だからその商売の秘密だとか、そんなこと全然関係なくて、誰かやる人が出たら全部教えてあげたいなっていうのが本音のところです。

川口　異文化との交流においては、信頼に裏付けられたネットワークこそ、何ものにも代えがたい無形の財産ですよね。

分野を超えた繋がり

柳沢　少しお二人にＴＩＣＡＤ（アフリカ開発会議）についてお伺いさせてください。というのも、最初小川さんに東大でのシンポジウムへご登壇頂けないかとメールで尋ねたときに、そのシンポジウムはＴＩＣＡＤ関連のイベントですか、って質問されたことにやや驚いたことを覚えてます。美学芸術学といった領域で研究してきた自分にとっても、また東京大学文学部という機関にとってもおよそ縁のなさそうな単語でしたので、なぜそのようなことを訊かれたのか当時は首を傾げました。とはいえ、さきほど振り返ってもらったとおり、日本における「アフリカからアートを売り込む」歴史は、旗振り役としての外務省やアフリカ協会などと不可分であった点を踏まえれば、ＴＩＣＡＤとの関わりを小川さんが問うたのも納得できますし、お二人のこれまでの活動の中でＴＩＣＡＤもまた重要なイベントだったのではないかと考えております。

川口　ＴＩＣＡＤが最初に行われたのは、一九九三年なんですよね、東京で行われました。当時は東京で五年ごとの開催でした。そしてそのときに外務省のアフリカ一課から私のところに話があって、アフリカの大使会議を開いたら、経済だけじゃなくて、一緒に文化も絡めて美術展をやったらいいんじゃないかということになったらしく、なんか展覧会を開いてくれませんか、という打診があったんですね。ところが、こんなことを言ったら申し訳ないけど、舞台裏を知らない人は、展覧会なんか今日言えば来週できると思っているわけです。ふつう、展覧会というのは二年くらい前から作業に着手し、それから準備を少しずつ進めていって、最低でも一年は必要です。もう今年の十月に会議があるから何とかしてくれ、というのが二月か三月くらいに来たのかな、それで慌ててあちこち探り回り、都内の中心部で民間企業がもっていた小さなギャラリーに頼み込んで場所を確保したんです。肝心の資金は国際交流基金から出るという話に、最後はなりました。ただ、もう半年を切っていた状況の中で、時間的にアフリカから持ってくるのは無理ですよとなり、パリとかベルギーにあるコレクションを借りましょうということに落ち着いたわけです。短い期間に交流基金の担当者と二人でヨーロッパに出張したりで、結構大変でした。今になって振り返ればいい思い出ですが。その第一回アフリカ開発会議の日本政府代表が当時スイス大使でいらした黒河内さんだったんです

柳沢史明，川口幸也

よ。私が初めてアフリカに行った一九九〇年にナイジェリアの大使をされていて、そのときもそれ以後も、ずいぶんお世話になりました。そういうご縁もありました。その後、二〇〇三年に第三回目のTICADのときに、私がNPO的な立場から、ちょうど美術館から国立民族学博物館へ移るときだったんですけど、小川さんのお力添えも頂いて、すでに外務省を退職されていた黒河内大使を担ぎ出し、「アフリカ年二〇〇三」という、民間主体の全国的な文化交流プロジェクトを立ち上げました。黒河内大使には実行委員会の委員長をお願いしました。このときには多くの方々の助けを得て、全国各地の美術館や博物館などを会場にして、展覧会、コンサート、講演会、映画会などを展開しました。大小全部合わせると、イベントの数は二十近くあったんじゃないかな、結構ありましたよね。世田谷美術館でもコレクションによる展覧会（「アフリカの光」展）を開催しました。

小川　ちょうどうちもね、そのとき広島県立美術館でアフリカ美術の展覧会の予定が入ってたんで、それもその一環としてやりましょうって。

川口　それで、最初は四月の初めに、赤坂の国際交流基金の会議場を借りてオープニングのシンポジウムとセレモニー、あと加藤登紀子さんに「アフリカ年二〇〇三」文化交流親善大使をお願いして、ミニ・コンサートをやっていただき、それからレセプションも行いました。レセプションにはアフリカの各国駐日大使のほか、当時の矢野哲朗外務副大臣も出席されました。シンポジウムでは、マリ出身で京都精華大のウスビ・サコさん、筑波大に留学していたセネガルの若い女性アミー・ニャンさん、それから民博の吉田憲司さん、竹沢尚一郎さん、名古屋大の和崎春日さん、そして小川さんなどに議論に加わっていただきました。このシンポジウムは、アフリカ関係では珍しく立ち見の出る盛況でした。このような大がかりことを企てた理由は二つありました。ひとつは、さっきも言いましたように、対アフリカに限らないのでしょうが、日本の交流って垣根を超えた横の繋がりが見えないんですね。隣は何をする人ぞというか、陸軍と海軍がばらばらに戦っているみたいなところがある。多くの人がさまざまな立場でアフリカに関わっているのに、それぞれが点に終始して面に広がっていかない。アフリカ学会は相互の繋がりを広げる役割も果たしているんだろうと思いますが、ただ、やっぱり学会となると研究者以外の人にとってはやや敷居が高く感じられるのではないでしょうか。ですから、小川さんをはじめ、いろんなビジネスに関わっている人にも声をかけて、美術や音楽だけじゃなくて幅広くやりましょうということで、行いました。もうひとつの理由は、第一回のＴＩＣＡＤで得た教訓が根っこにありました。それは、早めに動き始めるということでした。まぁ、やりましたとかって、今だからそんな気楽に言えますが、お金をゼロから集めてくるっていうのは大変なことで、考えてみれば手持ち資金なしで選挙に出るようなものなんですね。しかもアフリカでしょ。言ってみれば泡沫候補もいいとこですよ。いやぁ、思い出してみると、もう死ぬような思いをしましたね（笑）。途中で何度も、こんなこと言いださなければよかったと後悔しました。ですが、最終的には、多くの会社や個人の方々のご理解を得て、所期の目的を達成することができました。小川さんの会社もご協賛下さいましたよね。自画自賛するようで申し訳ないですが、プロジェクト全体としては、予想以上の成功だったと思っています。

小川　いや、資金を集めるっていうのはほんとに大変ですね。国は文化催事をやってくれっていう要請はするんですけど、じゃあその資金はっていうと、ほとんど出てこなくて。だからアフリカ協会を通して、前やったときもですね、もうお金、資金が大変でしたね。展覧会はすでに終わっているのにカタログの印刷代は全く払われず、印刷屋さんにも随分迷惑をかけた気がしますね。

柳沢　それは一般企業に対して、「こういうのをやりたいから ちょっと協賛してくれないか」というふうに資金提供をお願いするということですか？

小川　そうですね、新聞社とかね。そういうところにお願いするんですけど。僕は直接そういうのやってはいないですけど、やはり大変ですよ、色々。

川口　当時はまだ、日本の経済も今よりは活気がありましたので、企業の文化助成の担当部署も多少は鷹揚だったと思います。色んな人から情報を得て、アフリカ関連のビジネスを展開している会社に当たりました。黒河内大使に一緒に回っていただいたこともありました。たとえば「昔、同じ時期にダカールに駐在していた人」といった小さなコネを頼って、できれば大きなカネに結び付ける。でも口で言うのは簡単ですが、そんなにうまくは行きません。「はぁ？　ウチがアフリカに？」と、けんもほろろの対応もありました。意外だったのは、個人企業の経営者の決断の速さですね。金額は大企業ほどではなかったですが、あの人たちの即座の一発ＯＫにはずいぶん助けられたし、勇気づけられました。

小川　もうその予算、額が今すごく少なくなっていますよね。そこが文化的な展覧会をやる際の厳しい状況です。

川口　横の繋がりということで言えば、お金の面もさることながら、皆さんそれぞれに分野によって得意な面とそうでない面がありますよね。だから、それぞれの強みを出し合って情報を共有し、お互いに助け合うというのがすごく大事だと思うんですね。たとえば漁業などは、私の分野とはあまり関係のない世界だけれども、もしかしたら、たがいに話をしてみれば、「あぁ、同じ問題に直面しているんだ」ということが結構あるのではないかと思います。あるいはそこからヒントを得ることもあるかもしれません。農業でもそうだし、また鉱業でレアメタルを採掘して輸入するという人たちもいるわけです。もちろん政府の関係者を始め、商社やメーカー、建設業などビジネスの分野の人たち、あるいは医療、スポーツ、宗教の関係者もいる。アフリカに関わるさまざまな人たちは、分野は違っても、じつは同じような問題に向き合っているのかもしれないと思います。横の繋がりができてくれれば、みんなの経験や知見の積み重ねがより広がり、より深まって、ひいては日本とアフリカの交流にもいっそうの幅と奥行きが出てくるのではないかと、つねづね考えています。

（二〇二〇年十月三十一日、於：東京かんかん）

8 【座談会2】人びととアートをつなぐ、アフリカと日本をつなぐ

安齋晃史
板久梓織
柳沢史明
緒方しらべ

シンポジウム以降の活動

緒方　去年のシンポジウムから一年近く経ちましたが、その間のことから伺いたいと思います。コロナが来て、バラカさんのほうは会社の経営全般にも変化があったでしょうし、展示・販売の現場でも変化があったでしょうし、板久さんもケニアで人類学の調査ができなくなって困ったでしょうし、色々ありすぎたと思うんですけど、話しやすいところから聞かせて頂けますか。

安齋　十二月のシンポジウムが終わって、もう三月くらいからですかね、ちょうど博多でティンガティンガ展を開催しているときにもうだいぶ（コロナの）波が来はじめて。

緒方　あの時までは何とかなっていたという感じですよね。

安齋　そうです。あの時までは、そんなに長引かないでコロナが終わると思ったら、終わらず、四月、五月はもう……。それから緊急事態宣言が出てからはイベント自粛のため、二カ月間イベントは開催できませんでした。ただ、ネットショップも運営しているので、その期間はネットショップとSNSを強化する期間としました。アーティストも二月から来日しましたが、当然コロナの影響で帰国できない状況となりました。当初ビザが三カ月だったので五月に帰る予定が、帰れなくなりました。せっかくアーティストが来日している期間なので絵を描いている様子を動画で撮影して、インスタグラムに発信をしました。結構反応が良く、それを見てティンガティンガ・アートを知った方も何名かいらっしゃいました。それをきっかけに、コロナの影響で子どもが外に遊びに行けない状況だったので、ホームページに塗り絵の無料ダウンロードを公開しました。そうしたところ、出版社の人がそれをご覧になりいい企画ですね、ぜひ書籍化しましょうとお声がけ頂き、七月に絵本が完成しました。だから、コロナの影響で確かにイベントはできませんでしたが、今できる別の方法を考えて、一番の成果として書籍ができたのはコロナ最中の成果ですね。六月以降、百貨店は徐々に営業を再開したので、その後は予定をしていた仕事はほぼ全部できています。毎年

ゴールデンウィークに島岡夫妻が来日して開催しているイベントは九月に横浜と名古屋で延期して開催しました。それも無事に終わって、今に至る感じです。

緒方 板久さんはどうでしたか、この一年。

板久 そうですね、ほんとは四月からケニアに調査に行く予定だったんですけど、やはり行けなくって。でもその代わりシンポジウムを通じて知り合った方とか知ってくださった方が結構いたので、そういった方から、Facebookやメールで連絡がきて。ちょっとソープストーンの話が聞きたいって言ってくださったりだとか。別の機会にシンポジウムで見たって言ってくださった方もいらっしゃって。意外にすごく広そうで狭い世界なんだなって気づきました。日本でソープストーンを販売している方ともご挨拶する機会があったり、ちょうど三月の終わりに、国立民族学博物館に行ったときにミュージアム・ショップでソープストーンが売られているのを見たりしました。今後は、ケニアに調査に行けないんだったら日本でのソープストーンの販売っていうのも見ていこうかなというふうに今感じているところですね。一年かけてわかってきたというか、感じたことです。

百貨店でのティンガティンガ・アートに対する反応

緒方 コロナのことで色々と対応され、変化しつつ何とかお二人とも前進されてるということですが、コロナとはまた別のお話も伺いたいと思います。今回安齋さんにエッセイを書いて頂いて、バラカ社の歩みや方針・展開を詳しく聞かせて頂いた中で、やっぱりバラカさんに一番特徴的だと思ったのが、タンザニアに日本人の島岡ご夫妻がいらっしゃって、日本には来日アーティストがいるということ。つまり、タンザニアに日本人とタンザニア人のコラボがあって、日本でも日本人とタンザニア人のコラボがあるっていうことです。

安齋 そうですね。

緒方 日本人が現地の人と一緒に仕事をしながら経営していく、続けていく、利益を出していく難しさもあると思います。こんなこと工夫してる、とか、こういうとこがずっと課題で、など、あれば聞かせてください。

安齋 やっぱり知られていないっていうのが一番大きいですよね。アフリカンアート自体が知られていない。アフリカに絵画があるのか、まずそこですよね。どうやってそれを知ってもらうか、ネット通販や、大阪本社に店舗もありますが、一番結果というか反響があるのはイベント販売での事業

安齋晃史

です。百貨店のような皆さんが認知されている場所で、イベントを開催する方法が今のビジネスモデルです。そこで一回見て、こういうアートもあるんだねと。きっかけづくりとして、一般的に認知されている場所でアフリカを発信し、知って頂けたら嬉しいです。今後は、やっぱり直営店、例えばモールとかに出展したり、テナントですよね。そういったある程度集客が見込めるところで、テナントで挑戦してみたいです。それで今回、十二月に大阪方面のモールで一カ月イベントを開催します。ティンガティンガをメインにして連日作家のライブペイントを披露する一カ月のイベントは初めてです。二、三畳ぐらいのスペースで一カ月、ちょっとした小物を販売したことはあります。

緒方　そのときアフリカからの来日アーティストがいるっていうのは、インパクトの面で大きな違いがあるんですか。

安齋　今までは、逆に百貨店さんからしたら現地の作家さんがいないと出展が難しいというニュアンスで、私たちも招聘しないと出展できないと思っていた節がありました。現地の作家がいないとインパクトないじゃないですか。だから百貨店はそういうニュアンスを最初から出していました。でも今回コロナの影響で作家を招聘できない期間がありました。アーティスト不在で初めてティンガティンガをメインとしたイベントを開催しましたが、思ったより反応は悪くなかったです。だから、アーティストがいなくても絵の力とか、私たちの販売力とか、そういうのが備わってきたことは今回非常に感じました。十月の後半からは作家の招聘ができてイベントを一緒に行っていますが、コロナの状況のせいか反応がすごくよかった。やっぱり作家はいたほうが圧倒的に良いと思いました。ティンガティンガ・アートが、僕が入社した時から見比べるとかなり洗練されてきたと感じます。当時からティンガティンガ・アートをご存知のお客様は最初見たときよりも進化しているとのご意見も頂きます。「あれこんなにきれいだったかしら」「こんなに細かく描くアートでしたか」、と聞かれることが年々増えています。

緒方　日本を経験したアーティストの人たちがタンザニアに帰って、安齋さんがエッセイで書かれていたようにそこでの反応をシェアするっていうこともあるし、現地にいらっしゃる島岡さんご夫妻によるアドバイスもあるし、おそらくそれらの積み重ねの結果なんでしょうね。

安齋　そうですね。

百貨店との関係

緒方　百貨店に関しては柳沢さんも質問がありましたよね。

柳沢　バラカさんの百貨店での営業に関して僕が伺いたかったのは、安齋さんが以前おっしゃられてたことで、それは百貨店同士が繋がりをもっているという話です。「ティンガティンガ・アートの人気がある、バラカさんがティンガティンガ・アートを扱っている」という噂がそのネットワークの中でやり取りされて、バラカさんの方に展示会開催の話がくるといった内容で個人的には興味深く伺いました。デパート同士で今何が人気かといった意見が交換され、その中でアフリカ由来のアートがトピックとして挙がり、バラカさんに話が来る。バラカさんの展示会の歴史を辿っていった場合、名古屋が元となってそこから全国のデパートへと噂や評判の良さが伝わっていったと考えてよろしいんですか？

安齋　そうですね。最初は百貨店で開催することは想像していなかったので、まずは弊社会長島岡強出身の横浜と、タンザニア支社長の島岡由美子出身の名古屋でギャラリーを借りて展示会を開催するスタイルでした。今でもそれはずっと継続しています。そこがバラカの展示販売の原点です。そこで開催していく中で、百貨店のバイヤーさんが展示会の情報をお知りになり、来店され、百貨店の方に期間限定の出展を誘致して頂いたこともあります。あとは一回百貨店さんで開催して、そこで評判がいいとじゃあ今度は別の系列店舗でも開催しましょうというお話も頂きます。あとは、二、三年くらいすると担当の人が異動されることも多いです。横浜の担当だった方が今度は別のエリアに異動すると、異動先の新しいエリアでも開催しましょうとお話を頂けます。最近はそういうパターンが多くなりましたね。そんな形で今はどんどん拡がっています。

柳沢　そうなると日本全国ほとんどのデパートに顔を出してる感じですかね？

安齋　そうですね。

柳沢　美術品を扱う「美術部」のような部署をもつ百貨店の場合、そうした部署からバラカさんに声がかかるのですか？それとも美術部とは別の部署でしょうか？

安齋　弊社の場合は美術部じゃないですね。インテリア部門がほとんどです。だから、絵というよりもインテリア、日常生活の中に取り入れるというイメージです。もちろん絵以外にもウェアや雑貨もありますから、そういうのも含めてインテリアです。だから、美術部で出展したことはないですね。あとは婦人服とか。洋服や雑貨専門で出展する場合は婦人部門が多いですね。百貨店も部門によって全然入口が違いますね。

招聘アーティストとの日本での仕事と生活

柳沢　安齋さんが文章の中で書かれてたことなんですけど、百貨店でのライブペインティングなどのためにアーティストを招聘するのみならず、彼らの日常生活のケアをしたり、住まいを提供したりされてることが興味深く感じられました。バラカさんとしてはアーティストの方々の日本での滞在生活の手助けをする場合どのような点に気をつけていますか？

安齋　そうですね、やっぱり作品を制作しやすい環境を作ることだと思います。食事の面でも、私がいる時は一緒に食事をすることが多いです。横浜に滞在するとき、作家は私の家にホームステイして、一緒に生活します。体調が悪くなるのが一番心配なので、体調管理はお互いに気をつけています。朝起きて、仕事が終わって、夜更かしをしない生活リズムを心掛けています。

柳沢　具体的な体調管理というと、長時間制作をお願いしないとかでしょうか？

安齋　そうですね、それは作家さんの性格にもよりますが、描き始めたらご飯を食べないで一気に描きたい人もいます。こまめに休憩を取りたい人もいます。それは作家さんのペースですね。ただ一緒に生活をしているので、どうしても顔つきとかで、体調が悪い様子はなんとなく分かりますね。そういう時はなるべく温かい食べ物を食べます。タンザニアの人は温かいスープがすごく好きですね、レトルトカレーが続くとちょっと不機嫌になります（笑）。

柳沢史明，安齋晃史

緒方　そういうアーティストさんのアテンドやケアというのは、会社の中では何人体制でされてるんですか？

安齋　基本的には私も含めてスタッフ一同で対応しています。作家の体調がすぐれない場合は症状を聞き、食事のアドバイスや、場合によっては症状に合う薬を買いに行きます。食事や体調管理のケアも含めてスタッフ全員でやっていますよ。

緒方　安齋さんももちろんそうなんですけど、アーティストさんが来日することになって、他のスタッフの方々のアフリカやタンザニアに対する考えだったり、認知が変わっていったりだとか、アーティストさんと過ごすことでバラカのスタッフの人たちに何か変化があったりするんですか？

安齋　そうですね、ある社員は作家と一緒に近隣や遠方で展示会を開催したときはご当地の観光をしていました。来日作家をもてなそうというおもてなしの心を実践する人もいます。私自身でいえば、一緒に過ごすことで、シンポジウムの時にも申し上げた通り、例えば作家は蛇口の水は勢いよく出さず、ごくちょっとずつ出してお皿を洗うなど、普段の生活の中でタンザニアでは水を大切にしていることを感じました。

緒方　なぜそういうことを伺いたかったかというと、やっぱりすごくレアなことをされてるので。現地の人と一緒に暮らしながら現場に、営業に出るっていうのはなかなかないことですよね。大きな会社がアテンドする人を雇って案内して、ということはあると思うんですけど。私の専門は人類学なので現地の人と一緒に暮らすのは大前提なんですが、そういう分野でもないのに、すごくレアで濃密なことをされてる印象を持っています。

ソープストーン彫刻制作の現場

緒方　現地の人と一緒に仕事をするという点で、板久さんにも伺いたいんですが、バラカさんの場合、タンザニアでも一緒、日本でも一緒っていう面白いところがあるけど、人類学の場合、現地に行かなかったら、在日の人たちの調査でもしない限りそんなに現地の人と一緒に過ごすことって無いですよね。でも板久さんの場合、日本でのソープストーンの流通についても調査されていますよね。板久さんの論考の中で、例えば、二〇一〇年くらいでしたでしょうか、無印良品とJICAのプロジェクトで一時期ソープストーン・グッズが販売されたとありましたが、何か具体的に一緒に板久さんがしたいとか、しないまでも、現地の人と一緒にビジネスをすることに関心をもったりもするんでしょうか?

板久　そうですね、現地で調査をしているとソープストーンを日本で売って、みんなで裕福になろうっていうふうに言われます。やっぱりそういうときは学生だから無理だし、研究で調査に来てるんだって話はするんですけど。日本で売られているケニアのソープストーンってアフリカらしいもの、ゾウだとかカバだとかそういう彫刻だとか、アフリカ大陸の形をした置物だったりだとか、そういうのが人気なんです。それらは装飾が施されているんですが、その一方で、例えば無印良品では以前、無印らしい、装飾のない真っ白な状態の動物像やペンスタンドが販売されていました。実際制作の現場だと、日本以外からもナイフやペンを使った装飾がない、真っ黄色な、全体の色のみが塗られた大きなトナカイの像だったりだとか、見ざる聞かざる言わざるの猿だったりだとか、結構色々異なる需要っていうのがあるようで、日本でソープストーンを売るビジネスの可能性はあると思います。日本だと、山梨県にあるアフリカンアートミュージアムのオンラインストアでも、ソープストーンが売られています（二〇二〇年十二月現在）。日本でソープストーンを販売されている方は、やっぱり動物の中でもカバが一番人気だとおっしゃっていました。

緒方　あれですか。

板久　そうです、緒方さんが持ってらっしゃるあれ。まさにあれが一番人気で。

緒方　バラカさんも。

安齋　持ってますね。

板久　制作地でもやっぱり言われるんですね、カバが一番人気だって。何でカバなのかなって思うんですけど。作ってる人たちもカバの良さがわかると言う人もいれば、よく分かんない、なんでカバなんだろうね、って言う人もいますけど、やっぱりカバを一番よく作る。

緒方　かわいいですよね。

板久　でもゾウもかわいいと思うんです。

安齋　ライオンとかキリンとか。

緒方　カバのあの曲線かな。丸い感じ。

板久　口のここ（丸み）なんですかね。

緒方　バラカさんが販売されてるあの小さいかわいらしいカバのソープストーンもグシイ地方で作られたものなんですよね、おそらく。

板久　そうです。シンポジウムのあと偶然島岡由美子さんが書かれているブログを見て、タンザニア産って書いてあったので、次はタンザニアに調査に行ってみようかなと思ったんです。それで、これはタンザニア産なんですか、見た感じグシイのもののようですけど、みたいな感じで尋ねたら、島岡由美子さんがタンザニアでいろいろな方に聞いて調べてくださって。それでこれはグシイのものでしたっていうふうにお話を頂いたときに、面白いなと思ったのが、島岡さんのお話だと、最後の艶出しの作業をタンザニアでやっていて、日本へコンテナで送るときの輸送元がタンザニア本土またはザンジバルとなることからタンザニア産として売っているということです。私は調査地で調査してるときに、これが南アフリカに行くとか、タンザニアに行くっていうのを見てて、作り手からも、本当はケニア産として売ってほしいんだよね、みたいなことを聞くこともあります。でもまあ売れるからいいやみたいな、高く買ってくれるからいいやって話も聞くんですね。そういうときに、売りやすいからってなんでタンザニア産として売ったりだとか、南アフリカ産として売ったりするんだろうなって思ってたんです。島岡さんのお話を聞いて、勉強になりました。

柳沢　パリのケ・ブランリ美術館のミュージアム・ショップでもソープストーンの彫刻が売られていて、一時期は結構様式化された大きめのゾウのソープストーンが並べられていましたね。だいたい一万円くらいのもので、当時は「ケ・ブランリ美術館のミュージアム・ショップでもこういう彫刻が販売されているんだ」という印象を抱いただけでした。ただ一般的に販売されているソープストーン製のゾウの彫刻を思い返してみると、比較的小型で、どれもある程度様式が似ていて、おそらく彫刻される地域や彫刻師ごとに特定のモデルがあり、それを周りの人びとが模倣しているのかなという印象を受けます。

板久　そうですね。

柳沢　板久さんの論考ではデコレーターの話に比重が置かれていましたが、現地では彫刻師がソープストーンを彫るときにモデルのようなものが存在し、それを彫刻師皆が模倣するといった方法が普通なんですか？

板久　そうですね。基本的に彫刻は人づてに学んでいく。友だちとか家族とか親族とか、近隣、隣のおじさんとかから学ぶスタイルです。そうやって作り方を学んでいく中で、得意、不得意な彫刻ができていきます、動物像が得意だとか、皿が得意だとか。人気があるものはある程度形は決まっています。彫刻師の方々も作り慣れているので、見本が必要ない場合もあります。大きさも一インチのもの、二インチのもの、とサイズにも種類があります。ただ、例えば両手で抱えるくらいの大きさのゾウの置物っていうのは、そんなに頻繁に作らないんです。柳沢さんがおっしゃったように小型のものや小物が人気なので、それ以外の、普段作らないものや複雑な形のものを作るときは見本がそばにあってそれを見ながら作っていく感じです。みんなそれを見ながら周りの人も作っていく。

柳沢　新しい形を作ろうっていう考え方は特にしない感じなんですか？

板久　いや、そういうわけでも実はなくて。それでどんどん上手になっていくというか、得意になっていったら、かつ彫刻師に海外からの取引先、顧客があったら、逆に新しいものを作って売り出すっていうのもあるんです。例えば動物像で、人気のデフォルメされたものとは形を変えたり、デフォルメされた像とかではなくて、より写実的な像とかをあえて作って売り込むっていうこともあります。デコレーターも、違うデザインを日々試しています。独特なものを作ろうとはしていますね。

柳沢　取引先が国外からの場合も国内や地域内からの場合もあるだろうけど、基本的には、カバが百頭、二百頭欲しいという注文が入ったから、みんなカバを作るという流れなんですかね？

板久　そうですね。基本的にオーダーを受けて作ります。ケニア内外で人気の動物像とは別に、オリジナルな注文は海外からの要望が大半を占めていると感じます。隙間を見つけて、例えば海外の顧客から注文が来ない時とか、そういう自分の手も余っている時とかにオリジナルなものを試して作ったりしますね。でもやっぱりほとんど商品が指定された注文が多いです。

人気商品の傾向と制作・販売の工夫

緒方　やっぱりケニアでソープストーン彫刻が作られている

板久梓織

現場でも、タンザニアのティンガティンガ村でもたぶん同じで、作り手たちは買い手が何が欲しいかというのを明確に知ってて、日々刷新というか、創造されていく点は共通してるのかもしれませんね。

安齋　そうですね。

板久　人気のモチーフって十年ごとに変わっていて、今はデフォルメされた小さいサイズの動物像が人気です。動物像は昔から人気があったんですけど、完全に定着して、一番の売れ筋になっています。以前はもっと皿とか、より実用的なものが求められていた時期もあったそうです。二〇〇〇年代は、より抽象的な人物像、表情とかも何もないような人物像で、親と子が抱き合ってたりだとか、恋人が手を繋いだりだとか、いろんな人が輪になって手を繋ぐ像だとか、そういうのもある程度形に決まりがあるというか、見本があるんですが、そういうのもすごく人気が高かったそうです。でも逆に今それは人気がなくなっていて、在庫だけが残っている状態になっていて。あと、私も調査してる段階なんですけど、性的なモチーフが人気が出た時期があったそうです。ほんとはもっとそれについて調べたいんですけど、調査地の人々は性に関する恥の概念が強いので、慎重に調査を行っているところです。今まで行った店主へのインタビューでは、一人だけ昔そういう注文があったと答えてくれました。でも絶対周囲には言わないでほしいと言われています。店主は隠れて彫刻師にお願いして、ばれないように作ってもらったって話をしていて。調査をしていてもそういった彫刻は店の棚にはなく、公にしていないんですね。店主は注文が海外からのもので、どこの国からの注文か話してくれましたが、論文とかにするのはいいけど、実名は書かないでほしいと言われています。そう思う理由は店主が敬虔なキリスト教徒であることも関係しているのでしょう。

緒方　その話を聞いてると、注文の影響は大きいんだけど、でもやっぱり本人たちが楽しんで好きでやれるかっていうのももしかしたら大きいのかなとも思いますね。たぶんそれ、そんなにタブーで言えないぐらいだったら、やってること自体そんなに楽しくないですよね。

板久　そうそう。というか辛かったと。

緒方　そういうのもあって、ちょっとフェイドアウトしたっていうのもあるのかもしれないですよね。

板久　その店主の話だと、それは定期的にくるような注文じゃなくて、本当にすごく巨大な像で、注文自体もそもそも珍しいものだったそうです。定期的に注文が来た小さいものも、今はオーダーがこなくなったそうです。基本的に制作地からフェイドアウトするというよりも、制作地の外からの注文が途絶えて行ったという。今は動物像でも持ち歩きがしやすい小さいものが人気です。人気の商品は年代ごとによって結構違う感じですね。

緒方　モチーフの人気の変化というと、ティンガティンガ・アートについては最近どうですか?

安齋　そうですね。最近は作品が細かくなってきましたよね。色彩がすごく色鮮やかになってきました。もちろんそういうのも人気ですけど、昔からの伝統的なスタイルの作品を購入されるお客様もいらっしゃいます。やっぱり昔からの作品は動物一体がどーんと描かれているみたいな、アフリカらしい絵っていうか、そういうのも、売れていますね。

緒方　そういえば今、コロナ禍でもやっと来られたアーティスト、ズベリさんでしたでしょうか。

安齋　はい、ズベリさんです。

緒方　私の家にあるティンガティンガ・アートはズベリさんの作品なんです。何に惹かれたかというと、真っピンクなんですよ。ほぼピンクと白だけの作品で。あれはヒョウかな。

安齋　そうです、ヒョウです。

緒方　ヒョウのお母さんと子どもなんだけど、ピンクなんです。ティンガティンガ・アートっていうともうちょっと、ちょうど今、安齋さんが着けられている(タンザニアのプリント布製の青、赤、黄色、緑などのカラフルな)マスクのカラーで、動物がいっぱいいで、みたいなイメージが強かったんですけど。ピンクが日本人的に「かわいい」って思って。こんなのあるんですねってイベントの会場にいらっしゃったバラカのスタッフの方に言ったら、最近こういうの売ってるんです、まさに今選ばれたこれは人気商品ですって言われました。私すごいミーハーだなと（笑）。自分が好きな作品にこだわりがあったつもりだったけど、実はまさに売れ筋を選んでいた。でもきっと、それもやっぱり日本人の反応によってティンガティンガ・アートの作風が変わってきてるということでしょうから面白いなと思いました。今回もあんな感じの作品はあるんですか？

安齋　もちろん。たくさんありますよ。やっぱり来日アーティストの作品を一番多く揃えますね。だから、今回はズベリさんの得意なヒョウの作品が多いです。小さいのから大きいのまでご用意しております。

緒方　ズベリさんはヒョウが得意なんですね。

安齋　そうです。得意で売れ筋のため、多いです。でも彼はすごく器用だから何でも描けますよ。

柳沢　最近の変化でいうと、モチーフという面では、ヒョウとかが人気ということですけど、ピンク色の使用のように、ティンガティンガ・アートとしては結構斬新な色使いや色選びは他にも見られるのでしょうか？

安齋　あります。ズベリさんのヒョウ作品は基本ピンクと緑が定番です。ピンクと緑の評判がいいので次は別の色を描いてもらいました。最近は黄色や紫とかブルー、モノクロなど五、六種類ぐらいありますね。

柳沢　そうした比較的ティンガティンガ・アートでは珍しい色の使用は現地の販売所とかではあまり見ない様式なんですか？　つまり日本のためにそういう色を選んで描いてもらっているということですか？

安齋　日本のためだと思います。お客様から、ある作品の黄色があったら欲しいとか、これのブルーがあったら欲しいといったご意見を頂きます。その意見をもとに色違いの作品を制作依頼することもあります。または、ある指定の作家のファンのお客様からはその作家さんのゾウ作品やカバ作品が欲しいという意見を伺い、私や社員がそれをタンザニアに伝えて制作を依頼するパターンもあります。それを新作として次の展示会に投入します。そこで人気があれば、また追加で制作依頼をすることもあります。そういうパターンもありますよ。

柳沢　その時の画材や塗料とかは現地で調達しているわけですよね？

安齋　そうです、現地でやっています。

柳沢　現地には多数のペンキがあって、日本からの色に関する注文にも応えてくれるという。

安齋　そうですね。現地でペンキは基本六種類です。その六色から色を混ぜ合わせて新しい色を作ります。混ぜ合わせて色を作るのもその作家さんの技術なので。きれいな色を得意とする作家さんもいます。それもまた一つのテクニック。

柳沢　日本でライブペインティングの実演予定の際には、塗料もタンザニアから運んでいるんですか？

安齋　あ、それはできません。空輸ができないので、ペンキは日本で購入します。タンザニアで描くピンクと日本で描くピンクは微妙に違います。作家はその違いを理解して制作しています。それぐらい色彩にこだわっているアートです。

柳沢　描いてるアーティストの方もやっぱり塗料の粘度というか、粘り具合が違ったりもするから……

安齋　作家さんはすぐに分かりますね。この色はタンザニアのある地域のペンキじゃないと色が出ないと言う作家さんもいます。色彩へのこだわりはすごくありますね。それで困ったことは何回かありました。お客様からこういうイメージで描いて欲しいとリクエストオーダーを受けた時に、どうしてもタンザニア産のペンキでないと出ない色がありました。その時は塗料店で、調色して、混ぜてもらいなんとか現地の色を作ったことがありました。

緒方　さっきティンガティンガ・アートは百貨店ではインテリア部門なんですよっておっしゃっていましたが、そうやってお客さんからのオーダーに応えるのは面白いですね。うちのこの部屋に合うような色でお願いしますと言われてそれに応えられるというのが面白いし、そういうお客さんが付いてることも面白いと思います。その点は、私がナイジェリアの地方都市で見てきたアートが人びとの暮らしに身近だという点とも近い気がします。インテリアだからこそティンガティンガ・アートへの親しみがあるのかな。美術部門ではなくて、豪華な美術品ということじゃなくて楽しめる。価格的にも、絵や美術品に関心がない人からすれば数万円は高いかもしれないけど、インテリアに関心があったら数万は予算内に入るだろうし、楽しく変えられるという意味では最近のピンクとか緑とか紫とか、これから可能性が広がっていきそうですね。そういうところはやっぱり狙いなんですか？

安齋　狙いもあるし、展示回数を重ねることで飽きない工夫が必要だと感じます。やはり新商品、新しい作品を投入し続けながら、お客様のご要望にも応えていきたいです。おかげさまで、展示会も長く継続しているので、そうなるとやっぱり目新しさがどうしても必要になると思います。それで新作を投入したり、作家さんが来日中にライブペイントでシマウマ作品を描いて、そこで反応が良かったら、現地に戻ってからもシマウマ作品を描いて、また次の展示会から新作として投入します。

アフリカからアートを売り込むということ

緒方　板久さんは今、あくまでも人類学の研究で現地のソープストーン彫刻産業に携わる人たちの調査をしているけど、MUJIとJICAのコラボレーションでの販売とか、バラカさんの店頭でソープストーンが商品として置いてあるところを日本で見ていて、一方で現地では現場の人たちの姿も見て調査して論文も書かなきゃいけないっていう立場ですよね。そんな板久さんは、ソープストーンが売られているところを見た時に何を感じるんでしょうか。現地の人たちって、売られてるところを見ることってほとんどないんですよね？　バラカさんの来日アーティストの場合は、限られたアーティストだけではあるけれど現場に来て、見て、お客さんの反応まで知ることができる。おそらく板久さんが知っている限りでは、そういうケースはほとんどないと思います。そんな中で、板久さんが日本で売られてるものを見たときにどんなふうに感じるのかなと。

板久　私は現地で産業に携わる家族と暮らしながら制作を学んでいて、作業の手伝いもします。論文でも経済状況について触れていますが、生活を見てるともっと収入が多くてもいいんだろうなっていうふうに思うところは、正直に言うとやっぱりあります。でも実際に日本で販売されているのを見て、さらに、お土産品としてナイロビで売られてるのとかを見ると、私はまだケニアのソープストーンがケニア以外で売られてるのは日本でしか見てないんですけど、日本のほうがモノがいいというか、売れているように見えるんですね。具体的な出荷数とかはわからないんですけど。一見しただけで、商品の質の良さというか、新しさですね、新しさが違うというか。制作地での話やナイロビで売られているのを見ていると、あんまりソープストーンってお土産として需要が今すごくあるわけではないらしくて。他にもケニアのお土産っていっぱいあるので、ビーズだったりだとか、それこそ布とかも人気が高いですし。布とかのほうが石の彫刻よりも持って帰りやすいし。私がナイロビの市場に調査に行くと、あんまりソープストーンって売れてるように見えないんです。ちょっと古ぼけちゃって、色が変色しちゃったりだとか、そういうのを見ているので。制作をしてる人たちからも、ケニア内ではあんまり売れないっていう話を聞きます。しかも海外との取引と比較すると、ケニアの中で売る場合には、取引相手も結構グシイの人が多くて取引価格の相場が安い。そうなっているのを聞くと、やっぱり日本で見るものはすごくきれいで色鮮やかで、日本での市場がもっと広がればいいなっていうふうに思います。はじめは、制作地でやりとりされる額と日本で

安齋晃史，板久梓織，緒方しらべ

の販売額との差を思うと、日本で販売している人たちに対して否定的に捉えてしまうかもしれないと思ったんですけど、バラカさんが売られてるところを見に行ったり、民博で売られてるのを見たりすると、やっぱりすごくきれいで魅力的に見えるので、もっと市場が拡大すればいいのかなっていうふうに思うんです。私は研究者目線でいますが、もっと実践面でも関わっていくべきなのかなっていうふうに強く思うようになりました。具体的にはもっとビジネスに関われるようになったほうがいいのかなっていうふうに今考えてる、悩んでるところです。今までは調査地では研究者として完全にビジネスとは線引きしてたけど、もうちょっと関わっていったほうがいいような。もちろん今回シンポジウムで発表した際、ソープストーンに興味を持ったというお声や、ソープストーンをアフリカに旅行したときに買ったけど、ケニアで作られていたんだというお声を頂くこともありました。研究を発表することにも意味はあるんだと身をもって知る事ができました。ただ、その反面、安齋さんのお話を聞いていると、ビジネスを通してこそ見えてくるものもあるとも思うので、もっとビジネス面でも関わっていくべきなのかなって、今ちょっと考えているところです。

緒方　板久さんが持ってるスキルもあるし経験もあって、またそれは安齋さんのものとも違うだろうし。そういうコラボレーション、何か一緒にやっていく、直接ビジネスパートナーという形じゃないにしても、何か一緒にやっていくことで開けていくこともあるのかなと。

板久　そう思います。ビジネスをしている方のお話を聞けて、すごく勉強になりました。

緒方　今のお話に、アフリカからアートを売り込むことに関する板久さんの展望の一部分が見えたんですけど、最後に安齋さん、バラカ社として、アフリカからアートを売り込むことに関して展望や今考えておられることはありますか。

安齋　アートはバラカ社全体の一部分です。私たちは布や食品、アクセサリー、雑貨も取り扱っています。アートに限ったことではなく、アフリカの文化を知ってもらうきっかけ作りの一環だと思っています。どうしてもアフリカのイメージとして貧困、エイズ、紛争など、そういうイメージが強い。ニュースを見ていてもそういう情報が多いイメージですよね。そういうイメージを払拭したい。アフリカにはカラフルな布があるんだね、こういった美味しいコーヒーがあるんだね、こういった明るく楽しいアートがあるんだね、と皆さんにお伝えして、アフリカを知って頂きたいです。そして、アフリカをきっかけに日本のことや自分の置かれている立場を改めて考えてくれるような活動をしていきたいです。

緒方　やっぱり寄せて頂いたエッセイにも書かれていたように、バラカ社の根底にある志がありますね。

安齋　そうですね。ただアートの方は確かに入口としてはみんなが分かりやすいと思います。アートに限っていえば、ライオンキングの舞台になったような場所ですとお伝えしています。この前ティンガティンガ・アートを所有しているお客様から、機関車トーマスの映画があって、その劇中にダル・エス・サラーム港が出てきて、ティンガティンガ・アートがあるタンザニアが登場してすごく感動しましたとご意見を頂きました。また、ライオンキングでハクナ・マタタ（スワヒリ語で「問題ない」の意）を覚えていますとの意見も頂いたこともあります。絵に関して言えば、アイテムの中では一番伝えやすい、分かりやすいかもしれませんね。バラカ製品を通じて、アフリカを知るきっかけを作れたら嬉しいです。

緒方　ティンガティンガ・アートは確かにきっかけにもなるでしょうね。

安齋　絵はわかりやすいですね。でも、布製品や雑貨も好きな人はたくさんいらっしゃいます。自宅に絵を展示するインテリアとしてアフリカ布を購入される方もいます。そうやってアフリカを身近に感じて、アフリカに興味をもって頂けたらさらに嬉しいです。

緒方　雑貨は数百円というように手に取りやすい価格からありますよね。

安齋　そうですね。

緒方　息子はティンガティンガ・アートのコースターを、カバの絵が描いてあるコースターを気に入ってて、お茶はもうその上に置かないと気がすまなくなっちゃってます。タンザニアの女性がつくったコースターは彼の生活の中で欠かせない一部になってるんです。そういうものもアフリカを身近に感じさせるものじゃないかと。二歳の小さな子の入口、子どもじゃなくても、アフリカを知らない人の入り口になりえる。「アフリカからアートを売り込む」というのは美術館やギャラリーで作品を展示することに限らず、手にとるとアフリカの人たちの顔が浮かぶような作品を、私たちの生活の中でいつでも触れられるようなものとして提供するということでもあると思うんです。

（二〇二〇年十一月八日、於：都内貸会議室）

緒方しらべ

この商店街を訪れる人たちへ

——結語にかえて

本書には、二〇一九年十二月七日に東京大学で開催されたシンポジウム「アフリカからアートを売り込む」の議論を整理し発展させた文章と、その後二〇二〇年十月と十一月に行われた座談会の書き起こしが収録されている。編者のひとりである柳沢が同シンポジウムを二〇一九年四月に発案した際、筆者へのイーメールにこう書かれていた。「ときに『偶像』『呪物』としてステレオタイプ的に消費されて終わったり、ときに政治的・権力的な話題へと収斂して作品そのものが過小評価されたり。そんな〈アフリカ美術〉をどうやって日本の学会、美術業界、市場、人びとに宣伝し興味をもってもらったらいいのか、その方法やロードマップをともに考えることが目的」である、と。

確かに日本においては、一般的に、アフリカのアートは「エキゾチック」「カラフル」「陽気さ」を連想させる一群の雑貨やインテリアとして認識される傾向にある。学術界においても、それが業界の任務であるとはいえ、アフリカのアートが西洋と非西洋の不均衡な力関係のなかで「誕生」し、展開を続けてきたことが議論の焦点となってきた。アフリカのアートに限らず、ほとんどの領域や業界で「メジャー」な語りやイメージが先行するのはやむを得ないことであるし、そのような語りが必ずしも間違っているわけでもない。それこそ何かを「売り込む」には、戦略的に、世間一般に共通した認識を利用する必要もあるだろう。しかしながら、そこで流布するステレオタイプが誰かを傷つけたり、私たちの視野を狭めたりしうることもまた確かである。アフリカには、上述の形容表現では形容しがたいアートをつくっている人たちが大勢いる。政治や権力という制度的な縛りのなかでも、ある時はそれを頼り、またある時はそれを逆手に取ってアートをつくる人たちもいる。彼らの作品を展示したり、販売したり、購入したりする人がいて、さらには作品が生まれる土壌、歴史、文化といった背景があって、アフリカ美術／アフリカンアートは存在している。そうであるならば、アフリカのアートについて語ろうというとき、メンバーの専門性と経験は多様である必要が大いにある。そうして集まったのが、同シンポジウムで報告し、本書に寄稿した六名であった。

一口に「アフリカからアートを売り込む」と言っても、「売り込む」方法や方向性は、専門や経験を異にする執筆者によってさまざまであると同時に、関連性も節々で見られた。

日本におけるアフリカのプリミティヴアートの収集と展示・販売の草分けである小川氏は、造形の美的価値の判断、収集・運搬に必要な交渉や技術、人脈に詳しい（第一章・第七章）。今以上にアフリカのアートが日本で認知されていなかった一九八〇年から「売り込んできた」ことを振り返りつつ、日本の暮らしのなかのアフリカンデザインというこれからのアフリカのアートの「売り込み」方について展望を示している。ギャラリーのオーナーという立場は、一見すると研究界や一般の人たちとは直接的な関係がないようにも思えるが、小川氏の経験と人脈が美術館の学芸員・博物館の研究者であった川口氏の仕事に繋がっていたことは興味深い（第三章・第七章）。川口氏が展覧会の開催を前に窮地に陥った際に手を貸したのが企業経営を行う小川氏であったというのは、業界を越えた横の繋がりの必然性を示唆するものである。

美術館・博物館の学芸員・研究者、大学教員を経た川口氏は、美術館と博物館の両方でアフリカの同時代美術の展覧会を企画したという稀有な経験から、日本でアフリカの美術展を立ち上げていく過程を細やかに記している（第三章・第七章）。そこには、現地のアーティストやアート関係者はもちろん、先述の小川氏のほかにも外交や開発援助、医療、教育、宗教、ビジネスなど多彩な任務に就いている在留邦人との接点や彼らからの支援があったことが示されている。また、アフリカで暮らす人びとの日常におけるスマートフォンでの写真撮影やホームページ・SNSを用いたグローバルな情報発信にも顕著な、開かれた「かたり」の場や、そこでの「かたる」権力の磁場の変動ならびに「かたる」ルールの共有は、上述の学術界における権力論を展開する重要な論点である。[1]

安齋氏は、原材料ではなく製品の輸出でアフリカ経済の発展の一翼を担おうと一九九九年に立ち上がったバラカ社の「アフリカ製品プロジェクト」の一環として、タンザニアのティンガティンガ・アートを日本で「売り込む」ことについて詳しく報告している（第二章・第八章）。タンザニアとの対等な貿易業務を行う日本の企業の視点から、現地スタッフとティンガティンガ芸術村のアーティストとの、あるいは日本の取引先や顧客・地域との継続的なコミュニケーションと繋がりを重んじて活動していることが明示されている。安齋氏はバラカ社の創始者である島岡強氏の「アフリカの人びとが援助に頼らず自分たちの足で立ち、誇りをもって生きていける道を開く」という志を原点とし、ティンガティンガ・アートやそのほかのアフリカ製品の販売を営業という現場で続けていくなかで、アフリカの豊かな側面を日本の人びとに伝えようとしている。この点については、立場は異なるが、ほか五名についても共通した「売り込み」方と捉えることができるだろう。

板久氏は、バラカ社でもアフリカの雑貨の一つとして取り扱っている観光客向けのソープストーン彫刻[2]の産業に携わる人びとについて、文化人類学の手法を用いて調査し、記述している（第五章・第八章）。ソープストーン彫刻産業に従事する人びとの具体的な生活と経済状況を明らかにすることで、板久氏は、先行研究において指摘されてきた彼らの経済的困窮だけではなく、家族や同業者間の相互扶助や顧客との関係を含めた日々の営みをも浮かび上がらせている。民族誌的記述によって詳細に提示されたデコレーター、彫刻師、店主、顧客など同産業にかかわるさまざまなアクターの相互行為は、アフリカのアートを作品そのものの審美性や評価という観点からではなく、現地で作品をつくったり販売したりする無数の人びとの生活世界や人間模様という、作品が生み出される文脈から捉えなおす可能性を示すものである。

同じく観光客向けにつくられる造形にフォーカスをあてた柳沢論考は、文化思想史研究の観点から、ベナンのアボメイの真鍮製小像が「ツーリストアート」として現在販売されている歴史を跡付けている（第四章）。植民地支配下の真っただなかであっても、アボメイの真鍮製小像のつくり手はただ宗主国出身の推進者に手助けされながら「ツーリストアート」を製作するだけではなく、それを応用した「宗教芸術」をつくりだした。彼らが「伝統」を基盤としながらも、植民地政策上の関心や植民地博覧会の展示制度へと組み込まれたり、アボメイ周辺のローカルな宗教実践へと回帰することを通じて自らの文化を「革新」していく姿を描き出すことは、上述の政治的・権力的な話題への収斂を回避し、西洋との接触による「伝統的」で「真正な」アフリカ文化の衰退というステレオタイプを超え出ることを可能にしている。

緒方論考は、文化人類学の立場から、これまで「アフリカ美術／アフリカンアート」という学問ないしジャンルが積極的に評価してこなかったアートにフォーカスを絞り、それらがローカルな文脈においては「アート」として人びとの生活において最も身近であり、親しまれていることを指摘する（第六章）。そのようなアフリカの一都市におけるアートのあり方を通して、日本にいる私たちがどのようにしてアートに価値を見出しているのか再考し、作品だけではなくアートのあり方を「売り込む」ことを提案する。このことは、小川氏が重視する作品のもつ内在的な力の有無や、安齋氏らバラカ社が取り組む作品の質の向上といった作品そのものに対する評価の重要性と相まって、アートの価値を多角的に判断するための一材料を提供するものである。

このように、本書では複数の視点から「アフリカからアートを売り込む」ことについて議論されている。筆者の視点に限定されてしまうが、ここであえて、本書の成果として下記の二点を特に挙げたい。一点目は、「アフリカからアートを売り込む」際のひとつのキーとして、人びとの「暮らし」が見えてきたということである。暮らしのなかのアフリカンデザイン（第一章・第七章）、生活空間のインテリアとして楽しめる絵画や雑貨（第二章・第八章）、人びとが日々使用するスマートフォンやインターネットを通じた語り（第三章）、暮らしのなかの宗教実践とアート（第四章）、生活の糧としてのアート（第五章）、生活において最も身近なアート（第六章）というように、アフリカや日本の人びとの暮らしは、八つの章のいずれにおいても、作品そのものや、それが生み出され、それについて語られるといった文脈において見過ごすことのできない要素であった。一般の人びとの手の届かないような高値で売買されるプリミティヴアートや同時代美術もある。しかしそうした作品ですら、かつては生活の場で使われていたものであったり、日々の営みのなかで育まれる慣習や風土といった文脈から生まれたものであったりと、人びとの暮らしとは無縁ではありえない。アフリカのアートを日本の暮らしのなかに取り入れることはさることながら、アートを創出するアフリカの人たちの経済状況や宗教実践、彼らが生活の場で親しんでいるアートに目を向けることで、今後アフリカからアートを「売り込む」ためのヒントを得られるかもしれない。それはアートを通してアフリカの人たちが暮らしている文脈を知るということであり、翻って日本の私たちの暮らしを改めて知ることにも繋がるだろう。

二点目は、立場や専門性の差異はアフリカのアートをより多面的に浮かび上がらせる有効な手段となりえることである。すでに川口氏が二〇一一年に指摘しているように、造形（それをアート／美術／芸術と呼ぼうとも、手工芸品と呼ぼうとも）はそのつくり手が生きている土地の風土と歴史と文化を背負って生まれてきているのだから、美術史だけでなく文化人類学や歴史学ほか複数のディシプリンを通して複数のコンテクストに光をあてることで、より総合的に捉えることが可能となる[3]。研究者によって企画され、編集された本書ではあるが、研究者の多様なディシプリンだけではなく、企業で活動する人たちの経験とノウハウが加わったことで、「アフリカからアートを売り込む」ということを多面的に捉えることが可能となっているのではないだろうか。さらに、そうした立場や専門性の差異は分断よりもむしろ協働という強みになりえる。本書の端々で見られるように、これまでアフリカのアートが日本に「売り込まれて」きた過程において、専門を異にする人たちの横の繋がりは一つの要であった。今回のシンポジウムでの報告や座談も、企業と研究それぞれに従事する六名の視野を広げたり、新たな挑戦をしたりする契機にもなっている。専門領域が違うというだけで、コミュニケーションのとり方から出版物をつくり上げる方法の詳細まで、大小いくつもの差異を前に戸惑うこともある。とくに、研究者による視野の狭いシンポジウムの運営や書籍の編集のために企業で活動される方々に迷惑をかけ、また、助言をもらうことも多々あった。「アフリカ」の「アート」というマイナーと言わざるを得ないテーマであったにもかかわらず、シンポジウムに当初の想定を超える来場者を迎えることができたのも、東京かんかんとバラカの両企業の人脈と広報力あってのことであった。

　アフリカのアートに関する多様な専門性と経験のなかでも、本企画は「企業と研究」に的を絞っている。しかし当然ながら、アフリカのアートに関わる人たちは企業と研究の領域に限定されない。シンポジウムの会場には、企業以外にも個人やNPOとしてアフリカ（あるいはアフリカ以外）のアートないし文化に関する仕事に従事している多数の人びとの姿があった。筆者に声をかけて下さった人たちの専門だけでも、プリミティヴアート、同時代美術、アクセサリー、雑貨、ファッション、写真、建築、工学、地方創生など多岐に及んでいる。筆者はこれほど多彩な人たちが「アフリカからアートを売り込む」シンポジウムに集まるとは想像していなかった。その事実一つをとっても、研究者としての筆者の視野の狭さは明らかであるし、「アフリカからアートを売り込む」ことに何らかの関心を寄せる人たちが意識的に横の繋がりをもとうとしていることがうかがえる。本書および同シンポジウムが、「アフリカからアートを売り込む」ための、報告者六名にとどまらない異なる領域を拠点とする多様な人たちの協働の可能性を示していることは、本企画のもっとも重要な成果である。

　本書の序文に、本書が「アフリカからアートを売り込む」ことに関心を抱く人びとが集まった一種の商店街のようなものだ、とある。その商店街は日本のどこかにあるのだが、店を訪れる人たちは、顧客であれ、業者であれ、通りすがりの客であれ、雨宿りが目的でアーケード下をただ歩いている人であれ、日本人だけではない。各国・各地からの移民も、アフリカから作品を携えてやってくる人もいるだろう。日本人ならば、植民地主義と歴史的に不可分なヨーロッパとアフリカの関係の狭間で、あるいはアフリカのアートの展示や販売の中心である欧米に対して、さらには貿易・インフラ整備などを通じて積極的にアフリカに「進出」する中国とアフリカの関係の狭間で、どのような視点からアフリカのアートを売り込むのかという姿勢や立場も問われるかもしれない。しかしけっして忘れてはならないのは、アフリカからアートを売り込もうとするアフリカの人たち自身の存在と尊厳である。この商店街は、アフリカで暮らす人びとを含む多様な人びとによる「売り込み」を可能とするプラットホームでなければならない。本書が担うべきは、これから皆でこのプラットホームを強固なものにしていくための一翼である。

【註】

（1） この論点は西洋と非西洋や欧米とアフリカという二者間に限ったことではなく、例えば日本国内の美術展に関わる人びとや一般市民のあいだの権力関係にも該当する。これについては、川口氏の二〇二〇年の論文を参照されたい。川口幸也「揺さぶられるアートと美術館──いま、展示室の内と外で起きていること」、川口幸也編『ミュージアムの憂鬱──揺れる展示とコレクション』、水声社、二〇二〇年、一一三─六二頁。

（2） 本書の第八章で板久氏が説明しているように、バラカ社で取り扱われているソープストーン彫刻はケニアのグシイ地方でつくられたものと推察されるが、仕上げの工程はタンザニアで行われているため、タンザニア産のソープストーンとして販売されている。

（3） 川口幸也『アフリカの同時代美術──複数の「かたり」の共存は可能か』、明石書店、三二〇─三二五頁。

索引

ア行

カ行

サ行

タ行

ナ行

ハ行

マ行

ヤ行

ラ行

ワ行

あとがき

本書は、二〇一九年十二月七日に開催されたシンポジウム「アフリカからアートを売り込む――研究と企業の活動から考える現状と展望」（於：東京大学本郷キャンパス文学部1大教室）での個別発表及び討議をもとに、各自が発表原稿を加筆・修正したものに加え、書籍としての有機的繋がりを目的に編者らによる企業側二名の原稿に対する応答文の執筆、そして二〇二〇年秋に開催した座談会を書き起こしたうえで編集したものを収録している。「アフリカ」という主題からは今なお縁遠い東京大学文学部という場所でのシンポジウム開催ということで、当初それほど多くの来聴者を見込んでいなかったが、こちらの予想を大きく上回る方々に来ていただいたことは感謝にたえない。寒い時期にもかかわらず、暖房設備も不十分な空間で会場設営や来聴者対応を長時間行ってくれた、美学芸術学研究室の坂井剛史氏、青本柚紀氏、伊達摩彦氏の三名にはこの場を借りてお礼を申し上げたい。シンポジウム当日の盛況ぶりは、企画側の広報が理由というよりも、東京かんかん、およびバラカ両社の呼びかけによるところが大きかったように思われる。東京かんかんの小川氏、バラカの安齋氏には、二〇一九年五月ごろから二年ほどの長期に渡り、シンポジウムでの発表準備、書籍刊行に伴う原稿作成、座談会への参加、度重なる原稿確認依頼など、多くの作業を担当していただいた。両者の休日のみならず、日常業務にも少なからぬ影響を与えてしまったこと、またそれに伴い両社の全ての関係者にも多大なご迷惑をかけてしまったことをお詫びするとともに、最後までご協力いただいたことに最大限の感謝を示したい。研究者にとっては日常的ないし慣例的とも思える事柄や要求も、一歩外に出れば「異質」な風習に見えることもしばしばある。企業と研究との架橋は、取り扱う主題や伝えたい内容のみならず、その取り扱い方や伝達方法などの形式の面においても意識的に取り組む必要があることを、今回の企画において経験させていただいた。

両社への最大限の感謝とともに、本書は特定の企業に資することを目的として作成されたものではないことは付言しておく必要があるかもしれない。本書の出発点は、アフリカ由来の「アート」を、研究者以外がどのように捉え、売り込んでいるのか、それをどのように研究に活かすことができるか、というところにあった。その際、共編者の緒方とともに、シンポジウムにご協力いただけそうな企業を選ばせていただき、こちらからお願いすることとなった。おそらく、今回の企画に協力いただいた二社同様、積極的に「アフリカからアートを売り込む」活動をしている企業が存在しているだろうし、そうした人々との企画を通じたまた別の成果や可能性もありえただろう。さらにいえば、「アフリカからアートを売り込む」という作業とその歴史は、企業と研究のみならず省庁の働きも大きかったことが本書を通じて部分的に垣間見えてきた。本書が提示しえた可能性がどの程度のものであったかは読者諸氏の反応をまちたいが、他の企業と研究、さらには省庁や「民間」を含め、様々な分野・業種・立場の人々との連携や協力から、今後数多の可能性が提示されるだろうことを期待したい。

シンポジウムのポスター及びチラシのデザインだけでなく、本書の装丁も安藤次朗氏に担当していただいた。アフリカをエキゾチックな対象とせず、また具体的な造形イメージや特定の「アート」でアフリカを代弁させないもの、という編者らの要望に応え素晴らしいデザインを提示してくださったことに改めて感謝したい。

なお、二〇一九年のシンポジウムおよび本書はＪＳＰＳ科研費19K12977の研究成果の一部である。

最後に、「アフリカからアートを売り込む」というタイトルに合致するようカラー図版でアピールしたいという編者らの要望を含め、様々なリクエストに応えてくれた水声社の井戸亮氏、関根慶氏にお礼申し上げたい。

二〇二〇年師走　柳沢史明

編者・執筆者について——

柳沢史明（やなぎさわふみあき）　一九七九年、長野県に生まれる。東京大学大学院人文社会系研究科博士課程修了。博士（文学）。現在、西南学院大学講師。専攻、美学芸術学、近現代芸術史。主な著書に、『〈ニグロ芸術〉の思想文化史——フランス美術界からネグリチュードへ』（二〇一八年）、『異貌のパリ 1919-1939——シュルレアリスム、黒人芸術、大衆文化』（共著、二〇一七年、いずれも水声社）、『混沌の共和国——「文明化の使命」の時代における渡世のディスクール』（共編著、ナカニシヤ出版、二〇一九年）などがある。

緒方しらべ（おがたしらべ）　一九八〇年、島根県に生まれる。総合研究大学院大学博士後期課程修了。博士（文学）。現在、京都精華大学講師。専攻、文化人類学、アフリカ地域研究。主な著書に、『アフリカ美術の人類学——ナイジェリアで生きるアーティストとアートのありかた』（清水弘文堂書房、二〇一七年）、『新型コロナウイルス感染症と人類学——パンデミックとともに考える』（共著、水声社、二〇二一年）、『現代アフリカ文化の今——15の視点から、その現在地を探る』（共著、青幻社、二〇二〇年）などがある。

*

小川弘（おがわひろし）　一九四七年、島根県に生まれる。東京藝術大学大学院ヴィジュアルデザイン科修了。一九七七年、（株）東京かんかんを設立し、中近東古美術、アフリカ美術のギャラリーを始める。以降、国立民族学博物館収集プロジェクト、広島県立美術館、福井市立美術館、世田谷区立美術館等のアフリカ美術展に参画。主な著書に、『ドゴンの光』（水声社、二〇一八年）『アフリカのかたち』（里文出版、一九九九年）などがある。

安齋晃史（あんざいあきふみ）　一九八四年、福井県に生まれ、横浜で育つ。株式会社バラカ代表取締役社長。原材料ではなく、製品の輸出で、アフリカ経済発展の一翼を担おうという主旨のもと、タンザニア製品（ティンガティンガ・アート、食品、雑貨、アフリカ布等）の輸入とプロモートを担当する。

川口幸也（かわぐちゆきや）　一九五五年、福井県に生まれる。東京大学大学院人文科学研究科修士課程修了。世田谷美術館学芸員から国立民族学博物館・総合研究大学院大学准教授を経て、二〇二〇年三月まで立教大学教授を務める。主な著書に、『アフリカの同時代美術——複数の「かたり」の共存は可能か』（明石書店、二〇一一年）、『ミュージアムの憂鬱——揺れる展示とコレクション』（編著、水声社、二〇二〇年）、訳書には、キャロル・ダンカン『美術館という幻想——儀礼と権力』（水声社、二〇一一年）などがある。

板久梓織（いたくしおり）　一九八七年、東京都に生まれる。現在、東京都立大学大学院人文科学研究科博士課程／日本学術振興会特別研究員（DC2）。専攻、社会人類学。主な論文に、「ケニア・グシイ地方のソープストーン彫刻産業——居住地を拠点にした総合的地場産業の発展」（『アフリカ研究』No. 98、日本アフリカ学会、二〇二〇年）などがある。

装幀――安藤次朗

アフリカからアートを売り込む

二〇二一年六月二〇日第一版第一刷印刷　二〇二一年六月三〇日第一版第一刷発行

編者——柳沢史明＋緒方しらべ

執筆者——小川弘＋安齋晃史＋川口幸也＋板久梓織

発行者——鈴木宏

発行所——株式会社水声社

東京都文京区小石川二―七―五　郵便番号一一二―〇〇〇二

電話〇三―三八一八―六〇四〇　FAX〇三―三八一八―二四三七

［**編集部**］横浜市港北区新吉田東一―七七―一七　郵便番号二二三―〇〇五八

電話〇四五―七一七―五三五六　FAX〇四五―七一七―五三五七

郵便振替〇〇一八〇―四―六五四一〇〇

URL : http://www.suiseisha.net

印刷・製本——モリモト印刷

ISBN978-4-8010-0582-2